EDAF

MADRID - MÉXICO - BUENOS AIRES - SAN JUAN

OSHO

DÍA A DÍA

365 meditaciones
para el Aquí y el Ahora

EDAF / NUEVA ERA

Título del original:
EVERYDAY OSHO. 365 Daily Meditations for the Here and Now

© 2001. Osho International Foundation, www.osho.com
© 2002. De la traducción: Elías Sarhan.
© 2001. De esta edición, Editorial EDAF, S. A., por acuerdo con Osho International Fundation, Bahnhofstraße, St. 8001 Zurich, Sw Zerland.

Licencia editorial para Bookspan por cortesía de Editorial EDAF, S.A.

Bookspan
501 Franklin Avenue
Garden City, NY 11530

ISBN: 978-0-7394-7521-8

1

ILUMINACIÓN

En el momento en el que os ilumináis, toda la existencia se ilumina.
Si estáis en la oscuridad, entonces toda la existencia está a oscuras.
Todo depende de vosotros.

Hay mil y una falacias alrededor de la meditación. Esta es muy simple: no es otra cosa que conciencia. No es recitar, no es emplear un mantra o un rosario. Estos son métodos hipnóticos. Pueden proporcionaros un cierto descanso. No hay nada malo en ello, si lo único que se pretende es la relajación. Cualquier método hipnótico puede ser de ayuda, pero si se quiere la verdad, no basta.

La meditación simplemente significa transformar vuestra inconsciencia en conciencia. Por lo general, solo una décima parte de nuestro cerebro es consciente, y nueve décimas partes son inconscientes. Únicamente una parte pequeña de la mente, una capa fina, posee luz; por lo demás, la casa está a oscuras. Y el desafío es hacer crecer esa pequeña luz para que toda la casa se inunde de luz, con el fin de que ni un nicho o rincón queden en la oscuridad.

Entonces toda la casa rebosa luz, y la vida es un milagro; tiene la cualidad de la magia. Deja de ser ordinaria y todo se vuelve extraordinario. Lo mundano se transforma en lo sagrado y las cosas pequeñas de la vida comienzan a tener una importancia tremenda, que ni siquiera habríamos imaginado. Las piedras corrientes parecen tan hermosas como los diamantes, toda la existencia se ilumina. En el momento en el que os ilumináis, toda la existencia se ilumina. Si estáis en la oscuridad, entonces toda la existencia está a oscuras. Todo depende de vosotros.

2

AFICIONADOS Y EXPERTOS

Todos los grandes descubrimientos los hacen los aficionados.

Siempre sucede... cuando empezáis un trabajo nuevo, sois muy creativos, os involucráis profundamente, proyectáis todo vuestro ser. Entonces, poco a poco, os vais familiarizando con el territorio. Y en vez de ser originales y creativos, comenzáis a ser repetitivos. Eso también es natural, porque cuanta más habilidad adquirís en cualquier trabajo, más repetitivos os volvéis. La destreza es repetitiva.

De manera que los grandes descubrimientos los hacen los aficionados, nunca la gente experta... porque una persona experta pone mucho en juego. Si sucede algo nuevo, entonces, ¿qué será de su vieja habilidad? Durante años ha aprendido y se ha convertido en un experto. Por ello los expertos jamás descubren nada; nunca van más allá de los límites de su conocimiento. Por un lado se vuelven más y más diestros, y por el otro, más y más aburridos, hasta que el trabajo parece una carga. Porque ya no hay nada nuevo que pueda entusiasmarlos... ya saben lo que va a pasar, saben lo que van a hacer; no hay sorpresa en ello.

Así pues, aprended una lección: es bueno alcanzar una habilidad, pero no es bueno acostumbrarse a ella para siempre. Cuando os surja la sensación de que las cosas se han estancado, cambiadlas, inventad cualquier cosa, añadid algo nuevo, borrad algo viejo. Volved a ser libres del patrón en el que habéis caído, lo que significa ser libres de vuestra habilidad; volved a ser aficionados. Eso requiere coraje y agallas, pero así es como se torna hermosa la vida.

3
ELEGID LA NATURALEZA

Siempre que veáis que la sociedad está en conflicto con la naturaleza, elegid la naturaleza... sin importar el precio. Jamás perderéis.

Hasta ahora se ha considerado que el individuo existe para la sociedad, de modo que ha de acatar lo que la sociedad dicte. Debe encajar en ella. Esa es la definición del ser humano normal: uno que encaja en la sociedad. Aunque la sociedad esté loca, hay que encajar en ella; entonces sois normales.

El problema que ahora se le plantea al individuo es que la naturaleza exige una cosa y la sociedad lo contrario. Si la sociedad demandara lo mismo que la naturaleza, no habría conflicto. Habríamos permanecido en el Jardín del Edén.

El problema surge porque la sociedad tiene sus propios intereses, que no necesariamente están en sintonía con el individuo y sus intereses. La sociedad posee sus propios intereses; el individuo ha de ser sacrificado. Nos encontramos en un mundo que está patas arriba. Lo correcto sería justo lo opuesto.

El individuo no existe para la sociedad, sino esta para el individuo. Porque la sociedad es simplemente una institución, carece de alma. El individuo posee alma, que es el centro consciente.

4
UN LUGAR DE ECOS

El mundo es un lugar de ecos: si arrojamos ira, ira es lo que nos vuelve; si damos amor, amor es lo que recibimos.

El amor no debería ser exigente; de lo contrario, pierde sus alas, no puede volar. Se enraíza en la tierra y se vuelve muy terrenal; entonces es lujuria y proporciona mucha desdicha y gran sufrimiento. El amor no debería ser condicional, no habría que esperar nada de él. Él mismo debería ser su razón de ser, no una recompensa o resultado. Repito, si tiene algún motivo ulterior, vuestro amor no puede convertirse en un cielo abierto. Se ve confinado a ese motivo; el motivo se convierte en su definición, en su límite. El amor sin motivo carece de límites: es puro júbilo, exuberancia, es la fragancia del corazón.

Y que no haya deseo de conseguir ningún resultado, no significa que estos no tengan lugar; acontecen, y multiplicados por mil, porque aquello que le damos al mundo, nos vuelve rebotado a nosotros. El mundo es un lugar de ecos: si arrojamos ira, ira es lo que nos vuelve; si damos amor, amor es lo que recibimos. Pero ese es un fenómeno natural, no hace falta pensar en ello. Se puede confiar: acontece por su cuenta. Esta es la ley del karma: se recoge aquello que se siembra; lo que se da es lo que se recibe. Así que no hay necesidad de pensar en ello, es algo automático. Odiad, y os odiarán. Amad, y os amarán.

DÍA A DÍA

5
SABIDURÍA RETROSPECTIVA

El otro nunca es responsable. Estad atentos. Si os volvéis sabios en el momento, no habrá problema. Pero todo el mundo se vuelve sabio cuando el momento ha pasado. La sabiduría retrospectiva no vale nada.

Cuando lo habéis hecho todo, cuando habéis luchado, sermoneado y os habéis quejado y luego os habéis vuelto sabios y visto que no tenía sentido, es demasiado tarde. No sirve para nada... porque ya habéis cometido el daño. Esta sabiduría es una sabiduría falsa. Os brinda la sensación de que habéis entendido. Ese es un truco del ego. Esa sabiduría no os va a ayudar. Cuando estabais haciendo lo que hacíais, en ese mismo momento, simultáneamente, es cuando ha de surgir la percepción y deberíais comprender que lo que hacéis es inútil.

Si sois capaces de verlo cuando está presente, entonces no podéis hacerlo. Jamás se puede ir contra la propia percepción, y si se va contra ella, esa percepción no lo es. Se la está confundiendo con otra cosa.

Así que recordad, el otro jamás es responsable de nada. Es algo que hierve en vuestro interior. Y por supuesto la persona a la que amáis es la que está más próxima a vosotros. No podéis arrojárselo a un desconocido que pasa por la calle, de modo que la persona que más próxima tenéis se convierte en el receptáculo en el que podéis continuar vertiendo todas vuestras tonterías. Pero hay que evitar eso, porque el amor es muy frágil. Si lo hacéis demasiado, si os excedéis, el amor puede desaparecer.

El otro nunca es responsable. Intentad que esto sea un estado tan permanente de percepción en vosotros que siempre que empecéis a ver algo malo en el otro, lo recordéis. Sorprendeos con las manos en la masa, para poder parar en el acto. Y pedir que se os perdone.

6

GRATITUD

La gratitud prepara el camino. Sentíos tan agradecidos a la existencia como os sea posible... por cosas pequeñas, no solo por las grandes... por el simple acto de respirar. No tenemos ningún derecho sobre la existencia, de modo que aquello que se recibe es un regalo.

Desarrollad cada vez más la gratitud; dejad que se convierta en vuestro estilo. Estad agradecidos a todos.

Si se entiende la gratitud, entonces se agradecen las cosas que se han hecho de forma positiva. Incluso se agradecen las cosas que se han realizado negativamente. Estáis agradecidos de que alguien os ayudara; este es solo el principio. Luego se empieza a agradecer que alguien no os hiciera daño... cuando podría haberlo hecho; fue amable.

Una vez que se entiende el sentimiento de gratitud y se le permite penetrar hondo en el ser, se empieza a sentir gratitud por todo. Y cuanto más agradecidos seáis, menos os quejaréis y gruñiréis.

Cuando desaparecen las quejas, también desaparece la desdicha, ya que esta existe con la queja. Está enganchada a las quejas y a la mente propensa a quejarse. Es imposible que exista con la gratitud. De manera que este es uno de los principales secretos que hay que aprender.

7
RISA

*¿Por qué esperar motivos? La vida tal como es debería ser suficiente razón
para reír. Es tan absurda, es tan ridícula. Es tan hermosa... ¡tan maravillo-
sa!*
Es todo tipo de cosas al mismo tiempo. Es una gran broma cósmica.

La risa es la cosa más fácil del mundo si la permitís, pero se ha convertido en algo difícil. La gente ríe muy rara vez, y aun cuando lo hace
no es una risa verdadera. Las personas ríen como si le hicieran un favor
a alguien, como si cumplieran un cierto deber. La risa es diversión. ¡No
es un favor a nadie! Igual que con el amor. También el amor es diversión. La risa es diversión. La vida es diversión. Pero, de algún modo, en
la mente ha calado hondo que estáis cumpliendo con un deber.

No se debería reír para hacer feliz a otro, porque si vosotros no sois
felices, no podéis hacer feliz a nadie. Simplemente deberíais reír por
voluntad propia, y sin que exista un motivo en particular.

Si empezáis a analizar las cosas, no seréis capaces de dejar de reír.
Sencillamente, todo es perfecto para la risa, no falta nada, pero no lo per-
mitimos. Somos muy mezquinos con la risa, con el amor, con la vida. En
cuanto sepáis que se puede dejar de ser mezquinos, pasaréis a una dimensión diferente.

La risa es la verdadera religión. Todo lo demás es metafísica.

8

NO EMITIR JUICIOS

No hay que emitir juicios, porque si se juzga, se inicia la división.

Por ejemplo, podéis estar sumidos en una profunda conversación con un amigo y de pronto sentir que os apetece el silencio. Queréis dejar de hablar justo en mitad de una frase. Parad, y ni siquiera completéis el resto de la oración, porque eso irá contra la naturaleza.

Pero entonces surge el juicio. Uno se sentirá abochornado por lo que puedan pensar los demás si de repente se deja de hablar en medio de una frase. Si de pronto guardáis silencio, no lo entenderán, de modo que lográis completar la oración como podéis. Fingís mostrar interés, y al final conseguís escapar. Eso es muy costoso y no hay necesidad de hacerlo. Simplemente decid que en ese momento no os llega la conversación. Podéis pedir disculpas y guardar silencio.

Durante unos días quizá sea un poco molesto, pero poco a poco la gente empezará a entender. No os juzguéis por el motivo por el que hayáis podido guardar silencio; no os digáis que no está bien. ¡Todo está bien! En la aceptación profunda, todo se convierte en una bendición. Lo que pasa es que vuestro ser quiere estar silencioso, así que hacedle caso. Convertíos en una sombra de vuestra totalidad, y allí adonde vaya tenéis que seguirla porque no hay otro objetivo. Comenzaréis a sentir que os rodea una relajación tremenda.

9
LOS VERDADEROS LADRONES

No hay nada que temer porque no tenemos nada que perder. Todo lo que puede ser robado no vale la pena, de modo que ¿por qué temer?, ¿por qué sospechar?, ¿por qué dudar?

Estos son los verdaderos ladrones: la duda, la sospecha, el miedo. Destruyen vuestra misma posibilidad de celebración. Así que mientras estéis en la tierra, celebrad la tierra. Mientras dure este momento, disfrutadlo hasta la médula. Sacadle todo el jugo que os pueda dar y que está dispuesto a daros.

Debido al miedo pasáis por alto muchas cosas. Por el miedo no podemos amar, y si amamos, siempre es a medias. Siempre es hasta cierto punto y jamás va más allá. Siempre llegamos a un punto más allá del cual nos da miedo ir, así que nos quedamos anclados ahí. El miedo nos impide ahondar en la amistad. Por el miedo no podemos rezar.

Sed conscientes, pero jamás seáis cautos. La distinción es muy sutil. La conciencia no está enraizada en el miedo, pero sí la cautela. Uno se muestra cauto para no tener que equivocarse nunca, aunque así no se puede llegar muy lejos. El mismo temor no os permitirá investigar estilos de vida nuevos, nuevos canales para la energía, nuevas direcciones y nuevas tierras; no os lo permitirá. Siempre hollaréis el mismo sendero, una y otra vez, avanzando y retrocediendo, avanzando y retrocediendo. ¡Uno se convierte en un tren de mercancías!

10

LA MENTE CRÍTICA

No digo que una actitud crítica sea siempre dañina. Si trabajáis en un proyecto científico, no es perniciosa; es el único modo de trabajar.

Una mente crítica es una necesidad absoluta si trabajáis en un proyecto científico. Pero la mente crítica es una barrera absoluta si lo que intentáis es alcanzar vuestra propia interioridad, subjetividad. Con el mundo objetivo es perfectamente válida. Sin ella no hay ciencia; con ella no hay religiosidad. Hay que entender esto: cuando se trabaja objetivamente hay que ser capaz de usarla, y cuando se trabaja subjetivamente hay que ser capaz de dejarla a un lado. Debería emplearse como un medio. No ha de convertirse en una *idea fija*; deberíais ser capaces de utilizarla o no, con libertad.

Con una mente crítica no existe posibilidad de penetrar en el mundo interior. La duda es una barrera, del mismo modo que la confianza es una barrera en la ciencia. Un hombre de confianza no irá muy lejos en la ciencia, no puede. Por eso es por lo que en los días en que la religión era predominante en el mundo, este permaneció poco científico.

El conflicto que surgió entre la Iglesia y la ciencia no fue accidental; fue fundamental. En realidad, no fue un conflicto entre la ciencia y la religión, sino entre dos dimensiones de ser diferentes, lo objetivo y lo subjetivo. Su funcionamiento es distinto.

11

ORGASMO

Hay momentos, contados momentos, muy espaciados entre sí, en que el ego algunas veces desaparece porque os encontráis en una embriaguez total. En el amor a veces sucede; en ocasiones también en el ogasmo.

En el orgasmo profundo vuestra historia desaparece, vuestro pasado no deja de retroceder, hasta que al final desaparece. En el orgasmo no tenéis ninguna historia, ningún pasado, no tenéis mente ni autobiografía. Estáis absolutamente aquí, ahora. No sabéis quiénes sois, carecéis de identidad. En ese momento el ego no funciona, y de ahí el júbilo del orgasmo, su refrescante cualidad, lo rejuvenecedor que es. Por eso os deja tan silenciosos, tan tranquilos, tan relajados y satisfechos. Pero una vez más irrumpe el ego, entra el pasado para arraigarse en el presente. De nuevo la *historia* empieza a funcionar y *vosotros* dejáis de funcionar. El ego es vuestra historia, no es una realidad. Y es vuestro enemigo.

Todas las personas giran por esa esquina muchas veces en la vida, porque esta se mueve en un círculo y una y otra vez llegamos al mismo punto, pero debido a la falta de coraje escapamos de ese punto. De lo contrario, el ego es una falsedad. De hecho, dejarlo morir sería lo más fácil y mantenerlo vivo lo más arduo, pero lo mantenemos con vida y pensamos que es lo más fácil.

12

REACCIÓN EN CADENA

Todas las cosas acontecen juntas. Si os sintierais menos culpables,
de inmediato empezaríais a sentiros más felices. Si os sintierais más felices,
os sentiríais menos en conflicto, más armoniosos... más integrados.

Si os sintierais juntos, más armoniosos, de pronto sentiríais que una cierta gracia os rodea. Estas cosas funcionan como una reacción en cadena: una inicia otra, la otra inicia otra, y así van extendiéndose.

Pero, para empezar, sentiros menos culpables resulta de vital importancia. Se ha hecho sentir culpable a toda la humanidad... siglos de condicionamiento, de decirle a las personas que hagan esto y no aquello. Y no solo eso, sino que se las ha obligado aduciendo que si hacen algo que no está permitido por la sociedad o por la Iglesia, entonces son pecadores. Si hacen algo que es apreciado por la sociedad y la Iglesia, entonces son santos. De modo que se ha engañado a todo el mundo para hacer las cosas que la sociedad quiere que hagan y para no hacer aquellas que no desea. Nadie se ha molestado en averiguar si eso es lo que a vosotros os gusta. Nadie se ha preocupado por el individuo.

De modo que esto es lo básico... hay que adentrarse en una nueva luz, en una nueva conciencia, donde poder desembarazaros de la sensación de culpabilidad. Y luego seguirán muchas más cosas.

13
FLEXIBILIDAD

Un hombre es joven en proporción a su flexibilidad. Observad a un niño
pequeño. Es tan suave, tierno y flexible. A medida que se envejece,
todo se vuelve tenso, duro, inflexible. Pero un hombre puede permanecer
absolutamente joven hasta el momento mismo de su muerte si no pierde
la flexibilidad.

Cuando sois felices, os expandís. Cuando tenéis miedo, os encogéis, os escondéis en vuestro caparazón, porque si salís puede haber peligro. Os encogéis en todos los aspectos: en el amor, en las relaciones, en la meditación, en todo. Os convertís en una tortuga y os encogéis por dentro. Si continuamente se permanece en el temor, tal como viven muchas personas, con el tiempo se pierde la elasticidad de la energía. Entonces os convertís en una charca de agua estancada. Dejáis de fluir, dejáis de ser un río. Os sentís cada vez más muertos.

Pero el miedo tiene un uso natural. Cuando la casa está en llamas, tenéis que escapar. No intentéis no sentir miedo o seréis unos tontos. Deberíais mantener asimismo la capacidad de encogimiento, porque hay momentos en que es necesario detener el flujo. Deberíais ser capaces de salir y de entrar, de salir y de entrar. Eso es flexibilidad: expansión, encogimiento, expansión, encogimiento. Es como respirar. La gente que tiene mucho miedo no respira profundamente, porque incluso esa expansión proporciona miedo. Su pecho se encoge; tendrá un pecho hundido.

Intentad encontrar maneras de hacer que vuestra energía se mueva. A veces incluso la ira es buena. Al menos hace que vuestra energía se mueva. Si tenéis que elegir entre el miedo y la ira, elegid esta última. Pero no paséis al otro extremo. La expansión es buena, pero no deberíais volveros adictos a ella. Lo que de verdad debéis recordar es la flexibilidad: la capacidad de moveros de un extremo al otro.

14
GRACIA

La gracia aporta belleza. La gracia sencillamente significa
el aura que rodea a la relajación total.

Si os movéis espontáneamente, cada momento en sí mismo decide cómo será. Este momento no va a decidir por el siguiente, así que permanecéis con finales abiertos. El siguiente momento decidirá su propio ser; no tenéis plan, patrón, expectativa.

El hoy es suficiente; no planifiquéis para mañana, ni siquiera para el próximo momento. El hoy termina, y entonces llega el mañana, fresco e inocente, y se abre sin un manipulador. Se abre por su propia voluntad, y sin el pasado. Eso es gracia.

Observad una flor abriéndose por la mañana. Seguid observando... eso es gracia. No existe esfuerzo... simplemente se mueve según la naturaleza. O contemplad a un gato al despertar... sin esfuerzo, con una tremenda gracia a su alrededor. La totalidad de la naturaleza está llena de gracia, pero el hombre ha perdido la capacidad de ser grácil, debido a las divisiones que hay en su interior.

Así que moveos y dejad que el momento decida, no intentéis dirigirlo. Eso es lo que yo llamo dejarse llevar... y todo acontece debido a ello. ¡Dadle una oportunidad!

15
EL MIEDO ESPECIAL

Es una buena clase de miedo si no sabéis exactamente qué es.
Eso solo significa que estáis al borde de algo desconocido.

Cuando el miedo tiene algún objeto, es un miedo corriente. Uno le teme a la muerte... se trata de un temor muy corriente, instintivo; nada extraordinario, nada especial. Cuando uno le tiene miedo a la vejez o a la enfermedad, son miedos corrientes.

El miedo especial es cuando no podéis encontrarle un objeto, cuando está presente por ningún motivo en particular; ¡eso sí que nos asusta! Si sois capaces de encontrarle una razón, la mente queda satisfecha. Si podéis responder por qué, la mente dispone de una explicación a la que aferrarse. Todas las explicaciones ayudan a desterrar las cosas, no hacen nada más, pero una vez que se dispone de una explicación racional, os sentís satisfechos.

Es mejor ver la cosa sin preguntaros el porqué. Se trata de un enfoque con un tremendo potencial. Algo desconocido flota a vuestro alrededor y va a flotar en torno a todos los buscadores de la verdad. Es el miedo que todo buscador ha de pasar. Y no estoy aquí para daros explicaciones, sino para empujaros a él. No soy un psicoanalista... soy un existencialista. Mi esfuerzo es haceros capaces de experimentar tantas cosas como sea posible: amor, miedo, ira, codicia, violencia, compasión, meditación, belleza, y así sucesivamente. Cuanto más experimentéis estas cosas, más ricos seréis.

16

EL CUERPO DIVIDIDO

En una sociedad primitiva se acepta la totalidad del cuerpo.
No hay condena. Nada es inferior y nada es superior. Todo simplemente es.

El yoga no es suficiente. Os hace muy controlados, y todo tipo de control es una especie de represión. De modo que reprimís y luego olvidáis todo sobre la represión. Pasa al estómago, y esas cosas reprimidas se juntan cerca del diafragma. El estómago es el único espacio al que podéis seguir arrojando cosas; en ningún otro sitio hay espacio.

El día que vuestro control explote, os sentiréis tan libres y vivos. Os sentiréis renacidos, porque conectará vuestro cuerpo dividido. El diafragma es el sitio donde el cuerpo se halla dividido, el superior y el inferior. En las antiguas enseñanzas religiosas, el inferior está condenado y el superior parece algo realmente elevado, superior, más sagrado. No es nada. El cuerpo es uno y esta bifurcación resulta peligrosa; os escinde. Poco a poco comenzáis a negar muchas cosas en la vida. Aquello que excluís de vuestra vida algún día se tomará su venganza. Os llegará como una enfermedad.

Ahora algunos investigadores científicos afirman que el cáncer no es nada más que demasiado estrés en el interior. El cáncer existe solo en las sociedades muy reprimidas, de lo contrario, no. Cuanto más civilizada sea una sociedad, más posible es el cáncer. Cuanto más cultivadas estén las personas, más posible es el cáncer. No puede existir en una sociedad primitiva, porque en una sociedad primitiva se acepta la totalidad del cuerpo. No hay condena. Nada es inferior ni nada es superior. Todo simplemente es.

17

IGNORANCIA

Cuando utilizo la palabra ignorancia, *no la empleo en un sentido negativo. No me refiero a ausencia de conocimiento. Aludo a algo fundamental, muy presente, muy positivo. Es como somos. Es la misma naturaleza de la existencia la que permanece misteriosa, y ese es el motivo por el que es tan hermosa.*

Todo el conocimiento es superfluo. El conocimiento como tal es superfluo. Y todo el conocimiento crea solo una ilusión de que sabemos... pero no sabemos. Podéis vivir toda la vida con un hombre, y podéis pensar que lo conocéis... pero no lo conocéis. Podéis dar a luz, y podéis pensar que conocéis a vuestro bebé... pero no lo conocéis.

Sea lo que fuere lo que creemos saber, es muy ilusorio. Alguien pregunta: «¿Qué es el agua?», y vosotros respondéis: «H_2O». Eso es simplemente un juego. No se sabe lo que es el agua, ni lo que es la «H» ni la «O».

Estáis etiquetando. Alguien pregunta qué es esa «H», ese hidrógeno... y recurrís a las moléculas, los átomos, los electrones... pero una vez más estáis dando nombres. El misterio no está acabado... el misterio solo se ha postergado y al final solo queda una tremenda ignorancia. Al comienzo no sabíamos qué era el agua, ahora no sabemos lo que es el electrón, de manera que no hemos arribado a ningún conocimiento. Hemos jugado al juego de dar nombres, de colocar en categorías, pero la vida sigue siendo un misterio. La ignorancia es tan profunda y tan definitiva que no se puede destruir. Y una vez que lo entendéis, podéis reposar en ella. Es tan hermosa, tan relajante... porque entonces ya no queda adónde ir. No hay nada que saber, porque no se puede saber nada. La ignorancia es definitiva. Es tremenda y vasta.

18

DETRÁS DE LA IRA

Pasad de la ira a la creatividad y de inmediato veréis que en vosotros surge un gran cambio. Y mañana las mismas cosas no parecerán excusas para estar enojado.

De cien personas enojadas, cerca del cincuenta por ciento sufre de demasiada energía creativa que no ha sido capaz de poner en uso. Su problema no es la ira, aunque durante toda su vida seguirá pensando que sí lo es. En cuanto un problema se diagnostica correctamente, la mitad se ha solucionado.

Centrad vuestras energías en la creatividad. Olvidaos de la ira como problema, soslayadla. Canalizad vuestra energía hacia más creatividad. Lanzaos a algo que améis. En vez de hacer que la ira sea vuestro problema, dejad que la creatividad sea el objeto de vuestra meditación. Pasad de la ira a la creatividad y de inmediato veréis que en vosotros surge un gran cambio. Y mañana las mismas cosas no parecerán excusas para estar enojado, porque ahora la energía se mueve, está canalizada, está siendo sublimada, disfruta de sí misma, es danza. ¿A quién le importan las cosas pequeñas?

19

ESPONTANEIDAD

Hagáis lo que hagáis, hacedlo de la forma más total que os sea posible.
Si disfrutáis caminando, ¡bien! Si de pronto os dais cuenta
de que ya no tenéis el impulso o el deseo de moveros, entonces sentaos de inmediato;
no deberíais dar ni un solo paso en contra de vuestra voluntad.

Pase lo que pase, aceptadlo y disfrutadlo, y no forcéis nada. Si tenéis ganas de hablar, hablad. Si sentís que os apetece el silencio, guardad silencio... simplemente avanzad con la sensación. No forcéis nada de ninguna manera, ni siquiera por un momento, porque en cuanto lo hacéis, quedáis divididos en dos, y eso crea un problema, ya que entonces toda vuestra vida se escinde.

Toda la humanidad se ha vuelto casi esquizofrénica, porque se nos ha enseñado a forzar las cosas. La parte que quiere reír y la parte que no os permite reír se separan, y entonces quedáis divididos en dos. Creáis un jefe y un subordinado, y por ello hay conflicto. El abismo que crea ese conflicto puede ir haciéndose cada vez más y más grande. De modo que el problema radica en cómo unir esa grieta y no volver a crearla.

En zen hay un dicho muy hermoso: *Sentado, simplemente siéntate. Caminando, simplemente camina. Por encima de todo, no tiembles.*

Hagáis lo que hagáis, hacedlo de la forma más total que os sea posible. Si disfrutáis caminando, ¡bien! Si de pronto os dais cuenta de que ya no tenéis el impulso o el deseo de moveros, entonces sentaos de inmediato; no deberíais dar ni un solo paso en contra de vuestra voluntad. No deberíais arrastraros. Ese mecanismo pertenece al ego, el manipulador.

20

CONTENERSE

¿Por qué os contenéis? Existe cierto temor de que si no lo hacéis, si entregáis todo, no os quedará nada para dar. De modo que solo damos en partes... mantenemos la zanahoria colgando... por eso nos contenemos.
Mantenemos el misterio.

No permitís que la mujer entre en todo vuestro ser y lo conozca en su totalidad, porque en cuanto os conoce totalmente puede experimentar desinterés. Mantenéis algunos rincones distantes para que ella siga pensando: «¿Qué son esos rincones? ¿Qué más tienes para dar?». Y busca y busca, y os persuade y os seduce... Y de la misma manera ella retiene y contiene mucho.

Existe cierta comprensión, una comprensión animal, de que una vez que se ha conocido el misterio, este desaparece. Amamos el misterio, amamos lo desconocido: cuando es conocido, cartografiado, medido, entonces se ha acabado. ¿Qué otra cosa queda? Vuestra mente aventurera empezará a pensar en otras mujeres y ella empezará a pensar en otros hombres. Eso es lo que les ha sucedido a miles, millones, de maridos y esposas: se han mirado totalmente... ¡y se han acabado! En ese momento el otro carece de alma, porque el misterio no está ahí... y el alma existe en el misterio.

Esta es la lógica que hay en ello. Pero cuando sois verdaderamente independientes y estáis entregados al dios del amor, entonces os podéis abrir por completo. Y en esa apertura os convertís en uno. Cuando dos personas están abiertas dejan de ser dos. Cuando los muros desaparecen, la habitación es una.

Y ahí es donde radica la realización. Eso es lo que buscan todos los amantes, con lo que sueñan y lo que desean. Pero si no lo entendéis correctamente, podéis buscar y buscar en la dirección equivocada.

21

COMO UN NIÑO

Estamos separados solo en la superficie, en lo más hondo no estamos separados. Únicamente lo está la parte visible; la invisible sigue siendo una.

Los *Upanishad* dicen: «Aquellos que creen saber, no saben», porque la misma idea de que sabéis no os permite saber. La misma idea de que uno es ignorante os vuelve vulnerables, abiertos. Como un niño, vuestros ojos están llenos de asombro. Entonces resulta difícil decidir si los pensamientos son vuestros u os llegan del exterior, porque uno ha perdido todas las amarras. Pero no hay necesidad de preocuparse, porque básicamente la mente es solo una, es la mente universal... llamadla dios, o en términos jungianos, el «inconsciente colectivo».

Estamos separados solo en la superficie, en lo más hondo no estamos separados. Únicamente lo está la parte visible; la invisible sigue siendo una. De modo que cuando os relajáis y guardáis silencio y sois más humildes, más infantiles, más inocentes, entonces al principio será difícil ver si esos pensamientos son vuestros, surgen de la nada o alguna otra persona está enviando sus mensajes y vosotros sois los receptores. Pero no vienen de ninguna parte. Proceden del núcleo más hondo de vuestro ser... que también es el núcleo de todos los demás.

De forma que un pensamiento realmente original no lleva la firma de nadie. Está simplemente ahí, surge del colectivo, de lo universal, de la única mente... mente con M mayúscula. Y cuando la mente individual, la mente ego, se relaja, la mente universal empieza a anegarla.

22

LA FRAGILIDAD DEL AMOR

No penséis que el amor es eterno. Es muy frágil. Es tan frágil como una rosa.
Por la mañana está ahí, y por la noche se ha ido. Cualquier cosa pequeña
puede destruirlo.

De hecho, cuanto más elevada es una cosa, más frágil es. Ha de ser protegida. Una piedra permanecerá, pero una flor desaparecerá. Si arrojáis una piedra contra una flor, la primera no saldrá dañada, pero la segunda será destruida.

El amor es muy frágil y delicado. Hay que ir con mucho cuidado con él. Se puede causar tanto daño como para que la otra persona se cierre y se ponga a la defensiva. Así es como nos cerramos. Si lucháis demasiado, el otro comenzará a escapar de vosotros; se tornará más y más frío, más y más cerrado, para no volver a ser vulnerable a vuestro ataque. Entonces lo atacaréis más porque os resistiréis a esa frialdad. Se puede convertir en un círculo vicioso. Y así es como se separan los amantes. Se alejan el uno del otro y creen que el otro es el responsable, que el otro los ha traicionado.

De hecho, tal como yo lo veo, ningún amante ha traicionado alguna vez a nadie. Es solo la ignorancia la que mata el amor, nadie lo traiciona. Los dos querían estar juntos, pero, de algún modo, ambos eran ignorantes. Su ignorancia les jugó malas pasadas que se multiplicaron.

23
COSAS ESENCIALES

La meditación significa ser uno mismo, y el amor significa compartir el propio ser con otra persona. La meditación os da el tesoro, y el amor os ayuda a compartirlo. Estas son las dos cosas más básicas, y todo lo demás no es esencial.

Hay una antigua anécdota acerca de tres viajeros que llegaron a Roma. Fueron a ver al Papa, quien le preguntó al primero: «¿Cuánto tiempo te vas a quedar?». El hombre respondió tres meses. El Papa dijo: «Entonces podrás ver bastante de Roma». En contestación al tiempo que iba a quedarse el segundo viajero, repuso que solo podía permanecer seis semanas. El Papa comentó: «Entonces podrás ver más que el primero». El tercer viajero anunció que únicamente podría quedarse dos semanas en Roma, a lo que el Papa indicó: «Eres afortunado, porque serás capaz de ver todo».

Quedaron desconcertados... porque no entendían el mecanismo de la mente. Pensadlo; si tuvierais una vida de mil años, os perderíais mucho, porque no dejaríais de postergar cosas. Pero como la vida es corta, uno no puede permitirse el lujo de posponer. Sin embargo, la gente lo hace... y a su propio riesgo.

Imaginaos que alguien os dijera que solo os queda un día de vida. ¿Qué haríais? ¿Seguiríais pensando en cosas innecesarias? No, lo olvidaríais todo. Amaríais, rezaríais y meditaríais, porque únicamente os quedan veinticuatro horas. No postergaríais las cosas verdaderas, las cosas esenciales.

24
AUTORIDAD

Jamás le preguntéis a alguien qué está bien y qué está mal.
La vida es un experimento para averiguarlo.

Cada individuo ha de estar consciente, alerta, vigilante, experimentar con la vida y averiguar qué es bueno para él. Sea lo que fuere lo que os aporta paz, lo que os hace felices, lo que os brinda serenidad, lo que os acerca más a la existencia y a su inmensa armonía, es bueno. Y aquello que os crea conflicto, desdicha, dolor, está mal. Nadie más puede decidir por vosotros, porque cada individuo tiene su propio mundo, su propia sensibilidad. Es único. De modo que las fórmulas no van a funcionar, no han funcionado. Todo el mundo es prueba de ello.

Jamás le preguntéis a alguien qué está bien y qué está mal. La vida es un experimento para averiguarlo. A veces podéis comprometeros con lo que está mal, pero eso os aportará su experiencia, os hará conscientes de lo que hay que evitar. A veces quizá hagáis algo bueno y os beneficiaréis inmensamente de ello. Las recompensas no están más allá de la vida, en el cielo y el infierno. Son aquí y ahora.

Cada acción provoca su resultado de forma inmediata. Solo tenéis que estar alertas y vigilar. Llamo maduro al hombre que ha vigilado y averiguado por sí mismo qué está bien, qué está mal, qué es bueno, qué es malo. Y al hacerlo, adquiere una tremenda autoridad. Lo conoce de manea absoluta. Todo el mundo puede decir otra cosa, para él es lo mismo. Posee su propia experiencia y eso es decisivo.

25
FELICIDAD

No hay causas externas para la felicidad o la infelicidad; solo son excusas. Poco a poco, uno empieza a entender que es algo que uno lleva dentro que no deja de cambiar, y que no tiene nada que ver con las circunstancias exteriores.

Es algo dentro de vosotros, una rueda interior, que no deja de moverse. Simplemente observadla... es muy hermosa, porque al ser conscientes de ella, se ha conseguido algo. Ahora entendéis que estáis libres de las excusas exteriores, porque fuera no ha pasado nada y, sin embargo, vuestro estado de ánimo ha cambiado en cuestión de minutos de felicidad a infelicidad.

Eso significa que la felicidad y la infelicidad son vuestros estados de ánimo y que no dependen del exterior. Es una de las cosas más básicas que hay que comprender, porque entonces se puede hacer mucho.

Lo segundo que hay que comprender es que dependen de vuestra percepción. Así que estad atentos y adquirid conciencia. Si la felicidad está ahí, observadla y no os identifiquéis con ella. Cuando esté presente la infelicidad, volved a observar.

Es como la mañana y la noche. Por la mañana observáis y disfrutáis con el sol naciente. Cuando este se pone y desciende la oscuridad, también la observáis y la disfrutáis.

26

JUGAR UN PAPEL

Jugadlo, pero a sabiendas... Jugad vuestros juegos, sean cuales fueren; no los reprimáis. Si surge la idea, jugadla Tan perfectamente como os sea posible, pero plenamente alertas. Disfrutadlo, y otros también lo disfrutarán.

Aunque una persona juegue un papel, hay un motivo para ello. Ese papel tiene alguna importancia para la persona. Si el juego se juega a la perfección, algo del inconsciente desaparecerá, se evaporará, y quedaréis libres de una carga.

Por ejemplo, si queréis jugar como un niño, eso significa que en vuestra infancia algo ha permanecido incompleto. No pudisteis ser un niño como quisisteis ser; alguien os detuvo. La gente os hizo más serios, os obligó a ir más allá de vuestra edad, os hizo aparecer más adultos y maduros de lo que erais. Algo ha permanecido ahí incompleto. Esa imperfección exige ser completada y os seguirá hostigando. Así que acabadla. No hay nada malo en ello. Aquella vez, en el pasado, no pudisteis ser niños; ahora sí.

Una vez que podáis sumergiros totalmente en ello, veréis que ha desaparecido y que no volverá nunca más.

27
ETIQUETAS

No utilicéis las palabras «felicidad» e «infelicidad», porque están cargadas de juicios. Simplemente observad sin juzgar...
este estado de ánimo «A» y este estado de ánimo «B».

¿Lo entendéis? El estado de ánimo «A» ha desaparecido, y ahora está el «B» y vosotros simplemente sois observadores. De pronto os dais cuenta de que cuando llamáis felicidad a «A», no es tan feliz, y cuando llamáis infelicidad a «B», no es tan infeliz. Al llamarlos «A» y «B» se establece una distancia.

Cuando decís «felicidad», la palabra da a entender mucho. Estáis diciendo que queréis aferraros a ella, que no queréis que se vaya. Cuando decís «infeliz», no solo estáis empleando una palabra; esta da a entender mucho. Estáis diciendo que no la queréis, que no debería estar presente. Todas estas cosas se dicen de forma inconsciente.

Así que emplead estos términos para vuestros estados de ánimo durante siete días. Simplemente sed observadores... como si os hallarais sentados en lo alto de la colina y por el valle pasaran nubes, amaneceres y crepúsculos... a veces es de día y a veces es de noche. Simplemente sed observadores en la colina, en la lejanía.

28

AMOR DE LUNA NUEVA

Dejad que acontezca un amor de luna nueva. Abrazaos, sed cariñosos, cuidaos y no anheléis el calor... porque ese calor era una locura, un frenesí; es bueno que haya desaparecido. Deberíais consideraros afortunados... no lo malinterpretéis.

Si el amor va más profundo, los cónyuges se convierten en hermanos. Si el amor va más profundo, la energía del sol se convierte en energía de luna: el calor desaparece, es muy fresco. Y cuando el amor va más profundo, puede tener lugar un malentendido... porque nos hemos acostumbrado a la fiebre, a la pasión, a la excitación, y ahora todo parece necio. ¡Es necio! Ahora si hacéis el amor, parece una necedad; si no hacéis el amor, os parece como si faltara algo, por la vieja costumbre.

Cuando un marido y una mujer empiezan a sentir esto, surge el temor... ¿habéis empezado a dar por sentado al otro? ¿Se ha convertido en un hermano o una hermana, por lo que ha dejado de ser vuestra elección, ha dejado de ser un viaje del Ego? Este temor surge. A veces uno empieza a sentir que falta algo... que hay una especie de vacío. Pero no lo analicéis a través del pasado. Miradlo desde el futuro.

Va a suceder mucho en este vacío, en esta intimidad... los dos desapareceréis. Se tornará en algo absolutamente no sexual, todo el calor se desvanecerá y entonces conoceréis una cualidad de amor completamente diferente.

29
CONFIANZA

Recordad siempre que bajo ningún concepto se debe permitir la desconfianza. Aunque vuestra confianza se convierta en una posibilidad de que os puedan engañar, eso está bien. Aunque os engañen debido a vuestra confianza, eso es mejor que no confiar.

Resulta muy fácil cuando todo el mundo es cariñoso y hermoso y nadie os engaña... entonces confiar es fácil. Pero aunque todo el mundo sea mentiroso y todos pretendan engañaros —y solo se os puede engañar cuando confiáis—, también entonces seguid confiando. Jamás perdáis la confianza en la confianza, sin importar el precio, y nunca seréis perdedores, porque la confianza en sí misma es el fin último. No debería ser un medio hacia nada más, porque posee su propio valor intrínseco.

Si podéis confiar, os mantenéis receptivos. La gente se cierra como medida defensiva para que nadie pueda engañarla o aprovecharse de ella. ¡Dejad que se aprovechen de vosotros! Si insistís en seguir confiando, entonces tiene lugar un florecimiento hermoso, porque no hay miedo. El miedo es que la gente engañe... pero una vez que aceptáis eso, ya no hay miedo, de manera que no hay ninguna barrera para que os abráis. El temor es más peligroso que cualquier daño que alguien os pueda hacer. Ese miedo es un veneno que puede emponzoñar toda vuestra vida. Así que permaneced abiertos y confiad con inocencia, de forma incondicional.

Floreceréis, y ayudaréis a otros a florecer una vez que sean conscientes de que a vosotros no os han engañado nada, sino que han estado engañándose a sí mismos. No podéis engañar a una persona interminablemente si no pierde la confianza en vosotros. Esa misma confianza os arrojará una y otra vez contra vosotros mismos.

30
VACÍO

El día más grande en la vida es cuando no podéis encontrar nada en vosotros mismos para echar fuera, cuando todo ha sido expulsado y únicamente queda un vacío puro. En ese vacío os encontráis a vosotros mismos.

La meditación solo significa vaciaros de todo el contenido de la mente: memoria, imaginación, pensamientos, deseos, expectativas, proyecciones, estados de ánimo. Uno debe continuar vaciándose de todo contenido. En ese vacío encontráis vuestra conciencia pura.

Ese vacío está vacío solo en lo que concierne a la mente, en lo demás rebosa, está lleno de ser... vacío de mente pero lleno de conciencia. Así que no temáis la palabra *vacío*, no es negativa. Solo niega el equipaje innecesario que carece de uso y que transportáis por costumbre, que no ayuda, que únicamente entorpece, que no es más que un peso, una carga montañosa.

Una vez que lo elimináis quedáis libres de todo límite, os volvéis tan infinitos como el cielo. Esa experiencia es la experiencia de Dios o de la cualidad de buda, o la palabra que uno más prefiera. Llamadla dhamma, tao, verdad, nirvana... todas significan lo mismo.

31
EXPERIMENTACIÓN

Permaneced siempre abiertos y con ánimo de experimentar... siempre listos para adentraros en un sendero que nunca antes habéis caminado. ¿Quién sabe? Aunque resulte inútil, será una experiencia.

Edison trabajó durante casi tres años en un determinado experimento y fracasó setecientas veces. Todos sus colegas y estudiantes se sentían absolutamente frustrados. Él llegaba cada mañana feliz y a rebosar de júbilo, listo para empezar otra vez. Era demasiado: ¡setecientas veces y tres años desperdiciados! Todo el mundo estaba prácticamente seguro de que no se iba a conseguir nada. Todo parecía inútil... solo un capricho.

Se reunieron y le dijeron: «Hemos fallado setecientas veces. Ya es un fracaso absoluto. No hemos logrado nada. Tenemos que parar».

Edison soltó una carcajada y dijo: «¿De qué estáis hablando? ¿Fracasado? Hemos tenido éxito en descubrir que setecientos métodos no serán de ninguna ayuda. ¡Cada día que pasa nos acercamos cada vez más a la verdad! Si no hubiéramos llamado a esas setecientas puertas, no habríamos podido saberlo. Pero ahora estamos seguros de que hay setecientas puertas falsas. ¡Es un gran logro!».

Esta es la actitud científica básica: si podéis decidir que algo es falso, os estáis acercando a la verdad. La verdad no se encuentra disponible en el mercado para que podáis ir directamente a encargarla. No se encuentra disponible a nuestro antojo. Tenéis que experimentar.

De modo que lo que sugiero es que siempre estéis dispuestos a experimentar. Nunca os sintáis complacidos. Jamás penséis que lo que estáis haciendo es perfecto. Nunca lo es. Siempre es posible mejorarlo; siempre es posible hacerlo más perfecto.

3²
PROBLEMAS

Si podéis funcionar como si no tuvierais problemas, ¡descubriréis que no tenéis ningún problema! Porque todos los problemas son ilusorios... se cree en ellos, por eso están presentes.

Es autohipnosis: vais repitiendo un problema... que sois de esta manera, que sois inadecuados e incapaces. Lo repetís y se convierte en un mantra, que va penetrando en vuestro corazón y se convierte en una realidad.

Simplemente intentad funcionar como si no tuvierais problemas, y de pronto veréis que poseéis una cualidad totalmente diferente: ¡no tenéis ningún problema!

Entonces depende de vosotros si recuperáis otra vez los problemas o los dejáis para siempre. Un problema se puede dejar con suma facilidad si entendéis que sois vosotros los que lo mantenéis, y no el problema a vosotros.

Pero no podemos vivir sin problemas, así que no dejamos de crearlos. Sin problemas uno se siente tan solo... no queda nada por hacer. ¿Qué podemos hacer? Con el problema os sentís muy felices... hay que hacer algo al respecto y debéis pensar en ello; os brinda una ocupación.

Esta continua idea de que sois inadecuados e incapaces, que sois esto y aquello, también es un acto básicamente muy egoísta. Queréis ser muy adecuados, pero ¿por qué? Queréis ser tremendamente capaces, pero ¿por qué? ¿Por qué no podéis estar satisfechos con todas las insuficiencias y limitaciones que hay? En cuanto las aceptéis, veréis que empezáis a fluir con más facilidad.

33
MANTENEOS IGNORANTES

No adoptéis ninguna actitud acerca del miedo... de hecho, no lo llaméis miedo. En cuanto lo hayáis llamado miedo, habréis adoptado una actitud.

Es una de las cosas más esenciales, dejar de llamar a las cosas con nombres. Dedicaos a observar la sensación que os produce, la forma en que es. Permitidlo y no le proporcionéis una etiqueta... permaneced ignorantes. La ignorancia es un estado tremendamente meditativo. Insistid en ser ignorantes y no dejéis que la mente os manipule. No permitáis que la mente emplee lenguaje y palabras, etiquetas y categorías, porque eso es un proceso completo. Una cosa se asocia con la otra, y así continúa indefinidamente.

Simplemente mirad... no lo llaméis miedo. Tened miedo y temblad... eso es hermoso. Escondeos en un rincón, meteos bajo la manta y temblad. Haced lo que haría un animal si tiene miedo. Si dejáis que el temor tome posesión de vosotros, se os erizará el vello. Entonces, por primera vez, sabréis que fenómeno tan hermoso es el miedo. En esa agitación, en ese ciclón, llegaréis a saber que todavía hay un punto en alguna parte dentro de vosotros inmaculado.

34
LA VIDA ES SENCILLA

La vida es muy sencilla. Hasta los árboles la están viviendo; debe de ser sencilla. No puede ser muy complicada; incluso las aves, las rocas y los ríos la están viviendo. ¿Por qué se ha vuelto tan complicada para el hombre? Porque el hombre puede teorizar sobre ella.

Para estar en el centro de la vida, en su intensidad y pasión, deberéis desprenderos de toda filosofía sobre la vida. De lo contrario, permaneceréis oscurecidos en vuestras palabras.

¿Conocéis la famosa anécdota sobre un ciempiés que caminaba? Era una mañana soleada y hermosa, y el ciempiés se sentía feliz y debía estar cantando desde lo más hondo de su corazón. Marchaba, casi ebrio, con el aire de la mañana.

Una rana sentada a un costado se hallaba muy desconcertada... debía ser filósofa. Exclamó: «¡Hermano! ¡Aguarda! Realizas un milagro. ¡Cien pies! ¿Cómo lo consigues? ¿Qué pie va primero, cuál segundo, tercero... y así hasta llegar a los cien? ¿No te desconciertas? ¿Cómo lo logras? A mí me parece imposible».

El ciempiés respondió: «Nunca lo había pensado. Deja que lo analice». Y allí de pie, comenzó a temblar y cayó al suelo. Él mismo se desconcertó... ¡cien pies! ¿Cómo se puede conseguir?

La filosofía paraliza a las personas. Quedáis paralizados por vuestras filosofías. La vida no requiere ninguna filosofía, la vida es suficiente en sí misma. No necesita ninguna muleta, ni apoyo, ni sostén. Es suficiente en sí misma.

35
CENTRARSE

No creéis ningún conflicto entre extraviaros y permanecer centrados. Flotad. Si sentís miedo de extraviaros, entonces existe más posibilidad de que lo hagáis... porque aquello que intentáis suprimir adquiere importancia.

Aquello que tratáis de negar se vuelve muy atractivo. Así que no creéis ninguna condena a extraviaros. De hecho, id con ello. Si acontece, dejad que suceda; no tiene nada de malo. Pasa por algún motivo. A veces incluso extraviarse es bueno.

Una persona que realmente quiera permanecer centrada no debería preocuparse por centrarse. Si os preocupáis, esa misma preocupación jamás permitirá que os centréis, porque la preocupación nunca puede estar centrada... necesitáis una mente no preocupada, relajada. De modo que extraviarse está bien, no tiene nada de malo.

Dejad de luchar con la existencia. Detened todo conflicto y la idea de conquista... rendíos. Cuando uno se rinde, ¿qué se puede hacer? Si la mente se extravía, id; si no va, también está bien. A veces estaréis centrados y a veces no. Pero en lo más hondo siempre permaneceréis centrados porque no hay preocupación. ¿Me seguís? De lo contrario, todo puede convertirse en una preocupación. Entonces extraviarse se convierte en una especie de pecado que no se ha de cometer... y así se vuelve a crear el problema.

Jamás creéis una dualidad dentro de vosotros. Si decidís ser siempre sinceros, entonces habrá una atracción hacia lo no sincero. Si decidís ser no violentos, entonces la violencia se convertirá en el pecado. Si decidís ser célibes, entonces el pecado será el sexo. Si tratáis de estar centrados, extraviaros se convertirá en el pecado... ese es el modo en que todas las religiones se han convertido en estupideces.

Aceptadlo, extraviaros... no hay nada de malo en ello.

36
NECESIDADES Y DESEOS

*Los deseos son muchos, las necesidades pocas. Las necesidades se pueden
satisfacer; los deseos, nunca. Un deseo es una necesidad que ha enloquecido. Es
imposible satisfacerlo. Cuanto más lo intentáis, más pide y pide y pide.*

Hay una historia sufí que cuenta que cuando Alejandro murió y llegó
al cielo, iba cargado con todo su peso —su reino entero, oro, diamantes—, desde luego, no en realidad, simbólicamente. Iba demasiado cargado por ser Alejandro.

El guardián de la puerta se puso a reír y preguntó: «¿Por qué llevas
tanta carga?». Alejandro repuso: «¿Qué carga?». De modo que el guardián le dio una balanza y puso un ojo en un extremo. Le dijo a Alejandro
que pusiera todo su peso, toda su grandeza, tesoros y reino en el otro
extremo de la balanza. Pero ese único ojo seguía siendo más pesado que
todo su reino.

«Este es un ojo humano», informó el guardián de la puerta. «Representa el deseo humano. No se puede satisfacer, sin importar lo grandes
que sean el reino y tus esfuerzos.» Entonces el guardián arrojó un poco
de polvo sobre el ojo. Este de inmediato parpadeó y perdió todo su peso.

Sobre el ojo del deseo hay que echar un poco de polvo de comprensión. El deseo desaparece y únicamente permanecen las necesidades, que
no son pesadas. Las necesidades son muy pocas y hermosas. Los deseos son
feos y convierten en monstruos a los hombres. Crean personas dementes.

En cuanto aprendáis cómo elegir lo apacible, una habitación pequeña bastará; una cantidad pequeña de comida bastará; unas pocas prendas
de vestir bastarán; un amante, un hombre muy corriente, podrá bastar
como amante. Pero si continuáis pidiendo más y más, hasta el hombre
más hermoso tarde o temprano estará acabado. Vuestro deseo continúa
y continúa. No conoce fin.

37
SEGURIDAD

No hay seguridad en ninguna parte. La vida es insegura,
y no tiene fondo... es ilimitada.

En la misma petición de seguridad creáis el problema. Cuanto más pedís, más inseguros estaréis, porque la inseguridad es la misma naturaleza de la vida. Si no pedís seguridad, jamás estaréis preocupados por la inseguridad. Si empezáis a pedir que los árboles sean blancos, entonces habrá problemas. El problema lo creáis vosotros, no los árboles... estos son verdes y vosotros pedís que sean blancos. No pueden hacerlo, no pueden comportarse de esa manera.

La vida es insegura, el amor es inseguro. Y eso está bien, porque de lo contrario estaríamos muertos. La vida puede ser una seguridad solo si estáis muertos; entonces todo es una certeza.

Debajo de una roca hay suelo. Bajo una flor no hay ninguno; la flor es insegura. Una leve brisa y la flor se puede dispersar, los pétalos pueden caerse y desaparecer. Es un milagro que la flor esté ahí. La vida es un milagro, porque no hay razón para que sea. Es simplemente un milagro que vosotros seáis, porque de lo contrario hay muchos motivos para que no existierais.

La madurez os llega únicamente cuando aceptáis esto. Y no solo lo aceptáis, sino que empezáis a disfrutar con ello.

38
INCONDICIONAL

En cuanto sabéis qué es el amor, estáis listos para dar; porque sabéis que cuanto más dais, más tenéis. Cuanto más le ofrezcáis a los demás, más irá surgiendo en vuestro ser.

El amor jamás se molesta mucho en pensar si el otro es o no merecedor de recibir. Esas son cosas mezquinas, actitudes mezquinas. El amor jamás es mísero.

La nube jamás se molesta en meditar si la tierra es merecedora de recibir su don. Llueve sobre las montañas, llueve sobre las rocas; llueve por doquier. Da sin poner ninguna condición, sin ataduras.

Y así es el amor: simplemente da, disfruta dando. Quienquiera que esté dispuesto a recibir, recibe. No necesita merecerlo, no necesita estar en una categoría especial, no necesita cumplir ningún requisito. Si todas estas cosas fueran necesarias, entonces lo que dais no es amor. Debe de ser otra cosa y aún desconocéis qué es el amor. En cuanto sabéis qué es el amor, estáis listos para dar; porque sabéis que cuanto más dais, más tenéis. Cuanto más le ofrezcáis a los demás, más irá surgiendo en vuestro ser.

La economía corriente es totalmente diferente: si dais algo, lo perdéis. Si queréis tenerlo, evitad darlo. Recogedlo, sed mezquinos. Es el caso opuesto que con el amor: si queréis tenerlo, no seáis tacaños; de lo contrario, estará muerto, se estancará; apestará, morirá. Seguid dando, y se os manifestarán fuentes nuevas, corrientes frescas fluirán a vuestro ser. Cuando vuestro acto de dar es incondicional, total, la totalidad de la existencia empieza a entrar en vosotros.

39
LA MENTE ELÉCTRICA

La mente no para de cambiar de negativo a positivo, de positivo a negativo.
Esas dos polaridades son tan básicas para la mente como lo son para la
electricidad. Con un polo, la electricidad no puede existir...
igual que la mente.

De hecho, en lo más hondo, la mente es sutil electricidad; es eléctrica. Por eso el ordenador puede realizar su trabajo y a veces mejor que la mente humana. La mente es simplemente un bioordenador. Posee esas dos polaridades y continúa moviéndose.

De modo que el problema no es que a veces sintáis momentos mágicos y otras momentos oscuros. La oscuridad de los momentos sombríos será proporcional a la magia de los momentos mágicos. Si alcanzáis un pico más elevado de positivo, entonces llegaréis al más bajo del negativo. Cuanto más elevado sea el alcance del positivo, más baja será la profundidad del negativo. Así que cuanto más alto lleguéis, más profundo será el abismo que tengáis que tocar.

Debéis entender lo siguiente: si tratáis de no tocar los peldaños más bajos, entonces los picos más elevados desaparecerán. Os moveréis en un terreno llano. Eso es lo que muchas personas han logrado hacer; temerosas de las profundidades, se han perdido las cumbres. Uno ha de correr riesgos. Tenéis que pagar por la cumbre, y ese precio es vuestra profundidad, vuestros momentos bajos. Pero vale la pena. Incluso un momento en la cumbre, el momento mágico, vale una vida entera en las profundidades más oscuras. Si podéis tocar el cielo un momento, podéis estar preparados para vivir el resto de la eternidad en el infierno. Y siempre es proporcionado, a medias, al 50 por 100.

40

EN EL TRABAJO

*Se debe recordar que a los compañeros de trabajo no les importa
vuestra vida interior. Esa es tarea vuestra; ellos tienen su propia vida interior
que desarrollar.*

Tienen sus estados de ánimo negativos, sus problemas personales, ansiedades, como todo el mundo, igual que vosotros. Pero cuando os encontráis en una situación de trabajo con alguien, no es necesario que saquéis ese tema, porque si ellos empiezan a hablar de sus cosas negativas y vosotros los imitáis, será un proceso interminable. Simplemente tenéis que verlo.

Si os sentís negativos, haced algo. Por ejemplo, escribid algo muy, muy negativo y quemadlo. Id a la habitación de las terapias, golpead una almohada y tiradla. ¡Realizad un baile terrible! Tenéis que eliminarlo; es vuestro problema.

Y de vez en cuando es bueno llamar a quienquiera que sea que esté trabajando con vosotros y preguntarle si habéis sido negativos, si se sienten dolidos. Porque en ocasiones uno quizá no sepa que ha sido negativo. Pequeños gestos, una palabra, incluso un silencio, pueden hacer daño; el modo en que miréis puede hacer daño. Así que de vez en cuando llamadlos y pedid su perdón. Decidles: «Cada vez que os pregunto, tenéis que ser sinceros. Decídmelo, porque soy un ser humano y a veces las cosas pueden estar mal desde mi lado y he de enderezarlas».

41

MEDIOCRIDAD

Nunca os resignéis a una mediocridad, porque es un pecado contra la vida. Nunca pidáis que la vida carezca de riesgos y jamás pidáis seguridad, porque eso es pedir la muerte.

Muchas personas, casi el noventa por ciento, han decidido vivir en terreno llano, seguro, sin asumir ningún riesgo. Jamás caen en las profundidades, nunca se elevan a las alturas. Su vida es aburrida, ordinaria, monótona, sin cumbres ni valles, sin noches ni días. Simplemente viven en un mundo gris, sin colores... el arco iris no existe para ellos. Llevan una vida gris, y poco a poco también ellas se vuelven grises y mediocres.

El mayor peligro es alcanzar las mayores cumbres de la divinidad y caer a las mayores profundidades del infierno. Convertíos en viajeros entre esos dos puntos, sin temor. Poco a poco llegaréis a entender que existe una trascendencia. Llegaréis a saber que no sois ni la cumbre ni la profundidad, ni la cumbre ni el valle. Llegaréis a saber que sois los observadores, los testigos. Algo en vuestra mente alcanza la cumbre, algo en vuestra mente desciende al valle, pero algo que hay más allá está siempre ahí —vigilando, tomando nota de ello—, y ese algo sois vosotros.

Ambas polaridades están en vosotros, pero vosotros no sois ninguna, os eleváis muy por encima de ellas. El terreno es alto y bajo, tanto el cielo como el infierno están ahí, pero, de algún modo, vosotros os encontráis lejos de ambos. Simplemente observáis todo el juego, toda la actividad de la conciencia.

42
POSTERGAR

La vida es muy corta y hay mucho que aprender; aquellas personas que no dejan de postergar nunca dejan de perderse cosas.

Cada uno ha de averiguar constantemente si avanza a estados más felices o no. Si es así, uno se encuentra en el camino correcto. Adentraos más en él, disfrutadlo más. Y si os sentís tristes, entonces mirad: en algún punto os habéis apartado del camino, os habéis extraviado. Algo os ha distraído; ya no sois naturales, os habéis alejado de la naturaleza. Mirad, analizad, y sea lo que fuere lo que encontréis como causa de vuestra tristeza, desprendeos de ello. Y no lo posterguéis para mañana; eliminadlo de inmediato.

La vida es muy corta y hay mucho que aprender; aquellas personas que no dejan de postergar, nunca dejan de perderse cosas. Hoy postergaréis hasta mañana, y mañana volveréis a postergar. Despacio, las postergaciones se convierten en un hábito. Y lo que llega siempre es el hoy; el mañana jamás llega. De modo que podéis seguir postergando hasta el infinito.

Siempre que veáis que algo os produce tristeza, desprendeos de ello en el acto... no lo retengáis ni por un momento. Esto es coraje: coraje de vivir, de arriesgar, de aventura. Y solo aquellos que son valerosos, un día son recompensados con la totalidad, con la luz, el amor, la felicidad y la bendición.

43
CREED EN LA POESÍA

La vida es un tesoro inagotable, pero solo el corazón del poeta puede saberlo.

El amor es la única poesía que hay. El resto de la poesía es simplemente un reflejo de él. La poesía puede estar en el sonido, en la piedra, en la arquitectura, pero, básicamente, eso es reflejo del amor capturado en diferentes medios. Pero el alma de la poesía es el amor, y aquel que vive el amor es el verdadero poeta. Puede que nunca escriba poemas, quizá nunca componga música, es posible que jamás haga nada que la gente considere arte, pero el hombre que vive el amor, el que ama por completo, totalmente, es el verdadero poeta. Y esta es la poesía de la que está hecha o debería estar hecha la religión.

La religión es verdadera si hace nacer el poeta en vosotros. Si mata al poeta y crea al así llamado santo, no es religión. Es patología, una especie de neurosis ataviada con términos religiosos. La verdadera religión libera poesía en vosotros, y amor, arte y creatividad; os vuelve más sensibles. Palpitáis más, vuestro corazón late con un nuevo ritmo. Vuestra vida deja de ser un fenómeno aburrido y estancado. Resulta una sorpresa constante y cada momento abre nuevos misterios.

La vida es un tesoro inagotable, pero solo el corazón del poeta puede saberlo. Yo no creo en la filosofía, no creo en la teología, pero sí creo en la poesía.

44
LA MEJORA PERSONAL

La mejora personal es un camino al infierno. Todos los esfuerzos por hacer algo de vosotros mismos, algo parecido a un ideal, van a crear cada vez más locura. Los ideales son los cimientos de toda locura, y la humanidad entera está neurótica debido a demasiados ideales.

Los animales no están neuróticos porque carecen de ideales. Los árboles no están neuróticos porque no tienen ningún ideal. No intentan convertirse en otro. Simplemente disfrutan de lo que son.

Así que vosotros sois vosotros. Pero en alguna parte de vuestro interior queréis convertiros en Buda o en Jesús, y entonces completáis un círculo que será interminable. Tenéis que ver la cuestión: vosotros sois vosotros. Y la totalidad, o existencia, quiere que seáis vosotros. Por ese motivo la existencia os ha creado, de lo contrario habría creado a un modelo mejor. Quería que estuvierais aquí en este momento. No quería que Jesús estuviera aquí en lugar de vosotros. Y la existencia sabe más. El todo siempre sabe más que la parte.

Así que aceptaos. Si podéis aceptaros, habréis aprendido el mayor secreto de la vida, y entonces todo encaja. Sed vosotros. No hay necesidad de erguiros más; no hay necesidad de que tengáis una altura diferente de la que ya tenéis. No hay necesidad de tener otra cara. Simplemente sed como sois, y al aceptaros desde lo más hondo, el florecimiento tiene lugar y pasáis a convertiros cada vez más en vosotros.

En cuanto abandonáis la idea de convertiros en otra persona, desaparece la tensión. De pronto toda la tensión se desvanece. Estáis aquí, luminosos, en este momento. Y no hay otra cosa que hacer que celebrar y disfrutar.

45
EL HOGAR

A menos que encontremos nuestro verdadero hogar, debemos seguir viajando.
Y lo más sorprendente es que el verdadero hogar no está tan lejos.

Hacemos muchos hogares y nunca observamos el verdadero hogar. Los hogares que hacemos son todos arbitrarios, todos son castillos en la arena o palacios alzados con naipes: simples juguetes con los que divertirnos. No son hogares de verdad, porque la muerte los destruye a todos.

La definición del hogar de verdad es aquel que es eterno. Solo dios es eterno; todo lo demás es temporal. El cuerpo es temporal, la mente es temporal; el dinero, el poder, el prestigio... todo es temporal. No alcéis vuestro hogar en estas cosas. No estoy en contra de ellas. Utilizadlas, pero recordad que únicamente son una posada; son buenas para pasar la noche, pero por la mañana debemos irnos.

A menos que encontremos nuestro verdadero hogar, debemos seguir viajando. Y lo más sorprendente es que el verdadero hogar no está tan lejos. No dejamos de pasarlo por alto porque está muy cerca; ni siquiera está cerca, se encuentra dentro de nosotros mismos.

Buscadlo dentro. Aquellos que lo han hecho siempre lo han encontrado.

46
CONFUSIÓN

Desprendeos de vuestras ideas fijas. Entonces podréis disfrutar más de la confusión. Y no os confundirá... será un caos creativo. Un hombre necesita un caos creativo en el corazón para dar nacimiento a danzantes estrellas. No hay otra manera.

Si tenéis ideas fijas, la vida os va a crear mucha confusión, porque la vida jamás cree en vuestras ideas. No deja de revolver las cosas. Interfiere con la gente. Hace trucos. No es como el salón en el que arregláis los muebles y todo sigue siendo igual. La vida no es un salón. Es un fenómeno muy salvaje.

Y Dios es muy caótico. No es un ingeniero o un arquitecto, un científico o un matemático. Es un soñador, y en un mundo de sueños, todo está revuelto.

Vuestro novio de pronto se convierte en un caballo... En un sueño, nunca discutís ni preguntáis: «¿Qué ha pasado? ¡Hace apenas un momento eras mi novio y ahora te has tansformado en un caballo!». En un sueño, aceptáis. Ni siquiera surge la más mínima sospecha sobre lo que sucede, porque en un sueño no lleváis vuestra idea.

Pero despiertos os sería imposible ver que vuestro novio se está transformando en un caballo. ¡Y los novios se convierten muchas veces en caballos! La cara puede que siga siendo la misma, pero la energía es diferente. Entonces os sentís confusos.

Realmente nunca me he encontrado con una persona confusa. Más bien, me encuentro con gente que tiene ideas fijas. Cuanto más fija la idea, más confusión habrá.

Si no queréis estar confusos, desprendeos de la idea. No es que la confusión vaya a cambiar, pero no parecerá una confusión. Se trata simplemente de la vida, que está viva.

47
POBREZA

Tarde o temprano la pobreza exterior va a desaparecer,
ya que ahora poseemos tecnología para hacerla desaparecer,
y entonces surgirá el verdadero problema.

Las personas realmente pobres son aquellas a las que les falta amor; y la totalidad de la Tierra está llena de esa pobre gente hambrienta. Tarde o temprano la pobreza exterior va a desaparecer, ya que ahora poseemos tecnología para hacerla desaparecer, y entonces surgirá el verdadero problema. El verdadero problema será la pobreza interior. Ninguna tecnología nos puede ayudar en eso. El hambre exterior desaparecerá —podemos alimentar a las personas, somos capaces de hacerlo ahora, pero ¿quién alimentará el espíritu, el alma? La ciencia no puede hacer eso. Hace falta algo más, y ese algo es lo que yo llamo religión. Entonces la ciencia habrá hecho su trabajo; entonces solo la verdadera religión entrará en el mundo.

Hasta ahora la religión ha sido únicamente un fenómeno raro... de vez en cuando aparece un Buda, un Jesús, un Krishna. Estas son personas excepcionales; no representan a la humanidad. Simplemente anuncian una posibilidad, un futuro. Pero ese futuro se acerca. En cuanto la ciencia haya liberado los poderes potenciales de la materia y el hombre quede físicamente satisfecho —posea un refugio, suficiente alimento y educación—, entonces verá por primera vez que va a necesitar un alimento nuevo. Ese alimento es el amor, y la ciencia no puede brindárselo al hombre; la ciencia carece de formas de entender el amor. Eso solo puede conseguirlo la religión. La religión es la ciencia del amor.

48

PERDONANDO A VUESTROS PADRES

Lo más difícil del mundo es poder relacionarse con los propios padres. Perdonarlos es una de las cosas más complicadas, porque os han traído al mundo... ¿cómo los podréis perdonar?

A menos que empecéis a amaros, a menos que alcancéis un estado en el que estéis encantados con vuestro ser..., ¿cómo podréis darles las gracias antes? Estaréis furiosos... os trajeron al mundo y ni siquiera os consultaron. Han creado a esa persona horrible, a ese ser nauseabundo. Pero vosotros odiáis. ¿Por qué deberíais sufrir porque ellos decidieron dar a luz a un bebé? Vosotros no tuvisteis nada que ver en el asunto. ¿Por qué os han arrastrado al mundo? Por eso la furia.

Si llegáis al punto en el que sois capaces de amaros, en el que os sentís extáticos por ser, donde vuestra gratitud no conoce límites, entonces, de pronto, sentís que surge un gran amor por vuestros padres. Han sido las puertas por las que habéis entrado en la existencia.

De lo contrario, ese éxtasis no habría sido posible... ellos lo han hecho posible.

Solo entonces hay una relación nueva. Si no, cada sociedad del mundo ha estado entrenando a los niños para ser respetuosos con los padres, porque todas las sociedades saben que si los niños no son condicionados para ser respetuosos, ¡matarían a sus padres!

Pero si podéis celebrar vuestro ser —y ese es todo el objetivo de mi trabajo, ayudaros a celebrar vuestro ser—, entonces podréis sentir gratitud por los padres, por su compasión y amor. Y así no podéis únicamente perdonarlos, sino que además os podéis sentir tremendamente agradecidos.

49
FRACASO

No podéis ser un fracaso; la vida no permite ningún fracaso.
Y como no hay un objetivo, no podéis veros frustrados.

Si os sentís frustrados es por el objetivo mental que habéis impuesto sobre la vida. Cuando habeis alcanzado dicho objetivo, la vida lo ha abandonado... de los ideales y objetivos solo queda un caparazón vacío y de nuevo os veis frustrados. La frustración la creáis vosotros.

Cuando comprendáis que la vida jamás estará confinada ni orientada a un objetivo, entonces fluiréis sin temor en todas las direcciones. Como no hay fracaso, tampoco hay éxito... ni frustración. Cada momento se convierte en un momento intrínseco en sí mismo; no conduce a ninguna parte, no ha de ser empleado como un medio para alcanzar un fin... posee un valor intrínseco.

Cada momento es un diamante, y pasáis de un diamante a otro... pero nada tiene un final. La vida permanece viva... no hay muerte. El final significa muerte, la perfección significa muerte, alcanzar un objetivo significa muerte. La vida no conoce la muerte... no deja de cambiar de formas. Es un infinito, pero sin objetivo.

50
AMOR-ODIO

Siempre que amáis algo, también lo odiáis.
Encontraréis excusas de por qué odiar, pero no son relevantes.

Nunca dejéis que vuestro odio decida algo. Al saber que hay odio, dejad siempre que decida el amor. No estoy diciendo que lo suprimáis, no; pero nunca lo dejéis decidir. Dejad que esté ahí, que tenga un lugar secundario. Aceptadlo, pero nunca permitáis que sea decisivo.

Descuidadlo, y morirá por sí solo.

Prestadle más atención al amor y dejad que este decida. Tarde o temprano, el amor tomará posesión de todo vuestro ser y no quedará lugar para el odio.

51
LA PUERTA

Toda relación es imaginación, porque siempre que salís de vuestro propio ser, salís solo a través de la puerta de la imaginación. No hay otra puerta.

El amigo, el enemigo, ambos están en vuestra imaginación. Cuando dejáis por completo de imaginar, estáis solos, absolutamente solos. Una vez que entendéis que la vida y todas sus relaciones son imaginación, no vais contra la vida, pero vuestra comprensión os ayuda a hacer que vuestras relaciones en la vida sean más ricas. Ahora que sabéis que las relaciones son imaginación, ¿por qué no poner más imaginación en ellas? ¿Por qué no disfrutarlas lo más profundamente que os sea posible? Cuando la flor no es más que vuestra imaginación, ¿por qué no crear una flor hermosa? ¿Por qué conformarse con una flor corriente? Dejad que sea una flor de esmeraldas y diamantes.

Sea lo que fuere lo que imaginéis, dejad que sea. La imaginación no es un pecado, es una capacidad. Es un puente. Así como cruzáis un río con un puente que tendéis entre esta orilla y aquella, así funciona la imaginación entre dos personas.

Dos seres proyectan un puente —llamadlo amor, confianza—, pero es imaginación. La imaginación es la única facultad creativa en el hombre, de modo que aquello que sea creativo va a ser imaginación. Disfrutadlo y haced que sea más y más hermoso. Poco a poco llegaréis a un punto en el que no dependeréis de las relaciones. Compartiréis. Si tenéis algo, lo compartís con las personas, pero os sentís satisfechos con quiénes sois.

Todo amor es imaginación, pero recordad, cuando empleo la palabra imaginación, no la utilizo en el sentido condenatorio con que se la usa por regla general. La imaginación es la facultad divina del hombre.

5²
TORMENTAS

Es bueno estar disponible al viento, a la lluvia, al sol, porque en eso consiste la vida. De modo que en lugar de preocuparos por ello, ¡bailad!

El crecimiento significa que estáis absorbiendo algo nuevo cada día, y esa absorción solo es posible si estáis abiertos. Ahora vuestras ventanas se encuentran abiertas y también las puertas: a veces entra la lluvia y el viento, el sol, y la vida se mueve dentro de vosotros. Sentiréis algunas perturbaciones: vuestro periódico empezará a moverse al viento, los papeles en la mesa se agitarán, y si la lluvia empieza entrar, se os puede mojar la ropa. Si siempre habéis vivido en una habitación cerrada, os preguntaréis qué está pasando.

Está pasando algo hermoso. Es bueno estar disponible para el viento, para la lluvia, para el sol, porque eso es la vida. De modo que en lugar de preocuparos por ello, ¡bailad! Bailad cuando llegue la tormenta, porque la seguirá el silencio. Bailad cuando lleguen desafíos y perturben vuestra vida, porque al responder a esos desafíos estaréis creciendo a alturas nuevas. Recordad, incluso el sufrimiento es una gracia. Si se toma de forma correcta, se convierte en un escalón.

La gente que nunca ha sufrido y ha llevado una vida conveniente y cómoda, es gente casi muerta. Su vida no será como una espada afilada... estará roma. Ni siquiera será capaz de cortar verdura. La inteligencia se afila cuando se enfrenta a desafíos. Rezadle cada día a Dios: «Envíame más desafíos mañana, envíame más tormentas...». Y entonces conoceréis la vida en su punto óptimo.

53
RELACIONARSE

Cuanto más os centráis, más relajados os volvéis, y así existen más posibilidades de entrar profundamente en una relación.

De hecho, sois *vosotros* quienes entráis en una relación. Si no estáis ahí —tensos, tullidos, preocupados y fragmentados—, ¿quién va a adentrarse en la relación? Debido a nuestra fragmentación, tememos adentrarnos en una relación, entrar en capas más profundas, porque entonces nuestra realidad quedará revelada. Entonces tendréis que abrir el corazón, y este no es más que fragmentos. No hay una sola persona dentro de vosotros... sois multitud. Si de verdad amáis a otro y abrís el corazón, el otro pensará que sois un público, no una persona... ese es el temor.

Esa es la causa de que las personas no dejen de tener relaciones casuales. No quieren profundizar mucho; solo quieren tocar la superficie y escapar antes de que algo se convierta en un compromiso. Entonces únicamente se puede tener sexo... y este también empobrecido. Es superficial. Solo hay un encuentro de límites, pero eso no es amor... puede que una liberación corporal, una catarsis, pero nada más que eso.

Si una relación no es muy íntima, podemos mantener nuestras máscaras con facilidad... los rostros sociales funcionan bien. Entonces, cuando sonreís, no hay verdadera necesidad de que lo hagáis, ya que solo sonríe la máscara. Si realmente queréis profundizar, entonces hay peligros. Deberéis ir desnudos... lo que significa con todos los problemas interiores revelados ante el otro.

54
EXTRAVIARSE

Para conocer algo, hay que perderlo.

Todo el mundo se extravía de su mundo interior, de su espacio interior, y poco a poco uno se siente hambriento, lo anhela. Surge el apetito, se siente la sed. Llega la llamada del yo más interior para regresar a casa y uno empieza a viajar. Eso es lo que significa ser un buscador.

Es ir al cálido espacio interior que abandonasteis un día. No estaréis ganando algo nuevo. Ganaréis algo que siempre estuvo ahí, pero, no obstante, será un beneficio, porque ahora por primera vez veréis lo que es. La última vez que estuvisteis en ese espacio erais ajenos a él.

No se puede ser consciente de algo si se ha abandonado. De modo que todo está bien. Extraviarse también está bien. Pecar también está bien porque es el único modo de convertirse en santo.

55
SENTAR LA CABEZA

Los amantes tienen miedo cuando las cosas marchan sobre ruedas.
Empiezan a pensar que quizá el amor está desapareciendo.

Pero cuando el amor sienta la cabeza, todo marcha sobre ruedas. Entonces el amor se convierte en algo más parecido a una amistad... y eso posee una belleza propia. La amistad es la crema, la misma esencia del amor. ¡Sentad la cabeza! Y no os preocupéis por ello, porque entonces, tarde o temprano, empezaréis a causar problemas. La mente siempre quiere causar problemas, porque entonces se mantiene importante; cuando no hay problemas, pierde importancia.

La mente es como una comisaría. Si en la ciudad reina la calma y la tranquilidad, se siente mal: no hay robos, ni alborotos ni asesinatos... ¡nada! Cuando todo está silencioso y apacible, la mente tiene miedo, porque significa que si realmente sentáis la cabeza, la mente ya no será.

Así que recordad esto. La mente ha de desaparecer, porque no es el objetivo. El objetivo es ir más allá de la mente. Así que ayudaos a estar en silencio y procurad que las cosas funcionen con suavidad. Si el otro empieza a sentir pánico, tratad de ayudarlo.

56
EN UNA CÁSCARA DE HUEVO

Cuando lográis salir de vuestro condicionamiento, sois hombres libres, sois
sencillamente un ser humano. ¡Y esa es la verdadera libertad! Entonces no
lleváis una corteza a vuestro alrededor. La cápsula se ha roto.

Cuando el pájaro está en el huevo, no puede volar... y esa es la situación. Cuando un hombre es hindú, alemán, inglés o estadounidense, está en una cáscara de huevo. No puede volar, no puede desplegar las alas, no puede emplear esa tremenda libertad que pone a nuestra disposición la existencia.

Hay una capa de condicionamiento sobre otra. Uno está condicionado como alemán, como cristiano, y así sucesivamente. Uno está condicionado como hombre y como mujer. No hablo de la diferencia biológica... esta es correcta, no tiene nada que ver con el condicionamiento; pero el hombre está condicionado como un hombre. Continuamente recordáis que sois un hombre, que no sois una mujer, que tenéis que comportaros como un hombre... que no debéis llorar, que no tenéis que permitir las lágrimas, que eso es femenino, que no se espera de vosotros. Eso es un condicionamiento, una corteza a vuestro alrededor.

Un hombre verdaderamente libre no es hombre ni mujer... no es que desaparezca la diferencia biológica, lo que desaparece es la diferencia psicológica. Un hombre libre no es negro ni blanco; no es que el negro se vuelva blanco ni el blanco negro: la piel sigue como estaba antes, pero el color psicológico ya no está.

Cuando todas estas cosas se desprenden, os quedáis sin cargas. Camináis treinta centímetros por encima de la tierra; la gravitación ya no funciona para vosotros. Podéis abrir las alas y volar en cualquier momento, no hay limitación.

57
DEJAD A DIOS FUERA

¿Habéis oído la famosa historia del mulá Nasruddin?

El mulá había ahorrado para comprarse una camisa nueva. Lleno de entusiasmo fue a una sastrería. El sastre le tomó las medidas y dijo: «Vuelva dentro de una semana, y, si Alá lo permite, su camisa estará lista».

El mulá se contuvo durante una semana y entonces regresó a la tienda. «Ha habido un retraso, pero, si Alá lo permite, su camisa estará lista mañana.»

Al día siguiente, Nasruddin volvió. «Lo siento», dijo el sastre, «pero no está del todo terminada. Pruebe mañana, y, si Alá lo permite, estará lista».

«¿Cuánto tiempo tardará si deja a Alá fuera de esto?», preguntó un exasperado Nasruddin.

Así que es mejor dejar a Dios fuera. Por lo general, siempre que desconocemos algo, decimos: «¡Solo Dios lo sabe!». De hecho, para ocultar que no lo sabemos, decimos: «¡Solo Dios lo sabe!». Es mejor reconocer: «No lo sé», porque en cuanto decís: «Solo Dios lo sabe», la ignorancia adquiere el disfraz del conocimiento... Algo muy peligroso.

58
PECADO

Reprimir cualquier cosa es un crimen: mutila el alma. Presta más atención al miedo que al amor, y eso es lo que es el pecado.

Prestar más atención del miedo es un pecado, prestar más atención del amor es una virtud. Y recordad siempre prestar más atención del amor, porque es a través del amor como se alcanzan las cumbres más elevadas de la vida, hacia Dios. Por el miedo no se puede crecer. El miedo mutila, paraliza: Crea un infierno.

Todas las personas paralizadas —me refiero psicológica y espiritualmente paralizadas— viven la vida en el infierno. ¿Y cómo lo crean? El secreto radica en que viven en temor; solo hacen algo determinado cuando no hay miedo, pero entonces no hay nada que merezca la pena hacerse. Todo lo valioso está rodeado de ciertos temores. Si os enamoráis, hay miedo, porque podríais ser rechazados. El miedo dice: «No os enamoréis, entonces nadie os rechazará». Eso es verdad —si no os enamoráis, nadie os rechazará jamás—, pero así llevaréis una existencia sin amor, que es mucho peor que ser rechazado. Y si alguien os rechaza, alguna otra persona os aceptará. La gente que vive con miedo piensa más en no cometer errores. No comete ningún error, aunque tampoco hace nada más; su vida está en blanco. No contribuye en nada a la existencia. Viene, existe, o más bien vegeta, y luego muere.

59
LIBERTAD

La vida es insegura... eso significa que es libre. Si hay seguridad, entonces habrá esclavitud; si todo es seguro, entonces no habrá libertad.

Si el mañana está arreglado, entonces podéis tener seguridad, pero no libertad. De ese modo sois como robots. Tenéis que realizar determinadas cosas que están predestinadas. Pero el mañana es hermoso porque representa absoluta libertad. Nadie sabe qué es lo que va a suceder. Nadie sabe si estaréis respirando, ni siquiera si estaréis vivos. De ahí su belleza, porque todo está en el caos, es un desafío, y todo existe como una posibilidad.

No esperéis consuelo. De lo contrario, seguiréis inseguros. Aceptad la inseguridad... y entonces desaparecerá y dejaréis de estar inseguros. No es una paradoja, es una sencilla verdad... paradójica, pero absolutamente cierta. Hasta ahora habéis existido, así que, ¿por qué preocuparos por el mañana? Si podéis existir hoy, si pudisteis existir ayer, el mañana también se encargará de sí mismo.

No penséis en el mañana y moveos con libertad. Una persona debería ser un caos relajado. Cuando lleváis una revolución en vuestro interior, cada momento aporta un mundo nuevo, una vida nueva... cada momento se convierte en un nuevo nacimiento.

60

MUERTE

No hay nada de malo en la muerte.
Cuando tenga lugar, será un gran reposo.

Y cuando vuestro cuerpo esté absolutamente agotado, la muerte es lo único necesario. Entonces sucede; entonces os trasladáis a otro cuerpo. Puede que os convirtáis en un árbol o en un ave, en un tigre o en algo, y seguís moviéndoos. La existencia os proporciona un cuerpo nuevo cuando el viejo está agotado.

La muerte es hermosa, pero jamás la pidáis, porque cuando lo hacéis la cualidad de la muerte se transforma en suicidio. Deja de ser una muerte natural. Quizá no os suicidéis, pero el mero hecho de pedirla os convierte en suicidas. Cuando estéis vivos, estad vivos; cuando estéis muertos, estad muertos. Pero no superpongáis las cosas. Hay personas que se están muriendo y se aferran a la vida. Eso también es un error, porque cuando ha llegado la muerte, debéis partir... y debéis hacerlo bailando. Si pedís la muerte, si incluso pensáis en ella, entonces estáis vivos y os aferráis a la idea de la muerte. Es lo mismo en dirección invertida.

Alguien se está muriendo y no deja de aferrarse a la vida, no quiere morir. Alguien está vivo y quiere morirse. Eso es una no aceptación.

Aceptad lo que sea, y cuando aceptéis incondicionalmente, entonces todo es hermoso. Hasta el dolor posee un efecto purificador. Así que ante cualquier cosa que aparezca en vuestro camino, simplemente mostraos agradecidos.

61

MONÓLOGO

Es muy difícil ser religioso, porque debéis ser al mismo tiempo el experimentado y el experimentador, el experimento y el científico. No hay separación interior. Estáis interpretando un monólogo.

En un drama corriente, hay muchos actores y los papeles están divididos. En un monólogo, estáis solos. Vosotros debéis interpretar todos los papeles.

Un monje zen solía llamar todas las mañanas en voz alta: «Bokuju, ¿dónde estás?». Era su propio nombre (risa). Y él mismo respondería: «¿Sí, señor? Estoy aquí».

Luego diría: «Bokuju, recuerda, recibes otro día. ¡Sé consciente y alerta y no seas tonto!». Entonces respondería: «Sí, señor, me esforzaré». ¡Y allí no había nadie más!

Sus discípulos empezaron a pensar que se había vuelto loco o algo por el estilo. Pero lo que hacía era interpretar un monólogo. Y así es la situación interior. Vosotros habláis y vosotros escucháis, ordenáis y obedecéis. Es difícil, porque los papeles tienden a mezclarse, a superponerse. Resulta muy fácil cuando otros son los conducidos y vosotros sois los líderes. Si los papeles se dividen, las cosas resultan nítidas. Nada se superpone; vosotros tenéis que acabar vuestro papel y él terminar el suyo. Es fácil; la situación es arbitraria.

Cuando sois ambas personas, la situación es natural, no arbitraria, y, desde luego, más complicada. Pero poco a poco aprenderéis.

62

EQUILIBRIO

Cuando el sentimiento y la razón están equilibrados, uno es libre.
En ese mismo equilibrio radica la libertad, en ese mismo equilibrio
radica la tranquilidad, el silencio... de lo contrario, uno está ladeado.

Cuando la cabeza es demasiado... y en cuyo caso es muy asesina, no permite nada que no sea rentable, no le permite existir. Y ningún gozo ofrece rentabilidad, todo gozo es alegría, no tiene un objetivo. El amor es juego, carece de meta; lo mismo le sucede a la danza, y a la belleza. Todo lo que es significativo para el corazón no tiene importancia para la razón.

De manera que al principio hay que invertir mucho en el corazón, para alcanzar el equilibrio. Hay que inclinarse demasiado hacia el corazón. Hay que ir al otro extremo para alcanzar el equilibrio. Poco a poco uno se desliza hacia el centro, pero al principio hay que irse por completo al otro polo, porque la razón ha dominado en exceso.

63
AUTENTICIDAD

Cuando queráis que algo no crezca, dadle la espalda... y muere por sí solo. Del mismo modo que una planta descuidada, no regada, se marchita y muere. Así que siempre que veais algo falso, hacedlo a un lado.

Por ejemplo, ibais a sonreír y de pronto os dais cuenta de que era falso. Deteneos, incluso en mitad de la sonrisa; relajad los labios y pedidle a la otra persona que os disculpe. Decidle que era una sonrisa falsa y que lo lamentáis. Si os surge una sonrisa verdadera, entonces está bien; si no, también está bien. ¿Qué podéis hacer? Si surge, surge; si no surge, no surge. No se la puede forzar.

Y no estoy diciendo que simplemente os apartéis de las formalidades sociales. Digo que estéis atentos, y que si tenéis que ser falsos, lo seais de forma consciente. Si estáis con vuestro jefe y tenéis que sonreír, sonreíd conscientemente, y sabed que es una sonrisa falsa. Engañad al jefe... pero que la sonrisa no os engañe a *vosotros*, esa es la cuestión. Si sonreís inconscientemente, quizá no consigáis engañar a vuestro jefe, porque es difícil engañarlos... pero tal vez os engañéis a vosotros mismos. Os daréis una palmadita en la espalda y pensaréis que habéis estado bien, que habéis sido unos buenos chicos... pero os equivocaréis.

De modo que si a veces lo consideráis necesario —porque puede llegar a serlo; la vida es compleja y no estáis solos, hay muchas cosas que tenéis que hacer porque la totalidad de la sociedad existe sobre la falsedad—, entonces sed falsos conscientemente. Pero en vuestras relaciones, donde podéis ser auténticos, no permitáis la falsedad.

64

SATORI

Muchas veces os llegan vislumbres del satori, *pero no podéis retenerlos. No hay nada de malo en ello; que no os preocupe no poder retenerlas más tiempo. Olvidaos del asunto. Simplemente recordad la situación en la que sucedió y tratad de entrar en dicha situación una y otra vez.*

La experiencia no es importante. Lo que cuenta es cómo os sentíais hace un momento. Si podéis volver a crear dicha situación, la experiencia se repetirá.

La experiencia no es importante. La situación sí lo es; cómo os sentíais... fluyendo. Amando... lo que era la situación. Quizá hubiera música, gente bailando, comiendo... el sabor de la comida, o alguna mujer hermosa justo a vuestro lado, un amigo hablando con vosotros... y de pronto...

Simplemente recordad el aroma en el que sucedió, el campo energético. Tratad de crear ese campo energético. Sentaos en silencio y tratad de crear otra vez esa situación, porque se trata de un campo energético que podéis crear. A veces sucede de forma accidental.

Toda la ciencia del yoga se desarrolló por elementos fortuitos. Por primera vez las personas no buscaban el satori, porque, ¿cómo habrían podido conocerlo entonces? Por primera vez aconteció en una situación determinada y cobraron conciencia de ello. Empezaron a buscar métodos para alcanzarlo. Naturalmente, fueron conscientes de que, si la situación se podía crear otra vez, quizá la experiencia la seguiría. Es así, por prueba y error, como se desarrolló toda la ciencia del yoga, del tantra y del zen. Tardó siglos en desarrollarse.

Pero todo el mundo ha de descubrir en qué situación comienza a bullir su satori, a acontecer su propio samadhi. Todo el mundo ha de sentir su propio camino. Si estáis alerta, después de algunas experiencias podréis ser capaces de crear la situación.

65
VERBOS

*La autenticidad es un verbo. Todo lo que es hermoso en la vida es un verbo;
no es un sustantivo. La verdad, para ser sinceros, es un verbo; no es un
sustantivo. El amor no es un sustantivo; es un verbo. El amor está en amar.
Es un proceso.*

La autenticidad es uno de los valores más grandes de la vida. Nada
se puede comparar con eso.

En la antigua terminología, a la autenticidad también se la llama verdad. La nueva terminología la llama autenticidad... que es mejor que
verdad, porque cuando hablamos de la verdad, parece como si esta fuera
algo, un fenómeno que está en alguna parte y que hay que encontrar. La
verdad parece más un sustantivo. La autenticidad es un verbo. No es algo
que os esté esperando. Tenéis que ser auténticos, solo entonces está presente. No podéis descubrirla. Tenéis que crearla continuamente siendo
verdaderos. Es un proceso dinámico.

Que esto os penetre lo más hondo posible: todo lo que es hermoso
en la vida es un verbo, no un sustantivo. La verdad, para ser sinceros, es
un verbo. El lenguaje es falaz. El amor no es un sustantivo; es un verbo.
El amor está en amar. Es un proceso.

Cuando amáis, solo entonces está ahí el amor. Cuando no amáis, ha
desaparecido. Existe precisamente cuando es dinámico. La confianza es
un verbo, no un sustantivo. Cuando confiáis, está ahí. La confianza significa confiar y el amor significa amar. La verdad significa ser sincero.

66

VALE

Vale no es suficiente. Vale no es una palabra muy extática; es simplemente tibia. Así que sentíos bendecidos... y es una cuestión de sensación. Aquello que sintáis, eso es en lo que os convertís. Es vuestra responsabilidad.

Eso es lo que queremos dar a entender en la India cuando decimos: «Es vuestro propio karma». Karma significa vuestra propia acción. Es lo que os habéis hecho a vosotros mismos. Y en cuanto entendéis que se trata de lo que os habéis hecho a vosotros mismos, podéis desprenderos de ello. Es vuestra actitud; nadie os fuerza a sentir de esa manera. Vosotros la habéis elegido... quizá inconscientemente, quizá por algún motivo sutil que en su momento os pareció bien pero que resulta ser amargo... pero vosotros la habéis elegido.

En cuanto entendéis que sois vosotros, ¿por qué conformaros con un vale? Eso no es mucho, y vuestra vida no será una vida de canción, baile y celebración. Diciendo vale, ¿cómo vais a celebrarlo? Diciendo vale, ¿cómo vais a amar? ¿Por qué ser tan mezquino al respecto?

Pero hay muchas personas plantadas en el *vale*. Han perdido toda energía debido a sus ideas. *Vale* es como una persona que no está enferma pero tampoco sana; está así, así. No se encuentra enferma, pero tampoco viva y sana. No puede celebrar.

Os sugeriría que si os resulta muy difícil sentiros felices, como mínimo sentíos desdichados. Eso será algo; al menos tendréis energía. Podéis llorar. Quizá no seáis capaces de reír, pero sí son posibles las lágrimas. Incluso eso será vida. Pero vale solamente es muy frío. Y si se trata de una cuestión de elección, ¿por qué elegir con mezquindad cuando podéis elegir la felicidad?

67
APERTURA

Dejad que vengan vientos, dejad que venga el sol... todo es bienvenido.
En cuanto os sintonicéis con vivir con el corazón abierto, jamás os cerraréis.
Pero hay que darle algo de tiempo. Y debéis mantener esa apertura,
de lo contrario volverá a cerrarse.

La apertura es vulnerabilidad. Cuando estáis abiertos, al mismo tiempo sentís que algo malo puede entrar en vosotros. No se trata solo de una sensación; es una posibilidad.

Por eso las personas están cerradas. Si abrís la puerta para dejar pasar a un amigo, también puede entrar el enemigo. La gente inteligente ha cerrado sus puertas. Para evitar al enemigo, ni siquiera se la abren a un amigo. Pero entonces toda su vida está muerta.

Pero no puede pasar nada, porque básicamente no tenemos nada que perder... y aquello que tenemos no se puede perder. Lo que se puede perder no merece la pena que se retenga. Cuando esta comprensión se vuelve algo tácito, uno permanece abierto.

Puedo ver que hasta los amantes se defienden a sí mismos. Luego lloran porque no sucede nada. Han cerrado todas las ventanas y se asfixian. No ha entrado ninguna luz nueva y resulta casi imposible vivir, pero, no obstante, siguen adelante. Sin embargo, no se abren porque el aire fresco parece peligroso.

De modo que cuando os sintáis abiertos, tratad de disfrutarlo. Son momentos raros. En ellos, avanzad para poder tener una experiencia de apertura. Una vez que la experiencia está ahí, sólida en vuestras manos, entonces podéis desprenderos del miedo. Veréis que estar abiertos es un tesoro que estabais perdiendo de manera innecesaria. Y el tesoro es tal, que nadie os lo puede arrebatar. Cuanto más lo compartís, más crece. Cuanto más abiertos estáis, más sois.

68

OBJETIVOS

La vida no tiene objetivos... ¡y ahí radica su belleza!

Si la vida tuviera un objetivo, las cosas no serían tan hermosas, porque un día llegaréis al final, y entonces después todo sería simplemente aburrido. Habría repetición, repetición, repetición; seguiría el mismo estado monótono... y la vida aborrece la monotonía. Continúa creando nuevos objetivos... ¡porque no tiene ninguno! En cuanto alcanzáis un cierto estado, la vida os da otro objetivo. El horizonte no deja de aparecer delante de vosotros, jamás lo alcanzáis, siempre estáis en el camino... a punto de llegar. Y si entendéis eso, entonces toda la tensión de la mente desaparece, porque la tensión está en buscar un objetivo, en llegar a alguna parte.

La mente continuamente anhela una llegada, mientras que la vida es una continua partida y llegada... pero llegar para volver a partir. No tiene una finalidad. Nunca es perfecta, y esa es su perfección. Es un proceso dinámico, no algo muerto y estático.

La vida no se halla estancada... fluye y fluye y no hay otra orilla. En cuanto comprendéis esto, comenzáis a disfrutar del viaje en sí. Cada paso es una meta, y no hay un objetivo. Esta comprensión, una vez que se asienta en vuestro centro interno, os relaja. Entonces no hay tensión porque no hay ninguna parte a donde ir, de manera que no podéis extraviaros.

69
CONTROL

La vida está más allá de vuestro control. Podéis disfrutarla,
pero no controlarla. Podéis vivirla, pero no controlarla.
Podéis bailarla, pero no controlarla.

Por lo general, decimos que respiramos, y eso no es verdad... la vida nos respira a nosotros. Pero no dejamos de pensar en nosotros mismos como hacedores, y eso crea el problema. En cuanto os volvéis controlados, demasiado controlados, no permitís que la vida os acontezca. Tenéis demasiadas condiciones y la vida no puede realizar ninguna.

La vida os sucede únicamente cuando la aceptáis de manera incondicional; cuando estáis dispuestos a darle la bienvenida sin importar la forma en que aparezca y que adopte. Pero una persona que tiene demasiado control siempre le pide a la vida que llegue de una forma determinada, cumpliendo ciertas condiciones... y la vida ni se molesta; pasa de largo junto a esa gente, que permanece casi muerta, vegetando.

Cuanto antes rompáis el confinamiento del control, mejor, porque todo control procede de la mente. Y vosotros sois más grandes que la mente. De modo que una pequeña parte intenta dominar, dictar. La vida sigue moviéndose y os deja atrás, y entonces os frustráis. La lógica de la mente es tal que os dice: «Mirad, no lo controlasteis bien, por eso lo perdisteis, así que controlad más».

La verdad es justo lo opuesto: las personas se pierden cosas porque controlan demasiado. Sed como un río salvaje, y mucho, mucho de lo que ni siquiera sois capaces de soñar, de imaginar, de esperar, os estará disponible a la vuelta de la esquina. Pero abrid la mano; no sigáis llevando la vida de un puño, porque esa es la vida del control. Llevad la vida de una mano abierta. Tenéis disponible todo el cielo, no os conforméis con menos.

70
VIENTOS FUERTES

Esos vientos fuertes que golpean con dureza no son realmente enemigos. Os ayudan a integraros. Dan la impresión de que os van a desenraizar, pero al luchar con ellos os enraizáis.

Pensad en un árbol. Podéis llevar un árbol al interior de la habitación y, en cierto sentido, estará protegido; el viento no lo azotará. Cuando las tormentas bramen en el exterior, se hallará fuera de peligro. Pero no habrá desafío; todo estará protegido. Podéis ponerlo en un invernadero, pero poco a poco palidecerá, no estará verde. Algo en lo más hondo comenzará a morir... porque el desafío modela la vida.

Esos vientos fuertes que golpean con dureza no son realmente enemigos. Os ayudan a integraros. Dan la impresión de que os van a desenraizar, pero al luchar con ellos os enraizáis. Enviáis las raíces más hondo de lo que puede alcanzar y destruir la tormenta. El sol está muy caliente y parece que quemará, pero el árbol succiona más agua para protegerse contra el sol. Se vuelve más y más verde. Luchando con fuerzas naturales, alcanza cierto grado de alma.

El alma solo surge mediante la lucha.

Si las cosas son muy fáciles, empezáis a dispersaros. Os desintegráis poco a poco, porque la integración no es en absoluto necesaria. Os convertís en niños caprichosos. De modo que cuando surja un desafío, vividlo con coraje.

71
EMPEZAR OTRA VEZ

Mirad en derredor: sea lo que fuere lo que estuvierais haciendo, eso no es el fin. Abríos otra vez, dejad que el viaje empiece otra vez. Incorporad cosas nuevas... a veces peculiares, excéntricas, otras casi locas; todas ayudan.

A todos los inventores se los considera personas locas, excéntricas... lo son, porque van más allá del límite. Encuentran sus propios caminos. Jamás caminan por las autopistas, no son para ellos; se mueven en el bosque. Hay peligro, pueden llegar a perderse, quizá no sean capaces de volver con la multitud, pierden contacto con la manada...

A veces podéis fracasar. No digo que no podáis hacerlo —con lo nuevo siempre hay peligro—, pero también sentiréis el entusiasmo. Y ese entusiasmo vale la pena el riesgo... vale la pena a cualquier precio.

Así que, o bien incorporad algo nuevo al trabajo viejo para que sea nuevo y os ayude a crecer, que deje de ser mecánico y se torne orgánico, o bien cambiad todo y empezad a hacer algo nuevo, absolutamente nuevo. Empezad de cero y convertíos en alfareros, en músicos, en bailarines... o en vagabundos... ¡cualquier cosa servirá!

Por lo general, la mente dirá que esto está mal... ya os halláis establecidos, sois esto y aquello; tenéis un cierto nombre y fama y mucha gente os conoce, el trabajo os va bien y ganáis un buen dinero, las cosas se encuentran asentadas, ¿por qué molestaros? Eso os dirá la mente. Nunca le prestéis atención, pues la mente está al servicio de la muerte.

72
AMOR

Todo amante siente que falta algo, porque el amor está inconcluso.
Es un proceso, no un objeto. Todo amante tenderá a sentir que falta algo...
pero no lo malinterpretéis. Simplemente muestra que el amor
en sí mismo es dinámico.

Es como un río, siempre en movimiento. En ese mismo movimiento está la vida del río. En cuanto se detiene, se convierte en algo estancado; ya no es más un río. El mismo vocablo *río* muestra un proceso, su mismo sonido os brinda la sensación de movimiento.

El amor es un río. Así que no penséis que falta algo; es parte del proceso del amor. Y es bueno que no se encuentre finalizado. Cuando falta algo, tenéis que hacer algo al respecto... es una llamada procedente de cumbres más elevadas. Cuando las alcancéis, no os sentiréis realizados, el amor jamás se siente realizado. No conoce la realización, pero es hermoso porque entonces está vivo por siempre jamás.

Y siempre sentiréis que hay algo que no está sintonizado. Eso también es natural, porque cuando dos personas se conocen, se están conociendo dos mundos diferentes. Esperar que encajen a la perfección es esperar lo imposible, y eso creará frustración. Como mucho hay unos pocos momentos en los que todo se halla sintonizado, momentos muy raros.

Así es como debe ser. Realizad todos los esfuerzos para crear esa sintonía, pero estad siempre preparados si no acontece perfectamente. Y no os preocupéis, de lo contrario perderéis cada vez más la sintonía. Solo acontece cuando no os preocupa, cuando no estáis tensos, cuando ni siquiera lo esperáis... surge de la nada.

73
PERCEPCIÓN

Toda percepción, aunque sea muy dura de aceptar, ayuda.
Aunque vaya en contra de nuestros principios, eso también ayuda.
Aunque destroce el ego, nos ayuda. La percepción es nuestra única amiga.

Uno debería estar preparado para ver cada hecho, sin tratar de racionalizarlo de ninguna manera. De esa percepción ocurren muchas cosas. Pero si no habéis captado la primera percepción sobre el asunto, os sentiréis confusos y desconcertados. Habrá muchos problemas, pero ninguna solución a la vista, porque desde el primer paso no se ha aceptado una verdad. De modo que estáis falsificando vuestro propio ser.

Hay muchas personas que tienen muchos problemas, aunque esos problemas no son reales. El noventa y nueve por ciento de los problemas son falsos. De modo que si no se solucionan, os encontráis en apuros, y aunque se solucionen, no sucederá nada porque no son vuestros verdaderos problemas. Cuando hayáis solucionado algunos problemas falsos, crearéis otros. De manera que lo principal es penetrar en lo que es el problema real y verlo como es.

Reconocer lo falso como falso es el comienzo de la visión de ser capaz de ver la verdad como verdad. Reconocer lo falso como falso es lo primero. Entonces uno puede ver cuál es la verdad.

74
RETIRAD EL DESAMOR

No amamos. Pero ese no es el único problema. Desamamos. Así que primero empezad a desprenderos de cualquier cosa que sintáis que es desamor. Cualquier actitud, cualquier palabra que habéis utilizado por costumbre pero que de pronto os parece cruel... ¡dejadla!

Estad preparados siempre para decir: «Lo siento». Muy pocas personas son capaces de decir «lo siento». Incluso cuando dan la impresión de hacerlo, no lo dicen. Puede ser una simple formalidad social. Decir realmente «Lo siento» es una gran comprensión. Estáis reconociendo que habéis hecho algo mal... y no intentáis ser únicamente corteses. Retiráis algo. Retiráis un acto que iba a suceder, una palabra que habéis pronunciado.

Así que retirad el desamor, y al hacerlo veréis muchas más cosas... que en realidad no es una cuestión de cómo amar. Solo se trata de una cuestión de cómo no amar. Es como un manantial cubierto con piedras y rocas. Retiradlas y el manantial empieza a fluir. Está ahí.

Todos los corazones tienen amor, porque el corazón no puede existir sin él. Es la pulsación misma de la vida.

Nadie puede estar sin amor; es imposible. Es una verdad básica que todo el mundo tiene amor... la capacidad de amar y ser amado. Pero algunas rocas —una educación equivocada, una actitud errónea, la astucia y mil y una cosa más— están bloqueándole el paso.

Retirad los actos de desamor, las palabras de desamor, los gestos de desamor, y de pronto os sorprenderéis en un estado de ánimo muy cariñoso. Surgirán muchos momentos en los que de repente veréis que algo borbotea... y en ellos habrá amor, una simple percepción. Y poco a poco esos momentos se prolongarán más.

75
NO ES CAFÉ INSTANTÁNEO

El amor no es algo que se pueda hacer.
Pero al hacer otras cosas, el amor surgirá.

Hay pequeñas cosas que podéis hacer, estar sentados juntos, contemplar la luna, escuchar música, cosas que no tienen una relación directa con el amor. Este es muy frágil, delicado. Si lo observáis, si lo miráis directamente, desaparecerá. Solo surge cuando no estáis pendientes de él, cuando hacéis otra cosa. No podéis ir hacia él en una trayectoria recta, como una flecha. El amor no es un blanco. Se trata de un fenómeno muy sutil... es muy tímido. Si lo encaráis de forma directa, se esconderá. Si hacéis algo directo, lo perderéis.

El mundo se ha vuelto muy estúpido con respecto al amor. Lo quiere de inmediato. Lo quiere como si fuera café instantáneo... siempre que lo queréis, lo pedís, y ahí está.

El amor es un arte delicado; no es nada que podáis hacer. A veces esos raros momentos felices surgen... entonces desciende algo de lo desconocido. Ya no estáis en la Tierra, os encontráis en el Paraíso. Leyendo un libro con vuestro amante, absortos en él, de pronto descubrís que una cualidad diferente de ser ha surgido alrededor de los dos. Algo os rodea como un aura y todo es apacible. Pero no hacíais nada directamente. Solo leíais un libro, o dabais un paseo, agarrados de la mano contra el fuerte viento... y de pronto está ahí. Siempre os sorprende.

76
UNIDAD

Las personas han olvidado por completo el lenguaje de hacer las cosas juntas...
o no hacer nada, solo estar juntas.

La gente ha olvidado simplemente ser. Si no tiene nada que hacer, hace el amor. Entonces no sucede nada, y poco a poco se siente frustrada por el propio amor.

El hombre y la mujer son diferentes... no solo diferentes, son opuestos, no encajan juntos. Y ahí radica la belleza... cuando encajan juntos es un milagro, un momento mágico. De lo contrario, entran en conflicto y pelean. Eso es natural y se puede entender, porque tienen mentes diferentes. Sus perspectivas son polos opuestos. No pueden estar de acuerdo en nada, porque sus maneras son distintas, su lógica diferente.

Encajar en una sintonía profunda, caer en una profunda armonía, es casi milagroso. Es casi un Kohinoor, y no se debería pedir uno cada día, como parte de una rutina. Habría que esperar su momento. Pasan meses, a veces años, y entonces, de pronto, está ahí. Y siempre surge de la nada, sin ser provocado.

¿Me seguís? No os preocupéis... cuidará de sí misma. Y no os convirtáis en buscadores de amor, porque entonces lo pasaréis por alto completamente.

77
EL CIPRÉS EN EL PATIO

De este momento es de lo que trata la verdadera religión.
De modo que si os sentís tristes, entonces eso es el ciprés en el patio.
Miradlo... simplemente miradlo. No hay nada más que hacer.

Hay una historia muy famosa sobre un maestro zen, Chou Chou. Un monje le preguntó: «¿Qué es la verdadera religión?».

Era una noche de luna llena y la luna salía... El maestro permaneció en silencio durante largo rato; no dijo nada. Y de repente cobró vida y dijo: «Mira el ciprés en el patio». Soplaba una apacible brisa que jugaba con el ciprés y la luna acababa de aparecer por encima de la rama. Era hermosa, increíble. Era casi imposible que fuera tan hermosa.

Pero el monje dijo: «Esa no era mi pregunta. No te pregunto sobre el ciprés en el patio, ni sobre la luna o su belleza. Mi pregunta no tiene nada que ver con esto. Te pregunto qué es la verdadera religión. ¿Has olvidado mi pregunta?».

El maestro volvió a permanecer en silencio largo rato. De nuevo cobró vida y dijo: «Mira el ciprés en el patio».

La verdadera religión consiste en el aquí y ahora. El hecho de este momento es de lo que trata la verdadera religión. De modo que si os sentís tristes, eso es el ciprés en el patio. Miradlo... simplemente miradlo. No hay otra cosa que hacer. Esa misma mirada os revelará muchos misterios. Os abrirá muchas puertas. Así que mirad el ciprés en el patio... sea lo que fuere el ciprés en cualquier momento dado, miradlo.

78
NO HACER NADA

Si podéis no hacer nada, eso es lo mejor.

Requiere mucho coraje no hacer nada. Hacer no requiere mucho coraje, porque la mente es una hacedora. El ego siempre anhela hacer algo... mundano, espiritual, el ego siempre quiere hacer algo. Si estáis haciendo algo, el ego se siente perfectamente bien, sano, en movimiento, disfruta.

Nada es la cosa más difícil del mundo, y si podéis no hacer nada, eso es lo mejor. La misma idea de que tenemos que hacer algo es básicamente errónea. Tenemos que ser, no que hacer. Lo único que yo le sugiero a la gente es que se ayude a conocer la futilidad de hacer, para que un día, por puro agotamiento, caiga al suelo y diga: «¡Ya es suficiente! No queremos hacer nada». Y entonces comienza el verdadero trabajo.

El trabajo verdadero es ser, porque todo lo que necesitáis ya lo tenéis, y todo lo que podéis ser ya lo sois. Aún no lo sabéis, es verdad. De modo que lo único que necesitáis es hallaros en un espacio tan silencioso que podáis caer hacia vosotros mismos y ver lo que sois.

79
MAÑANA

Cuando buscáis, el futuro es importante, el objetivo es importante. Y cuando no buscáis, el momento presente es todo lo que hay... todo. No hay futuro, de modo que no podéis postergar... no podéis decir: «Mañana seré feliz».

A través del mañana destruimos el hoy; a través de lo ficticio destruimos lo real. De manera que podéis decir: «Muy bien, si hoy estoy triste, no hay nada de qué preocuparse... mañana estaré feliz». De modo que el hoy se puede·tolerar, lo podéis soportar. Pero si no hay mañana ni futuro, y nada que buscar y encontrar, no hay forma de postergarlo... la misma postergación desaparece. Entonces depende de vosotros ser o no ser felices. Y en el momento, en este momento, tenéis que decidir. Y no creo que nadie vaya a decidir ser infeliz. ¿Por qué? ¿Para qué?

El pasado ya no existe, y el futuro jamás existirá, de modo que este es el momento. Podéis celebrarlo: podéis amar, podéis rezar, podéis cantar, podéis bailar, podéis meditar, podéis emplearlo como queráis. Y el momento es tan pequeño, que si no estáis muy alerta, se os escurrirá de las manos, desaparecerá. Entonces, para ser, uno ha de estar muy alerta. En cambio, hacer no requiere ninguna alerta, es algo muy mecánico.

Y no empleéis la palabra *esperar*... porque eso significa que el futuro ha vuelto a entrar por la puerta de atrás. Si creéis que deberíais esperar, una vez más estáis esperando el futuro. No hay nada por lo que esperar. La existencia es tan perfecta en este momento como lo será jamás. Nunca va a ser más perfecta.

80

ADORACIÓN

No es necesario ir a la iglesia, al templo o a la mezquita; allí donde estéis,
sed dichosos, y allí estará el templo. El templo es una creación sutil de vuestra
propia energía. Si sois dichosos, creáis el templo a vuestro alrededor,
una determinada aura, una luz, una fragancia.

En los templos simplemente hacemos cosas falsas. En los templos ofrecemos flores que no son nuestras; las tomamos prestadas de los árboles. Ya fueron ofrecidas por Dios a los árboles y en ellos estaban vivas; las habéis matado, habéis matado algo hermoso, y ahora le estáis ofreciendo esas flores asesinadas a Dios y ni siquiera os sentís avergonzados.

He observado, en particular en la India, que las personas no toman las flores de sus propias plantas, las recogen de las de sus vecinos, y nadie puede impedírselo, porque este es un país religioso y recogen flores con propósitos religiosos... no se les puede decir que no. La gente enciende luces y velas, pero no son suyas; la gente quema incienso y surge la fragancia, pero todo es prestado.

El verdadero templo se crea mediante la felicidad... y todas estas cosas comienzan a suceder por cuenta propia. Si sois felices, descubriréis que unas flores están siendo ofrecidas, pero dichas flores son de vuestra conciencia; hay luz, pero esa luz surge de vuestra propia llama interior; hay fragancia, pero esa fragancia corresponde a vuestro ser. Esa es la verdadera adoración.

81

LA LLAMA SIN HUMO

Siempre que veáis luz, sentíos reverentes. El templo está ahí.

Contemplad los misterios de la luz... una llama pequeña, y a la vez el fenómeno más misterioso del mundo, la totalidad de la vida depende de ella.

La misma llama arde en vosotros. Esa es la causa de que se necesite oxígeno constantemente, porque la llama no puede arder sin oxígeno. De ahí el énfasis que pone el yoga en la respiración profunda, en respirar más y más oxígeno para que toda vuestra vida arda más profundamente y la llama sea más clara y en vosotros no surja ningún humo... para que podáis alcanzar a ser como la llama sin humo.

8₂

BIEN O MAL

No hay nada como bien o mal. Eso depende. Depende del punto de vista.
No hay nada muy sólido sobre lo que uno pueda decidir
que «esto está bien y esto mal».

La misma cosa puede estar bien para una persona y mal para otra, porque, más o menos, depende de la persona. La misma cosa puede estar bien en un momento para una persona, y en otro momento estar mal, porque depende de la situación.

Se os han enseñado categorías aristotélicas. Esto está bien y esto está mal. Esto es blanco y esto negro. Este es Dios y este el diablo. Estas categorías son falsas. La vida no se divide en blanco y negro. Una gran parcela es gris.

Y si lo analizáis profundamente, el blanco es un extremo del gris y el negro es otro, pero el espacio comprendido entre los dos es gris. La realidad es más gris. Así debe ser porque en ningún sitio está dividida. No hay compartimentos estancos en ninguna parte. Esa es una manera tonta de poner categorías, pero se ha implantado en nuestra mente.

De modo que bien o mal no paran de cambiar. Entonces, ¿qué hacer? Si alguien quiere decidir absolutamente, se quedará paralizado, no será capaz de actuar. Si queréis eso y actuáis solo cuando tenéis una decisión absoluta sobre lo que está bien, estaréis paralizados. No seréis capaces de actuar en la vida. Uno debe actuar y actuar, en un mundo relativo. No existe una decisión absoluta, así que no la esperéis. Simplemente mirad y observad, y lo que sintáis que está bien, hacedlo.

83
ESCUCHAR

Cuando los amigos ofrecen consejo, uno debería escuchar con atención.

Una de las grandes cosas que se debería aprender es a escuchar. Escuchad muy silenciosamente. No escuchéis con indiferencia. No escuchéis como si quisierais que pararan y estuvierais siendo corteses porque son vuestros amigos. En ese caso es mejor pedirles que no digan nada porque no estáis de humor para escuchar.

Pero si estáis escuchando, escuchad de verdad... sed abiertos, porque quizá tengan razón. Y aunque estén equivocados, escucharlos os enriquecerá. Conoceréis más lados de la misma cosa, más puntos de vista, y siempre es bueno aprender. Así que escuchad, pero decidid siempre por vuestra propia cuenta.

En cuanto una persona posee esta comprensión relativa y se desprende de las necedades absolutas, las cosas se tornan muy claras y fáciles. De lo contrario, la gente es muy tajante. Piensa en términos de absolutos: esto es verdad y lo que sea que se le oponga está mal. Es algo que ha perjudicado a toda la tierra... los hindúes, los mahometanos y los cristianos luchan porque todo el mundo reclama la verdad absoluta. Nadie posee ningún derecho sobre ella. No es el monopolio de nadie.

La verdad es vasta. Infinitas son sus facetas e infinitos los caminos para conocerla. Y lo que sea que conozcamos, es limitado; no es más que una parte.

84
QUIZÁ

Dudad más. Emplead más el «quizá» y el «tal vez», y permitidle a los otros toda la libertad para decidir por su propia cuenta.

Cuidad cada palabra que digáis. Nuestra lengua y nuestra manera de hablar son tales que, adrede o inadvertidamente, realizamos declaraciones absolutas. Jamás hagáis eso. Utilizad más el «quizá». Dudad más. Emplead «tal vez» más, y permitidle al otro toda la libertad para decidir por su propia cuenta.

Probadlo durante un mes. Tendréis que estar muy alerta, porque hablar en términos absolutos es un hábito muy arraigado, pero con atención se puede abandonar. Entonces veréis que las discusiones se desvanecen y ya no hay necesidad de defender, nada.

85
RIVALIDAD ENTRE HERMANOS

Una madre podría amar más a un niño y menos al otro. Hay favoritos, porque la madre también es humana. No podéis esperar que ame de forma absolutamente igual; no es posible.

Los niños son muy perspicaces. De inmediato son capaces de ver que alguien es más o menos querido, y que la pretensión de la madre de amarlos por igual es falsa. Entonces surge un conflicto, una lucha y una ambición internas.

Cada niño es diferente. Alguien tiene mucho talento, otro no. Alguien tiene talento para la música, otro no. Alguien tiene talento para las matemáticas, otro no. Alguien es físicamente más hermoso que el otro o uno posee un determinado encanto de personalidad que al otro le falta. Entonces surgen más y más problemas, y se nos enseña a ser amables, nunca a ser sinceros.

Si a los niños se les enseñara a ser sinceros, lo combatirían luchando, y luchando lo eliminarían. Estarían enfadados, se pelearían y se dirían cosas duras, y entonces habrían terminado, porque los niños se desprenden de las cosas con suma facilidad. Si están enfadados, estarán airados, encendidos, casi volcánicos, pero al siguiente instante se toman de la mano y todo queda olvidado. Son muy sencillos, pero no se les permite esa sencillez. Se les dice que sean amables, a cualquier precio. Se les prohíbe estar enfadados con el otro: «Es tu hermana, es tu hermano. ¿Cómo puedes estar enfadado?».

Esas iras, esos celos y esas mil y una heridas se van acumulando. Pero si podéis enfrentaros con ira o celos verdaderos y podéis permitiros el expresarlos... inmediatamente después, siguiendo su estela, surgirá un amor y compasión profundos. Y eso será lo auténtico.

86

DECISIONES

Responded a este momento. Eso es la responsabilidad.
En este momento, enfrentadlo y decidid.

A alguien le gustaría casarse con vosotros. Os desconcierta saber si debéis contestar que sí o que no, así que recurrís al *I Ching*.

Es vuestra vida... ¿por qué dejársela para que decida por vosotros a alguien que escribió un libro hace cinco mil años? Es mejor decidir por vuestra propia cuenta. Aunque erréis y os extraviéis, entonces también es mejor decidir por vuestra propia cuenta. Y aunque no os extraviéis y tengáis una vida más exitosa a través del *I Ching*, entonces eso tampoco es bueno, porque estáis eludiendo la responsabilidad.

Y uno crece a través de la responsabilidad. Asumidla. He aquí algunas formas de evitarla: algunos se la otorgan a Dios, otros al karma, unos al destino, otros al *I Ching*, pero la gente no para de entregársela a otra persona.

Una persona se transforma en espiritual cuando carga con toda la responsabilidad sobre sus propios hombros.

La responsabilidad es tremenda, y vuestros hombros son débiles, lo sé. Pero cuando la asumís, se vuelven más fuertes. No hay otra manera de que vuestros hombros crezcan y se tornen más fuertes. Si jugáis con el *I Ching* y os sentís bien, no hay nada de malo en ello. Pero he de deciros que tampoco hay nada de bueno. No es más que un juego... disfrutadlo, es un juego de la mente. Y algún día tendréis dejarlo.

87

COMO UNA BRISA

Así como viene, se va; no podéis contenerla ni aferraros a ella.
No existe modo de hacerlo.

La brisa llega como un susurro. No hace ruido ni proclamas; llega muy silenciosamente, no podéis oírla... de pronto está ahí. Y así es como llega Dios, la verdad, la felicidad, el amor... todos llegan como un susurro, sin trompetas ni redobles de tambor. De pronto llegan sin siquiera tener una cita, sin preguntaros si pueden entrar. De repente están ahí. Y así es como llega la brisa: hace un momento no está, y al siguiente la tenéis ahí.

Y lo segundo es que así como viene, se va; no podéis contenerla ni aferraros a ella. No existe modo de hacerlo. Disfrutadla mientras esté ahí, y cuando se vaya, dejadla. Dadle las gracias por haber aparecido. No sintáis ningún encono ni ninguna queja. Cuando se va, se va; no se puede hacer nada al respecto.

Pero a todos nos gusta aferrarnos. Cuando llega el amor somos muy felices, pero cuando se va, nos sentimos muy dolidos. Eso es ser muy inconscientes, desagradecidos, es no saber comprender.

Recordad, viene de una manera y ahora se va del mismo modo. No pidió permiso para venir... ¿por qué debería preguntar si puede irse? Fue un regalo del más allá... misterioso, y ha de irse de igual forma misteriosa.

Si uno se toma la vida como una brisa, entonces no se aferra ni se apega a ella, no hay obsesión, uno simplemente permanece disponible, y cualquier cosa que suceda es buena.

88

TRABAJAD CON EQUILIBRIO

El mejor arreglo es trabajar en el mundo pero sin perderse en él. Trabajad durante cinco o seis horas y luego olvidaos de todo. Dad al menos dos horas a vuestro desarrollo interior, unas pocas horas a vuestra relación, al amor, a los niños, a los amigos, a la sociedad.

Vuestra profesión solo debería ser una parte de la vida. No debería solaparse en todas las dimensiones de vuestra vida, como sucede por regla general. Un médico se convierte en un médico durante casi las veinticuatro horas. Piensa en ello, habla de ello. Incluso cuando come es un médico. Mientras hace el amor con su mujer, es médico. Entonces es una locura; es enfermizo.

Para evitar esto, la gente escapa. Entonces se convierte en buscadora las veinticuatro horas del día. Una vez más, comete el mismo error de ser algo las veinticuatro horas al día.

Todo mi esfuerzo radica en ayudaros a estar en el mundo y, sin embargo, a ser buscadores. Desde luego es más difícil, porque habrá más desafío y situaciones. Es más fácil ser un médico o un buscador. Será complicado ser ambas cosas, porque eso os proporcionará muchas situaciones contradictorias. Pero una persona crece cuando tiene ante sí situaciones contradictorias. En la agitación, en ese choque de contradicciones, nace la integridad.

Mi sugerencia es que trabajéis de seis a ocho horas y que las dieciséis horas restantes no seáis médicos. Emplead dichas horas para otras cosas: para dormir, para la música, la poesía, la meditación, el amor o para holgazanear.

También eso es necesario. Si una persona se vuelve demasiado sabia y no puede holgazanear, se torna pesada, sombría, seria. Se pierde la vida.

89

ACCIDENTES

Pensad siempre en el lado positivo de las cosas: se produjo el accidente, pero aún seguís con vida, de modo que habéis trascendido dicho accidente.

No prestéis demasiada atención a los accidentes. Más bien fijaos en que habéis sobrevivido. Eso es lo real. Habéis derrotado a los accidentes y sobrevivido. Así que sobreviviréis; no hay nada de qué preocuparse. Pensad siempre en el lado positivo de las cosas: se produjo el accidente, pero aún seguís con vida, de modo que habéis trascendido dicho accidente. Disteis prueba de vuestro valor, demostrasteis ser más fuertes que el accidente.

Aunque puedo entender que surja el temor si esas cosas se repiten una y otra vez. Si caéis en pozos o cosas por el estilo, sin duda en vuestra mente surgirá el miedo a la muerte. Pero de todos modos la muerte acontecerá, caigáis o no en un pozo. El lugar más peligroso que debéis evitar, si queréis evitar a la muerte, es vuestra cama, porque el noventa y nueve por ciento de las muertes tienen lugar allí... ¡rara vez en un pozo!

No saltéis a la cama, porque es allí donde muere la gente. Evitadla. Pero ¿cómo podéis evitar la cama? De modo que no tiene sentido estar preocupados. De todos maneras la muerte va a acontecer; no importa cómo suceda. Y si hay que elegir entre la cama y el pozo, creo que este último es mucho mejor; tiene algo estético.

90

MIEDO A LA MUERTE

*No hay necesidad de temerle a la muerte. Va a suceder; es la única
certeza que hay en la vida. Todo lo demás es inseguro, así que,
¿por qué preocuparse por la certeza?*

Y es una certeza absoluta. El cien por cien de las personas muere...
no el noventa y nueve, sino el cien por cien. No importan los desarrollos
científicos y los avances de la ciencia médica, da igual en lo referente a la
muerte de las personas: el cien por cien de las personas muere, igual que
solía morir hace diez mil años. El que nace, muere; no hay excepción.

Así que podemos olvidarnos por completo de la muerte. Va a acontecer, de modo que cuando suceda, estará bien. ¿Qué diferencia hay
cómo suceda... si tenéis un accidente o simplemente morís en la cama de
un hospital? No importa. En cuanto asiméis el punto de que la muerte
es segura, cómo y dónde se muere solo son formalidades. La única cosa
real es que uno muere. Poco a poco aceptaréis ese hecho. La muerte
debe ser aceptada. No tiene sentido negarla; nadie ha sido capaz jamás
de negarla. ¡Así que relajaos! Disfrutad... mientras estéis vivos, disfrutad
completamente; y cuando llegue la muerte, disfrutad también.

91

MIRANDO LA TELEVISIÓN

El secreto de la meditación es no estar ni a favor ni en contra,
sino indiferentes, distantes, sin cosas preferidas ni odiadas,
estar sin ninguna elección.

La meditación es un método sencillo. Vuestra mente es como la pantalla de un televisor. Los recuerdos pasan, las imágenes pasan, los pensamientos, deseos, mil y una cosas pasan; siempre es hora punta. Y el camino es casi como una carretera en la india: no hay reglas de tráfico, todo el mundo va en todas las direcciones. Hay que observarlo sin hacer ninguna evaluación, sin ningún juicio, sin ninguna elección, solo observar indiferentes como si no tuviera nada que ver con vosotros, únicamente sois testigos. Esa es la percepción sin elección.

Si elegís decir: «Este pensamiento es bueno... me permito tenerlo», o «Es un sueño bonito, debería disfrutarlo un poco más»... si elegís, perdéis vuestra capacidad de ser testigos. Si decís: «Esto es malo, inmoral, un pecado, debería expulsarlo», y empezáis a luchar, volvéis a perder vuestra capacidad de ser testigos.

Podéis perder la capacidad de ser testigos de dos maneras: estando a favor o en contra. El secreto de la meditación es no estar ni a favor ni en contra, sino indiferentes, distantes, sin cosas preferidas ni odiadas, estar sin ninguna elección. Si podéis conseguir esto incluso unos pocos momentos, os sorprenderá lo extáticos que os volveréis.

92

CORAZÓN SENCILLO

Ser sencillo significa un cambio de la cabeza al corazón.

La mente es muy astuta, jamás es sencilla. El corazón nunca es astuto, siempre es sencillo. Ser sencillo significa un cambio de la cabeza al corazón.

Vivimos a través de la cabeza. Por eso nuestra vida no para de complicarse más y más, como un rompecabezas: nada parece encajar. Y cuanto más intentamos ser inteligentes, más enredados estamos. Esa ha sido nuestra historia: el hombre se ha vuelto más y más loco. Y ahora toda la Tierra es casi un manicomio. Ha llegado el momento, si la humanidad quiere sobrevivir, para que suceda un gran cambio: debemos pasar de la cabeza al corazón. De lo contrario, la cabeza está lista para suicidarse. Ha creado tanta desdicha y tanto aburrimiento y tantos problemas, que el suicidio parece la única escapatoria. Toda la Tierra se está preparando para el suicidio. Va a ser un suicidio global, a menos que suceda un milagro.

Y este va a ser el milagro —si sucede, será este—: un cambio, un cambio grande y radical en la misma perspectiva: empezaremos a vivir desde el corazón. Nos desprenderemos de todo el universo de la cabeza y empezaremos de nuevo como niños pequeños.

Vivid desde el corazón. Sentid más, pensad menos, sed más sensibles y menos lógicos.

Sed cada vez más del corazón y vuestra vida será un absoluto gozo.

93
EL INCONSCIENTE

El inconsciente es nueve veces más grande que el consciente, de modo que todo lo que procede del inconsciente es abrumador. Por eso la gente le tiene miedo a las emociones y los sentimientos. Los contienen, temen crear caos; y lo hacen, ¡pero el caos es hermoso!

Hay necesidad de orden y también hay necesidad de caos. Cuando se requiere orden, utilizad el orden, la mente consciente; cuando se necesite el caos, emplead el inconsciente y dejad que el caos sea. Una persona completa, una persona total, es aquella capaz de utilizar ambas, que no permite ninguna interferencia del consciente en el inconsciente, ni viceversa. Hay cosas que solo podéis hacer conscientemente. Por ejemplo, si estáis realizando un trabajo aritmético o científico, únicamente podéis hacerlo desde el consciente. Pero el amor no es así, ni tampoco lo es la poesía; proceden del inconsciente. De modo que debéis poner a un lado el consciente.

Es el consciente el que intenta contener las cosas porque tiene miedo. Da la impresión de que se acerca algo grande, una ola inmensa, ¿será capaz de sobrevivir? Intenta evitarlo, trata de mantenerse lejos; quiere escapar, esconderse en alguna parte. Pero eso no está bien. Ese es el motivo por el que la gente se ha vuelto apagada y muerta. Todas las fuentes de vida están en el inconsciente.

94
ELASTICIDAD

Hay momentos en que la gente debería estar tan relajada, tan salvajemente relajada, que no tuviera que seguir ninguna formalidad.

En una ocasión un gran emperador chino fue a ver a un gran maestro zen. El maestro zen se partía de risa en el suelo, y también reían sus discípulos... debía haber contado un chiste o algo por el estilo. El emperador se sintió abochornado. No podía creer lo que veía, ya que era un comportamiento muy maleducado; y no pudo contenerse de expresarlo de esa manera.

—¡Esto es una grosería! —le dijo—. No se espera algo así de un maestro como tú; ha de existir cierta etiqueta. Das vueltas en el suelo, riendo como un loco.

El maestro observó al emperador. Este tenía un arco; en aquella época se solía portar arcos y flechas.

—Dime una cosa —pidió el maestro—. ¿Mantienes el arco siempre tensado, estirado, o también le permites que se relaje?

—Si lo mantenemos siempre estirado —respondió el emperador—, perderá elasticidad, y entonces no será de ninguna utilidad. Hay que dejarlo relajado para que siempre que lo necesitemos tenga elasticidad.

—Eso mismo estoy haciendo —repuso el maestro.

95
PODER

Si la vulnerabilidad crece junto con el poder,
no hay miedo de que se abuse del poder.

La gente decide vivir al mínimo para que no haya riesgo. Cuando tenéis poder, se corre todo el riesgo de que lo empleéis. Cuando tenéis un coche deportivo que alcanza los trescientos kilómetros por hora, existe el riesgo de que algún día decidáis ir a esa velocidad. Todo aquello que es posible se convierte en un desafío. De modo que la gente vive de forma moderada, porque si supiera lo mucho que puede ascender en el poder, lo poderosa que podría ser, le sería difícil resistirlo. La tentación sería demasiado grande; querría recorrer todo el camino.

Patanjali, el fundador del yoga, ha dedicado un capítulo entero al poder en sus *Yoga Sutras*, para ayudar a que cada buscador camine con sumo cuidado por esa zona, porque el gran poder estará disponible y habrá un gran peligro.

Pero mi punto de vista es totalmente diferente. Si la vulnerabilidad crece junto con el poder, no hay temor; si el poder crece solo sin la vulnerabilidad, entonces hay miedo, algo puede ir mal. A eso le teme Patanjali, porque su metodología del yoga es tal que va contra la vulnerabilidad. Os da poder pero no vulnerabilidad. Os hace más y más fuertes, como el acero, pero no fuertes como una rosa.

96

ESTAD DISPONIBLES

Una relación no es algo que pueda suceder de la nada.
Como mínimo, tenéis que ayudarla a suceder.

Siempre podéis proyectar la responsabilidad sobre otros... nadie se acerca a vosotros, o nadie merece que os molestéis, o no sentís nada por nadie, entonces, ¿qué podéis hacer? Pero estas cosas se hallan profundamente relacionadas entre sí. Si os movéis, empezaréis a sentir. Si sentís, os movéis más. Se ayudan entre sí, y por alguna parte hay que empezar.

El mundo está lleno de personas tan hermosas que se encuentran disponibles. Todo el mundo busca amor, de modo que no veo que no pueda suceder. Simplemente, estad disponibles. Sed un poco abiertos, estad disponibles; de lo contrario, no sucederá.

Con la meditación va una profunda necesidad de amor. Ambas son como alas, y os es imposible volar solo con una. Si la meditación marcha bien, de pronto veréis que el amor está ausente. Si el amor va muy bien, de pronto veréis que se echa a faltar la meditación. Si nada va bien, entonces está bien. Uno se acostumbra a la tristeza personal, a la propia cerrazón. Pero cuando un ala ha empezado a moverse, la otra resulta necesaria.

97
HACIENDO EL AMOR

El amor es algo que hay que atesorar, degustar muy despacio,
para que fluya profundamente a vuestro ser y se convierta en una experiencia
que os posea de tal manera que dejéis de existir. No es que estéis haciendo el amor...
sois el amor.

El amor puede convertirse en una energía superior a vuestro alrededor. Puede trascenderos a los dos, de modo que ambos estáis perdidos en él. Pero para eso tendréis que esperar. Dejad que la energía se acumule y acontezca por su propia cuenta. Poco a poco, cobraréis conciencia cuando llegue el momento. Empezaréis a ver los síntomas y entonces no habrá dificultad.

Si no surge el momento de hacer el amor naturalmente, entonces esperad; no hay prisa. La mente occidental tiene demasiada prisa... incluso mientras está haciendo el amor. Es algo que hay que hacer y terminar. Esa es una actitud completamente equivocada.

No podéis manipular el amor. Sucede cuando sucede. Si no acontece, no hay nada de qué preocuparse. No lo convirtáis en un viaje del ego. Eso también está en la mente occidental; el hombre piensa que, de algún modo, debe conseguirlo. Si no, no es lo bastante hombre. Eso es una estupidez y una necedad.

El amor es algo trascendental. No podéis dirigirlo. Nadie ha podido dirigirlo jamás, y quienes lo han intentado se han perdido toda su belleza. Entonces, como mucho, se convierte en una liberación sexual, pero todos los reinos sutiles y más profundos permanecen intactos.

98
MOVIMIENTO Y QUIETUD

*En la circunferencia hay una danza, y en el centro hay simplemente
una quietud absoluta.*

La meditación no es sencillamente cerrar los ojos y sentarse en silencio. De hecho, en lo más profundo, cuando Buda está sentado en silencio bajo su árbol bodhi, sin moverse, en lo más hondo de su ser tiene lugar una danza... la danza de la conciencia. Invisible, desde luego, pero está ahí, porque nada permanece en reposo. «Reposo» es una palabra irreal; nada se corresponde con el reposo en la realidad.

Ahora bien, depende de nosotros: podemos convertir nuestra vida en una inquietud o en una danza. El reposo no está en la naturaleza de las cosas, pero podemos tener una inquietud muy caótica... eso es desdicha, neurosis, locura. O podemos ser creativos con esta energía; entonces la inquietud deja de ser inquieta. Se torna en algo suave y grácil, empieza a adquirir la forma de una danza y de una canción. Y la paradoja es que cuando el bailarín se halla totalmente inmerso en la danza, hay reposo... sucede lo imposible, el centro del ciclón. Pero el reposo no resulta posible de ningún otro modo. Cuando la danza es total, solo entonces acontece el reposo.

La ciencia no ha alcanzado a conocer ese reposo; por eso se dice que no hay nada en la realidad que se corresponda con la palabra *reposo*. Pero toda esta danza tiene un centro. No puede continuar sin un centro. La periferia es danza, la circunferencia es danza... para conocer el centro el único camino es convertirse en una danza total. Solo entonces, en contraste con la danza, uno cobra, de repente, conciencia de algo muy quieto y sereno.

99
LÓGICA

La mente moderna se ha vuelto demasiado lógica, demasiado racional,
y se halla atrapada en la red de la lógica. Debido a ello,
ha tenido lugar mucha represión, porque la lógica es una fuerza
dictatorial, totalitaria. En cuanto os controla, mata muchas cosas.

Quienquiera que esté en contra de la lógica, resulta simplemente destruido. Es como Adolfo Hitler o José Stalin; no permite que el opuesto exista, y las emociones son opuestas. El amor y la meditación son opuestos a la lógica. La religión es opuesta a la razón. De manera que la razón, simplemente, los masacra, los mata, los desarraiga. Y de pronto veis que vuestra vida carece de sentido... porque todo sentido es irracional.

Así que primero escucháis a la razón y luego matáis todo lo que iba a darle sentido a vuestra vida. Cuando lo habéis matado y os sentís victoriosos, de repente os sentís vacíos. Ahora ya nada queda en vuestra mano, solo la lógica. ¿Y qué podéis hacer con la lógica? No podéis comerla. No podéis beberla. No podéis amarla. No podéis vivirla. Simplemente es putrefacción, basura.

Si tendéis a ser intelectuales, os resultará difícil. La vida es simple, no intelectual. Todo el problema del hombre radica en la metafísica. La vida es tan sencilla como una rosa... no hay nada complicado en ella... y, sin embargo, es misteriosa. No tiene nada complicado, pero carece de posibilidad de ser comprendida a través del intelecto. Podéis enamoraros de una rosa, podéis olerla, podéis tocarla, sentirla, incluso ser ella, pero si empezáis a diseccionarla, entonces tendréis algo muerto en las manos.

100

BAJA ENERGÍA

No penséis que hay algo malo con tener baja energía.
No hay nada especialmente bueno con la alta energía
y nada especialmente malo con la baja energía.

Podéis utilizar la alta energía como una fuerza destructiva. Eso es lo que las personas con mucha energía han estado haciendo por todo el mundo a lo largo de los siglos. El mundo jamás ha sufrido por las personas de energía baja. De hecho, han sido las más inocentes. No pueden convertirse en un Adolfo Hitler, ni en un Stalin o un Mussolini. No pueden crear guerras mundiales. No intentan conquistar el mundo. No son ambiciosas. No pueden combatir o ser políticos. De hecho, son los máximos seres humanos del mundo.

No hay nada malo en tener baja energía. De hecho, los que la tienen son muy buenas personas... muy suaves, gráciles. La energía baja solo está mal si se convierte en indiferencia. Si permanece positiva, no tiene nada de malo. La diferencia es como cuando alguien está gritando, eso es energía alta, y alguien está hablando en voz baja, eso es energía baja. Pero hay momentos en los que gritar es una tontería y lo correcto es hablar en voz baja. Hay unas personas que están hechas para gritar y otras para hablar en voz baja.

101
EL ÚNICO DEBER

Una cosa que uno debería retener siempre, y ese es el único deber, es ser feliz.

Convertid el ser feliz en una religión. Si no sois felices, entonces, sin importar lo que hagáis, algo debe estar mal y se requiere un cambio drástico. Dejad que decida la felicidad.

Soy un hedonista. Y la felicidad es el único criterio que tiene el hombre. No hay otro.

La felicidad os da la pista de que las cosas van bien. La infelicidad os indica que las cosas van mal; en alguna parte se necesita un garn cambio.

102

ABRIR UN SENDERO

Cuando se ha producido un progreso, aseguraos de revivirlo una y otra vez. Sentaos en silencio, recordadlo; no lo recordéis, revividlo.

Una vez más empezad a sentir lo mismo. Dejad que las vibraciones os rodeen. Penetrad en ese mismo espacio y permitid que suceda, de manera que, poco a poco, se convierta en algo muy natural para vosotros. Os volvéis tan capaces de traerlo que podéis hacerlo en cualquier momento.

Acontecen muchas percepciones valiosas, pero requieren una continuidad. De lo contrario se convierten en recuerdos, perdéis contacto con ellas y ya no sois capaces de entrar en el mismo mundo. Poco a poco, un día empezáis a descreer de ellas. Puede que penséis que fueron un sueño o una hipnosis o algún truco de la mente. De ese modo la humanidad ha perdido muchas experiencias hermosas.

Todo el mundo encuentra algunos espacios hermosos algún día de su vida. Pero jamás intentamos abrir un sendero para que se vuelvan algo natural... igual que cuando coméis a diario, os bañáis u os vais a dormir, para que al cerrar los ojos podáis estar allí.

103
CASI LOCO

Convertirse en un buscador es volverse casi loco en lo que concierne al mundo. Así que estáis entrando en la locura. ¡Pero esa locura es la única cordura que hay!

La desdicha del hombre es que ha olvidado el lenguaje del amor. El motivo de que lo haya olvidado es que se ha identificado demasiado con la razón. No hay nada de malo en ello, pero la razón tiene la tendencia de monopolizar. Se aferra a la totalidad de vuestro ser. Entonces sufren los sentimientos, pasan hambre y poco a poco los olvidáis por completo. De modo que no paran de encogerse, y ese sentimiento muerto se convierte en un peso muerto; ese sentimiento se convierte en un corazón muerto.

Entonces uno puedo seguir recobrándose de algún modo... siempre será de «algún modo». No habrá encanto ni magia, porque sin amor no hay magia en la vida. Y tampoco habrá poesía; será una prosa plana. Sí, tendrá gramática, pero carecerá de canción. Poseerá estructura, pero sin sustancia.

El riesgo de pasar de la razón al sentimiento, y tratar de incorporar un equilibrio, es algo que solo pueden acometer las personas realmente valerosas, o locas, porque el precio de la admisión no es otro que la mente dominada por la razón, la lógica, las matemáticas.

Cuando se prescinde de eso, la prosa deja de estar en el centro y su lugar lo ocupa la poesía; el propósito deja de estar en el centro y su lugar lo ocupa el juego; el dinero deja de estar en el centro y lo reemplaza la meditación; el poder deja paso a la sencillez, a la no posesión, al gozo absoluto de la vida... casi a la locura.

104
CAMBIAR EL MUNDO

Vosotros sois vuestro mundo, de modo que cuando cambiáis la actitud, cambiáis el mismo mundo en el que existís. Nosotros no podemos cambiar el mundo... eso es lo que ha intentado hacer el político desde hace siglos, con gran fracaso por su parte.

El único modo de cambiar el mundo es cambiar vuestra visión, y entonces, de pronto, vivís en un mundo diferente.

No vivimos en el mismo mundo y no todos somos contemporáneos. Alguien puede estar viviendo en el pasado... ¿cómo puede ser vuestro contemporáneo? Quizá esté sentado a vuestro lado y pensando en el pasado; entonces no es vuestro contemporáneo. Alguien puede estar en el futuro, ya en aquello que aún no es. ¿Cómo puede ser vuestro contemporáneo?

Solo dos personas que viven en el ahora son contemporáneas, pero en el ahora ya no son... porque vosotros sois vuestro pasado y futuro. No sois el presente, este no tiene nada que ver con vosotros.

Cuando dos personas se encuentran absolutamente en el aquí y el ahora, no son... entonces es Dios. Vivimos en el mismo mundo solo cuando vivimos en Dios, de lo contrario jamás vivimos en el mismo mundo. Podéis vivir durante años con una mujer, y vivís en vuestro mundo y ella en el suyo... de ahí el impacto continuo de dos mundos al chocar. Poco a poco se aprende a evitar esa colisión. A eso llamamos vivir juntos: a tratar de evitar la colisión, a no chocar. Eso es todo lo que llamamos familia, sociedad, humanidad... ¡todo falso!

Realmente no podéis estar con un hombre o una mujer a menos que los dos viváis en Dios. No hay otro amor, ninguna otra familia ni ninguna otra sociedad.

105
LA VIDA NO PLANIFICADA

No hay planificación en la existencia; su belleza radica en que no se puede planificar. Una vida no planificada posee una belleza tremenda porque siempre hay una sorpresa esperando en el futuro.

El futuro no va a ser simplemente una repetición; algo nuevo acontece siempre y uno no puede darlo por hecho.

La gente segura lleva una vida burguesa. Esto significa levantarse a las siete y media, tomar el desayuno a las ocho, subir a las ocho y media al tren que os llevará a la ciudad, regresar a las cinco y media, tomar el té, leer el periódico, ver la televisión, luego cenar, hacer el amor con la mujer sin ningún amor e irse a la cama. Eso mismo vuelve a empezar al día siguiente. Todo está asentado y no hay sorpresa: el futuro no será otra cosa que el pasado repetido una y otra vez. Desde luego, no hay miedo. Habéis hecho estas cosas tantas veces que habéis adquirido destreza. Podéis hacerlas otra vez.

Con lo nuevo hay miedo, porque nunca se sabe si uno será capaz de hacerlo. Uno está haciendo siempre por primera vez, de modo que siempre se está inseguro acerca de si se va a conseguir. Pero en ese entusiasmo y en esa aventura están la vida... digamos estar vivos, porque la «vida» también se ha convertido en una palabra aburrida y muerta..., estar vivos y fluyendo.

106

AMOR EXTRAVAGANTE

Solo los tontos saben lo que es el amor; solo ellos,
porque el amor es una especie de locura.

Quizá jamás habéis alcanzado una cumbre de amor y lo anheláis mucho. Habéis estado enamorados, pero jamás ha sido extravagante, nunca ha sido fantástico ni desmesurado.

Ha sido tibio. No era como un fuego que consume. Estabais en él, pero no fuisteis destruidos por él; lograsteis arreglaros. Habéis sido inteligentes en él, no habéis sido tontos. Solo los tontos saben lo que es el amor; solo ellos, porque el amor es una especie de locura.

Si sois demasiado inteligentes, solo lo podéis permitir hasta cierto punto y luego os detenéis. Toda vuestra mente dice: «Esto ya es excesivo. Ir más allá es peligroso». El amor solo conoce una experiencia satisfactoria, y esta es llegar hasta la misma cumbre, hasta la cima definitiva, incluso una vez. Entonces se produce un gran cambio en la energía. Conocer el amor una vez en su clímax es suficiente; luego no hay necesidad de entrar en él una y otra vez. Simplemente cambia todo vuestro ser. La sexualidad desaparece, y cuando esto sucede, uno se vuelve sensible. La sexualidad no es muy sensible; es muy cruda, descarnada. No es un estado de ser muy refinado. La energía descarnada sigue ahí.

Así que sed menos inteligentes. Olvidaos de la inteligencia; ¡sed más atolondrados!

107

ATOLONDRADOS

Lao Tse dice: «Soy un hombre atolondrado. Cuando todo el mundo tiene claridad, yo no la tengo; cuando todo el mundo parece inteligente, yo soy estúpido».

Lo que Lao Tse quiere dar a entender es que él no calcula sobre su vida... la vive. Vive como cualquier animal, como cualquier árbol o ave. La vive con sencillez, sin conjeturar qué es o adónde conduce. Cualquier parte es buena, incluso ninguna parte.

Poned la mente a un lado. Será difícil, pero se puede llevar a cabo. Este es uno de los problemas cruciales para la mente moderna: poned a un lado la inteligencia. Necesitáis ser un poco más salvajes. Eso os aportará gran inocencia, os preparará para entrar en un gran amor. No tiene que ser con alguien en particular, pero será un amor apasionado... incluso por la vida, por la existencia o por cualquier ser humano. O por la pintura, la poesía, la danza, la música, el drama, cualquier cosa... pero un gran y apasionado amor que se convierte en toda vuestra vida, en el que estáis tan totalmente absortos que nada queda fuera, de modo que vosotros y vuestro amor os convertís en uno. Esa será vuestra transformación.

El miedo está presente, pero no elijáis el miedo. Los que eligen el temor se destruyen a sí mismos. Dejad que el miedo esté ahí; y a pesar de él, entrad en el amor.

108

CÍRCULO DE LIMITACIÓN

Si creemos que estamos limitados, funcionamos como seres humanos limitados. En cuanto nos desprendemos de esa creencia necia, comenzamos a funcionar como seres ilimitados.

Habéis trazado vuestro propio círculo. Sucede con los gitanos...

Los gitanos están en un constante movimiento... son un pueblo errante. De modo que cuando los mayores entran en una ciudad, trazan círculos alrededor de sus hijos y les dicen: «Sentaos aquí. No podéis salir de esto. Es un círculo mágico». Y los niños gitanos no pueden abandonarlo... ¡les resulta imposible! Luego crecen y crecen y se convierten en ancianos, e incluso entonces, si sus padres trazan un círculo, los ancianos no pueden salir de él. Creen... Y cuando se cree, funciona.

Os sorprende esta necedad y estáis convencidos de que es algo que a vosotros no se os podría hacer. Alguien traza un círculo y de inmediato saltáis fuera de él; no sucederá nada. Pero desde la misma infancia esos viejos gitanos han sido condicionados para ello. Con ellos funciona, es una realidad, ya que la realidad es aquello que os afecta. Para la realidad no existe otro criterio.

De modo que la limitación es un concepto. La gente tiene creencias erróneas y entonces funciona erróneamente. Cuando esto sucede, busca una razón. Se topa con la creencia y se dedica a enfatizarla: «Funciono erróneamente por esto». Eso se convierte en un círculo vicioso. Luego se ve *más* limitada. Desprendeos por completo de esa idea. Simplemente es un círculo que vosotros u otros habéis ayudado a trazar a vuestro alrededor.

109
MÁS ELEVADO QUE EL SEXO

La gente ha olvidado por completo que el sexo no es nada comparado
con esa fusión que acontece cuando yacéis juntos en un profundo amor,
en una profunda reverencia, en oración.

Cuando la energía física no se halla sexualmente involucrada, se eleva a altitudes superiores. Puede alcanzar lo definitivo, el *samadhi*. Pero la gente lo ha olvidado por completo. Cree que el sexo es el fin. El sexo solo es el comienzo. Así que recordadlo.

Siempre que amáis a alguien, cercioraos de yacer juntos en un profundo amor y alcanzaréis orgasmos más elevados, sutiles y profundos. Así es como poco a poco surge el celibato. Lo que en la India llamamos *brahmacharya*, el celibato real, no va contra el sexo: es más elevado que el sexo, más profundo. Es más que el sexo. Sea lo que fuere lo que pueda proporcionar el sexo, lo brinda, pero también aporta más. De modo que cuando sabéis cómo emplear vuestra energía en un nivel tan elevado, ¿quién se molesta con los espacios inferiores? ¡Nadie! Entonces no es contra el sexo.

No digo que os desprendáis del sexo. Digo que a veces os permitáis espacios puros de amor donde el sexo no es una preocupación. De lo contrario, sois atraídos de vuelta a la Tierra y jamás podréis volar al Cielo.

110

EL HILO

Este es el trabajo para un meditador: encontrar el hilo.

El mundo se encuentra en un flujo constante, es como un río, fluye, pero detrás de todo ese flujo y cambio debe haber un hilo conductor que mantiene todo unido. El cambio no es posible sin algo que permanezca absolutamente inmutable. El cambio solo puede existir en un elemento de no cambio, de lo contrario las cosas se desmoronan.

La vida es como una guirnalda: no veis el hilo que corre entre las flores, pero está ahí, manteniéndolas unidas. Si no estuviera, las flores se desmoronarían; habría un montón de flores pero no una guirnalda. Y la existencia no es un montón, es un patrón muy bien trazado. Las cosas cambian, pero existe algún elemento inmutable que mantiene una ley cósmica detrás de todo. Esa ley cósmica se llama *sadashiva*, el Dios eterno, el Dios atemporal, el Dios inmutable. Y ese es el trabajo para un meditador: encontrar el hilo.

Solo hay dos tipos de personas: una queda demasiado cautivada por las flores y olvida el hilo. Lleva una vida que no puede tener un valor o un significado duraderos, porque sin importar lo que haga, se desvanecerá. Hoy lo hará, mañana no estará. Será alzar castillos de arena o botar barcos de papel. El segundo tipo de hombre busca el hilo y dedica toda su vida a aquello que siempre permanece; jamás es un perdedor.

111

CONOCIMIENTO

Lo más importante que hay que recordar es que el conocimiento no es
sabiduría, no puede serlo; no solo eso, sino que se trata de antisabiduría,
es la barrera que impide que surja la sabiduría.

El conocimiento es la moneda falsa, el impostor. Finge saber. No sabe nada, pero puede engañar a la gente —está engañando a millones de personas—, y es tan sutil que a menos que alguien sea realmente inteligente, jamás se cobra conciencia de ello. Y está muy enraizado porque desde la infancia nos han condicionado.

Conocer significa recoger, es una acumulación, es coleccionar información, datos. No os cambia... seguís siendo los mismos; pero vuestra colección de información se hace más y más grande. La sabiduría os transforma. Realmente es *in-formación*, no simplemente información... forma vuestro ser interior de un modo nuevo. Es transformación. Crea una nueva cualidad de ver, de conocer, de ser. De modo que es posible que un hombre no esté en absoluto informado y, sin embargo, sea sabio. O bien puede estar muy informado y ser muy poco sabio.

De hecho, eso es lo que ha sucedido en el mundo: el hombre se ha vuelto más educado, más culto. La educación universal está disponible, de manera que todo el mundo ha adquirido información y la sabiduría se ha perdido. ¿A quién le importa ahora la sabiduría? El conocimiento se alcanza con tanta facilidad en los libros de bolsillo... ¿quién se molesta con la sabiduría? Esta requiere tiempo, energía, entrega, dedicación.

112

VALENTÍA

Se os han enseñado ideales muy egoístas: «Sed valerosos». ¡Qué tontería!
¡Qué necedad! ¿Cómo puede una persona inteligente evitar los temores?

Todo el mundo tiene miedo... ha de tenerlo. La vida es tal que hay que tenerlo. Y la gente que se vuelve intrépida no lo hace siendo valiente... porque un hombre valiente solo ha reprimido su miedo; en realidad no es intrépido. Un hombre se vuelve intrépido cuando acepta sus temores. No es una cuestión de valor. Simplemente radica en ver los hechos de la vida y comprender que esos temores son naturales. ¡Uno los acepta! El problema surge porque queréis rechazarlos. Se os han enseñado ideales muy egoístas: «Sed valientes». ¡Qué tontería! ¡Qué necedad! ¿Cómo puede una persona inteligente evitar los temores? Si sois estúpidos, no tendréis ningún miedo. Entonces, cuando el conductor del autobús os toque la bocina, vosotros seguiréis en el centro de la calle sin tener miedo. O cuando un toro embiste contra vosotros, permanecéis allí sin sentir miedo. ¡Sois estúpidos! Una persona inteligente ha de apartarse de un salto.

Si os convertís en adictos al miedo y empezáis a buscar por doquier la serpiente, entonces hay un problema. Si no hay nadie en la calle y también sentís miedo y empezáis a correr, hay un problema; de lo contrario, el miedo es algo natural.

No es que en la vida no habrá miedos. Llegaréis a saber que el noventa por ciento de vuestros miedos son simple imaginación. El diez por ciento son reales, de modo que hay que aceptarlos. Sed más receptivos, sensibles, estad alerta, y con eso bastará. También os daréis cuenta de que podréis emplear vuestros miedos como peldaños para ascender.

113
CAMBIO

Esta es mi observación, que uno jamás debería realizar un esfuerzo
para cambiar nada, porque ese esfuerzo hará que las cosas
sean más difíciles que fáciles.

Es la misma mente la que hace el esfuerzo... por ejemplo, vuestra mente está vinculada a algo, y ahora la misma mente trata de distanciarse. En el mejor de los casos podrá reprimir, pero jamás podrá convertirse en una alejamiento real. Para que el distanciamiento suceda, la mente ha de entender por qué está ahí el vínculo. No hay necesidad de apresurarse en desprenderse de él; lo mejor es que veáis por qué está ahí. Observad el mecanismo, cómo funciona, cómo ha entrado, qué circunstancias, que distracción lo han ayudado a llegar hasta allí. Entended todo lo que lo rodea. No tengáis prisa por desprenderos de él, porque la gente con prisa por desprenderse de las cosas no dedica suficiente tiempo a entenderlas.

En cuanto lo hayáis entendido, veréis que se está escurriendo de vuestras manos; de manera que no hay necesidad de desprenderse de ello. Nada está ahí por otro motivo que no sea un malentendido. Algo se ha malentendido, de ahí su presencia. Entendedlo bien... y desaparece. Todo lo que está creando problemas es como la oscuridad. Introducid luz en ella, simplemente luz, porque con la misma presencia de la luz la oscuridad desaparece.

114
COMPRENSIÓN

El problema básico de por qué estáis aquí, que ha surgido en vuestra mente, desaparecerá solo cuando hayáis alcanzado el mismo centro de vuestro ser, nunca antes.

La comprensión no surgirá, a menos que meditéis profundamente. Nadie más os la puede proporcionar; debéis ganárosla. A través de un esfuerzo, lucha y sacrificio arduos debéis ganárosla, solo entonces los problemas desaparecerán.

El problema básico de por qué estáis aquí, que ha surgido en vuestra mente, desaparecerá solo cuando hayáis alcanzado el mismo centro de vuestro ser, nunca antes. En el centro sabréis que siempre habéis estado aquí. No es una cuestión de por qué estáis. Siempre habéis estado aquí de diferentes formas.

La forma ha estado cambiando, pero vosotros siempre habéis estado aquí. La forma seguirá cambiando, pero vosotros siempre permaneceréis aquí. Sois parte de este todo. El río desemboca en el océano, y una vez más el océano se eleva y se convierte en nubes. De nuevo se convierte en un río y desemboca en el océano, para volver a transformase en nubes. Y así sucesivamente... es una rueda.

Habéis estado aquí muchas veces. Estaréis aquí muchas veces. De hecho, habéis estado aquí toda la eternidad. La existencia no tiene principio ni fin... es eterna.

Yo puedo decíroslo, pero no os aportará comprensión. Cuando ahondéis mucho en vuestro ser y abráis el altar más interior de vuestro ser, cuando entréis en ese altar, de pronto comprenderéis que siempre habéis estado aquí.

115
MÁS ALLÁ DEL LENGUAJE

Todo lo que es grande está más allá del lenguaje.

Cuando hay tanto que decir, siempre resulta difícil decirlo. Solo se pueden decir las cosas pequeñas, únicamente las trivialidades, lo mundano. Siempre que sentís algo abrumador, es imposible decirlo, porque las palabras son demasiado estrechas para contener algo esencial.

Las palabras son utilitarias. Son buenas para las actividades del día a día, mundanas. Empiezan a quedarse cortas a medida que vais más allá de la vida corriente. En el amor no son útiles, en la oración se vuelven completamente inapropiadas.

Todo lo que es grande está más allá del lenguaje, y cuando una persona averigua que nada se puede expresar, entonces ha llegado. Entonces la vida está llena de gran belleza, de gran amor, de gran júbilo y celebración.

116

UN MATRIMONIO VERDADERO

Todo el proceso del Tantra radica en cómo unir a los opuestos,
cómo ayudar a que las polaridades se disuelvan en un único ser.
Y cuando uno está completo, uno es sagrado.

Ahora bien, el hombre y la mujer no pueden reunirse eternamente; solo puede tratarse de algo momentáneo. Esa es la desdicha del amor, y también su júbilo. El gozo, el éxtasis, es debido a la reunión momentánea. Al menos durante un momento uno se siente completo... no falta nada; todo encaja en una armonía. Hay un gran júbilo, pero no tarda en perderse.

El Tantra dice: emplead esto como una llave... la reunión con lo exterior solo puede ser momentánea. Pero hay una mujer y un hombre interiores; la reunión con lo interior puede ser permanente, eterna. Así que aprended el secreto desde el exterior y aplicadlo al interior. Ningún hombre es solo un hombre y ninguna mujer solo una mujer. Esta es una de las más grandes percepciones del Tantra... porque un hombre nace de hombre y mujer, de la reunión de esas dos polaridades. Lleva algo del padre y algo de la madre. Igual sucede con la mujer. De manera que en lo más hondo de nosotros también está el opuesto; si la mente consciente es hombre, entonces la inconsciente es mujer, y viceversa.

A menos que aprendáis el arte de reuniros con el otro interior, el amor permanecerá como una desdicha y el júbilo como un círculo vicioso, y os sentiréis desgarrados. Esa reunión interior es posible del mismo modo que es posible la reunión exterior. Pero la interior tiene algo especial: no necesita terminar... puede ser un matrimonio verdadero.

117
AMISTAD

La primera amistad ha de ser con uno mismo, y en muy contadas ocasiones encontraréis a una persona que sea amigable hacia sí misma. Somos enemigos para nosotros mismos, y en vano esperamos poder ser amigos de otros.

Se nos ha enseñado a condenarnos. El amor a uno mismo se ha considerado como un pecado. No lo es. Es el cimiento de los demás amores, su misma fundación. Solo a través del amor a uno mismo resulta posible el amor altruista. Porque el amor a uno mismo ha sido condenado, todas las demás posibilidades de amor han desaparecido de la Tierra. Ha sido una estrategia muy astuta para destruir el amor.

Es como si le dijerais a un árbol: «No te nutras a través de la Tierra; eso es un pecado. No te nutras de la Luna y del Sol y de las estrellas; eso es egoísmo. Sé altruista... sirve a otros árboles». Parece lógico, y ahí radica el peligro. Parece lógico: si queréis servir a otros, entonces sacrificaos; el servicio significa sacrificio. Pero si un árbol se sacrifica, morirá, no será capaz de servir a ningún otro árbol; no será capaz de existir.

Al hombre se le ha enseñado: «No te ames a ti mismo». Ese casi ha sido el mensaje universal de las así llamadas religiones organizadas. No de Jesús, pero desde luego del cristianismo; no de Buda, pero sí del budismo... todas las religiones organizadas han tenido una enseñanza: condenaos, sois pecadores, no valéis nada.

Y debido a esa condena, el árbol del hombre se ha encogido, ha perdido lustre, ya no puede regocijarse. La gente se arrastra de algún modo. La gente no tiene raíces en la existencia... está desarraigada. Intenta ser de ayuda a otros sin conseguirlo, porque ni siquiera ha sido amigable consigo misma.

118

CORAZÓN ENCOGIDO

Siempre que permitís alguna duda, vuestro corazón se pone tenso...
porque el corazón se relaja con la confianza y se encoge con la duda.

La gente corriente no es consciente de ello. De hecho, constantemente permanece con el corazón encogido y contraído, de modo que ya ha olvidado lo que es tenerlo relajado. Al no conocer otro estado, piensa que todo está bien, pero de cien personas, noventa y nueve viven con el corazón contraído.

Cuanto más estáis en la cabeza, más se contrae el corazón. Cuando no estáis en la cabeza, el corazón se abre como una flor de loto... y es tremendamente hermoso cuando se abre. Entonces estáis realmente vivos y el corazón relajado. Pero el corazón solo se puede relajar con la confianza, con el amor. Con la sospecha, con la duda, la mente entra. La duda es la puerta de la mente. Es como un cebo. Salís a pescar y ponéis un cebo. Las dudas son el cebo de la mente.

Una vez que os veis atrapados en la duda, estáis atrapados en la mente. De modo que cuando surja la duda, si es que llega, no merece la pena. No digo que vuestra duda sea siempre errónea; no. Soy la última persona en decir eso. Vuestra duda puede ser perfectamente correcta, pero entonces también es errónea porque os destruye el corazón. No vale la pena.

119

PERMANECED INEXPLICABLES

No todo en la vida necesita ser explicado. No tenemos la responsabilidad de explicarlo todo. Uno puede permanecer inexplicable.

Todo lo profundo siempre es inexplicable. Aquello que podéis explicar será muy superficial. Hay cosas que no podéis explicar.

Si os enamoráis de una persona, ¿cómo podéis explicar cómo os habéis enamorado? Sea lo que fuere lo que respondáis, parecerá estúpido: por su nariz, por su cara, por su voz... Todo eso no parecerá merecedor de ser mencionado, pero hay algo de eso en la persona. Esas cosas pueden estar, pero ese «algo» es mayor que todo lo demás. Ese algo es más que el total.

120

JÚBILO

El júbilo es el antídoto para el miedo. El miedo surge si no disfrutáis de la vida. Si disfrutáis de la vida, el miedo desaparece.

Simplemente sed positivos y disfrutad más, reíd más, danzad más, cantad. Permaneced más y más alegres, entusiastas sobre las cosas pequeñas, muy pequeñas. La vida consiste de cosas pequeñas, pero si podéis aportar la cualidad de la alegría a las cosas pequeñas, el resultado es tremendo.

Así que no esperéis que suceda algo grande. Las cosas grandes acontecen, no es que no sucedan, pero no esperéis a que eso grande tenga lugar. Sucede solo cuando empezáis a vivir las cosas pequeñas, corrientes y cotidianas con una mente nueva, con una nueva frescura, vitalidad, entusiasmo. Entonces, poco a poco, acumuláis, y esa acumulación un día estalla en puro júbilo.

Pero nadie sabe cuándo sucederá. Uno ha de seguir recogiendo guijarros de la playa. La totalidad se convierte en el gran acontecimiento. Cuando recogéis un guijarro, no es más que un guijarro. Cuando todos los guijarros están juntos, de pronto son diamantes. Ese es el milagro de la vida. De modo que no necesitáis pensar en esas grandes cosas.

Hay muchas personas en el mundo que se lo pierden porque siempre están esperando que suceda algo grande. No puede acontecer. Tiene lugar solo a través de cosas pequeñas: comer, desayunar, pasear, daros un baño, charlar con un amigo, estar sentado a solas contemplando el cielo o tumbado en la cama sin hacer nada. La vida está compuesta de estas pequeñas cosas. Es la materia misma de la vida.

121

OSCURIDAD

Que nunca os molesten los negativos. Vosotros encended la vela, y la oscuridad desaparecerá por sí misma.

No intentéis luchar con la oscuridad. No hay manera de hacerlo, porque no existe... ¿cómo podéis luchar contra la oscuridad? Simplemen-te con encender una vela, desaparece. Así que olvidaos de ella, olvidaos del temor. Olvidad todas esas cosas negativas que por lo general acosan a la mente humana. Simplemente encended una vela de entusiasmo.

Lo primero que debéis hacer por la mañana es levantaros con gran entusiasmo, con la decisión de que hoy vais a vivir de verdad con gran deleite... y entonces empezad a vivir con gran deleite. Tomad el desayuno, pero hacedlo como si estuvierais ingiriendo a Dios. Se convierte en un sacramento. Tomad un baño, pero Dios está dentro de vosotros; le estáis dando un baño a Dios. Entonces vuestro pequeño cuarto de baño se convierte en un templo y el agua que os ducha es un bautismo.

Levantaos cada mañana con gran decisión, con certidumbre, con claridad, con una promesa a vosotros mismos de que hoy va a ser un día tremendamente hermoso y de que vais a vivirlo tremendamente. Y cada noche cuando os vayáis a la cama, recordad otra vez cuántas cosas hermosas os han sucedido durante el día. El hecho de recordarlas les ayuda a que regresen al día siguiente. Simplemente recordad y luego quedaos dormidos recordando los momentos hermosos que sucedieron hoy. Vuestros sueños serán más hermosos. Tendrán vuestro entusiasmo, y empezaréis a vivir en los sueños también con una nueva energía. Haced que cada momento sea sagrado.

122

ENTRE EL PLACER Y EL DOLOR

El único estado en el que uno puede transformarse en un morador
permanente es el espacio que no está ni aquí ni allá.

Hay una cualidad de silencio y calma... tranquilidad. Desde luego, al comienzo parece muy insípida porque no hay ni dolor ni placer. Pero todo dolor y todo placer es simple excitación. A la excitación que os gusta la llamáis placer. A la que no os gusta la llamáis dolor. A veces sucede que puede empezar a gustaros una cierta excitación que se transforma en placer, y puede empezar a gustaros otra excitación que puede convertirse en dolor. De modo que la misma experiencia puede volverse dolor o placer; depende de lo que os guste o desagrade.

Relajaos en el espacio entre el placer y el dolor. Es el estado más natural de relajación. En cuanto empezáis a estar en él, a sentirlo, aprenderéis su sabor. A eso lo llamo el sabor del *Tao.*

Es como el vino. Al principio será muy amargo. Uno ha de aprender. Y es el vino más profundo que hay, la mayor bebida alcohólica de silencio, tranquilidad. Uno se embriaga con ella. Poco a poco entenderéis su sabor. Al comienzo carece de sabor porque tenéis la lengua demasiado llena de dolor y placer.

123
PAZ

Siempre que lo recordéis, relajaros profundamente y sentíos en paz tantas veces al día como os sea posible. Cuanto más lo hagáis, mejor.
Pasados unos pocos días, sentiréis, sin hacer nada por vuestra parte, que la paz ha quedado establecida. Os sigue como una sombra.

Hay muchos niveles de paz. Hay uno que podéis producir solo con sentirlo, solo con proporcionaros una profunda sugestión de que estáis en paz; esa es la primera capa. La segunda capa es aquella de la que cobráis conciencia de repente. No la creáis vosotros. Pero la segunda acontece solo si está ahí la primera; de lo contrario, nunca sucede.

La segunda es la verdadera, pero la primera ayuda a crear el camino para que llegue. La paz llega... pero antes, como un requisito previo, debéis crear una paz mental a vuestro alrededor. La primera paz será mental. Será más como una autohipnosis; la creáis vosotros. Entonces, de repente, un día veréis que la segunda paz ha emergido. No tiene nada que ver con un acto vuestro o con vosotros. De hecho, es más profunda que vosotros. Surge de la misma fuente de vuestro ser, del ser no identificado ni dividido, del ser desconocido.

Nos conocemos solo superficialmente. Un lugar pequeño es identificado como vosotros. Una pequeña ola es nombrada, etiquetada, como vosotros. Y dentro de esa ola, en lo más hondo, está el gran océano.

Así que sin importar lo que hagáis, recordad siempre crear una paz alrededor. Y este no es el objetivo; es simplemente el medio. Una vez que hayáis creado la paz, algo del más allá lo llenará. No será nada surgido de vuestro esfuerzo. Una vez que llegue, podéis desprenderos del método autohipnótico; ya no os hace falta.

124

FE Y CONFIANZA

La fe es una confianza muerta. De hecho, no confiáis, pero seguís creyendo, eso es la fe. Pero la confianza es algo vivo. Es como el amor.

Todas las fes han perdido lo que llamáis oración, lo que llamáis meditación. Han olvidado todo el lenguaje del éxtasis. Todas se han vuelto intelectuales: credos, dogmas, sistemas. Hay muchas palabras, pero falta el significado, la importancia está perdida. Y eso es natural. No me quejo de eso. Así ha de ser.

Cuando un Jesús está vivo, la religión camina sobre la Tierra, y aquellos pocos lo bastante afortunados como para reconocerlo viven el impacto de una religión viva. Si sois lo bastante afortunados como para reconocerlo y caminar unos pasos con Jesús, quedaréis transformados. No es que os convirtáis en cristianos —eso es superficial—, pero algo de Cristo entra en vosotros. Algo sucede entre vosotros y Cristo. Os volvéis oradores. Tenéis ojos distintos con los que ver, un corazón distinto que palpita. Todo sigue igual, pero vosotros cambiáis.

Los árboles son verdes, pero ahora de un modo diferente. El paisaje ha cobrado vida. Casi podéis tocar la vida que os rodea. Pero cuando Jesús desaparece, lo que sea que haya dicho queda formulado, sistematizado. Entonces la gente se vuelve cristiana intelectualmente, pero el Dios vivo ya no está allí.

La fe es una confianza muerta. De hecho, no confiáis, pero seguís creyendo, eso es la fe.

Pero la confianza es algo vivo. Es como el amor.

125
DUDA Y NEGATIVIDAD

La duda significa que no tenéis ninguna postura; estáis listos para preguntar con una mente abierta. La duda es el mejor punto por donde comenzar.

La duda no está mal. La negatividad es algo totalmente diferente. Esta significa que ya habéis adoptado una postura... en contra. La duda significa que no tenéis ninguna postura; estáis listos para preguntar con mente abierta. La duda es el mejor punto por donde comenzar. La duda simplemente significa una búsqueda, una pregunta; la negatividad significa que ya tenéis un prejuicio. Ya habéis decidido. Ahora lo único que tenéis que hacer es, de algún modo, demostrar que vuestro prejuicio es correcto, así podéis elegir entre cualquier cosa que yo diga y demostrar que vuestro prejuicio es correcto.

La duda es inmensamente espiritual. La negatividad es algo enfermo.

126

PREPARAR EL CAMINO

No hay nada que podáis hacer. La iluminación sucede cuando sucede,
pero con vuestros actos preparáis el camino para que acontezca.

No podéis forzar la iluminación. No es algo de causa y efecto, en lo que hacéis algo para que deba tener lugar un efecto. No es de esa manera. Pero hacéis algo; le preparáis el camino. Podéis hacer algo que entorpezca el camino... sucede cuando sucede, pero si no estáis listos, puede que la paséis por alto y ni siquiera la reconozcáis.

Muchas personas alcanzan los primeros vislumbres del satori, del samadhi, de la iluminación, en el transcurso natural de la vida, pero no pueden reconocerlos porque no están preparados para ello. Es como si a alguien que jamás ha oído hablar de diamantes se le regalara un gran diamante. Lo considerará una piedra porque no tiene forma de reconocerlo.

Hay que convertirse en una especie de joyero para poder reconocer. Cuando sucede, sucede solo entonces. No hay modo de forzarlo y de manipularlo. No podéis hacer que suceda, pero si acontece, estaréis listos para reconocerlo. Si dejáis de meditar, vuestro estado de preparación desaparecerá. Continuad con las meditaciones para que estéis preparados, palpitantes, a la espera, de forma que cuando pase por vuestro lado estéis abiertos para recibirlo.

127

DORMIDOS EN UN TREN

Justo el otro día leía una frase de Jean-Paul Sartre. Dice que la vida es como un niño que está dormido en un tren al que despierta un inspector que quiere comprobar su billete, pero el niño no lleva billete y tampoco dinero para pagarlo.

No solo eso, sino que el niño ni siquiera es consciente de adónde va, cuál es su destino y por qué se encuentra en el tren. Y por último, pero no menos importante, no puede conjeturarlo porque nunca ha decidido estar en el tren en primer lugar. ¿Por qué está ahí?

Esta situación se está volviendo más y más corriente para la mente moderna, porque de algún modo el hombre está desarraigado, le falta el sentido. Uno simplemente siente: «¿Por qué? ¿Adónde voy?». No sabéis adónde vais y no sabéis por qué os encontráis en el tren. No tenéis billete y tampoco dinero para pagarlo, y, no obstante, no podéis bajaros del tren. Todo parece ser un caos, algo enloquecedor.

Esto ha sucedido porque se han perdido las raíces en el amor. El amor ha desaparecido. La gente simplemente lleva una vida sin amor. Entonces, ¿qué hacer?

Sé que todo el mundo un día se siente como un niño en un tren. Sin embargo, no digo que la vida vaya a ser un fracaso, porque en este gran tren hay millones de personas dormidas, aunque siempre hay alguien que está despierto. El niño puede buscar y encontrar a alguien que no esté dormido ni ronque, alguien que conscientemente haya subido al tren, que sepa adónde se dirige este, o al menos adónde va él. Al estar cerca de semejante persona, el niño aprende la forma de adquirir más conciencia.

128

SUFRIMIENTO

Nadie quiere sufrir, pero dentro de nosotros llevamos las semillas del sufrimiento. Todo el objetivo de trabajar sobre nosotros mismos es quemar esas semillas. El acto de quemarlas os puede causar un poco de sufrimiento, pero no es nada comparado con toda vuestra vida de desdicha.

Una vez destruidas esas semillas, vuestra vida entera se transformará en una vida de deleite. De modo que si simplemente queréis evitar sufrir y enfrentaros al sufrimiento que hay en vuestro interior, estáis creando una situación en la que a lo largo de toda vuestra vida estaréis llenos de sufrimiento.

En cuanto las heridas que lleváis salgan a la superficie, comenzarán a sanar. Es un proceso de sanación. Pero sé que cuando tenéis una herida, no queréis que nadie la toque. De hecho, no queréis saber que la tenéis. Deseáis ocultarla, pero al hacerlo, no sanará. Ha de estar abierta al sol, al viento.

Al principio puede ser doloroso, pero cuando sane lo entenderéis. Y no existe otro modo de curarla. Hay que darle conciencia. Llevarla a la conciencia es el mismo proceso de sanación.

129
INTERPRETACIÓN

Pensar no es otra cosa que un hábito de interpretación. Cuando pensar desaparece, el lago queda silencioso, en calma y sereno. Entonces no hay más olas ni ondas... nada se distorsiona, la luna se refleja a la perfección.

Pensar es como ondas en un lago, y, debido a las ondas, el reflejo no puede ser verdadero; la luna se ve reflejada, pero las ondas la distorsionan. Dios está reflejado en todos, nosotros lo reflejamos, pero tenemos la mente tan llena de pensamientos, de oscilaciones, de nubes, que cualquier cosa que llegamos a ver ya no es lo mismo; no es *aquello que es*. La mente ha impuesto sus propios pensamientos sobre ello, lo ha interpretado, y toda interpretación es una distorsión. La realidad no necesita interpretación; solo necesita que la reflejen. No tiene sentido interpretarla, ya que el intérprete no termina de entenderlo.

Si veis una rosa, está ahí: no hay necesidad de interpretarla, de diseccionarla, no hay necesidad de conocer su significado. Ella *es* su propio significado. No es una metáfora, no representa ninguna otra cosa. ¡Sencillamente está ahí! Es realidad, no se trata de un símbolo. Un símbolo necesita ser interpretado, un sueño necesita ser interpretado. De modo que el psicoanálisis acierta, porque lo que hace es interpretar los sueños, pero los filósofos se equivocan, porque no dejan de interpretar la realidad. Un sueño es simbólico, representa otra cosa. Una interpretación puede ser de utilidad para averiguar qué representa. Pero una rosa es una rosa; se representa a sí misma. No indica ninguna otra cosa, no es una flecha hacia otra cosa; es evidente por sí misma.

130
RUIDO

La vida es ruidosa y el mundo está demasiado abarrotado.
Pero luchar con el ruido no es el modo de deshacerse de él;
para conseguir esto hay que aceptarlo totalmente.

Cuanto más luchéis, más nerviosos estaréis, porque la lucha más os perturbará. Abríos, aceptadlo; este ruido también es parte de la vida. Y en cuanto empecéis a aceptarlo, os sorprenderéis: ya no os perturbará. La perturbación no procede del ruido, sino de nuestra actitud hacia el ruido. El ruido no es la perturbación; esta es la actitud. Si os mostráis antagónicos, os perturbáis; si no sois antagónicos, no os perturbáis.

¿Y adónde iréis? Allí donde vayáis sin duda habrá algún tipo de ruido; el mundo entero es ruidoso. Aunque podáis encontrar una cueva en el Himalaya y os sentéis en ella, echaréis de menos el ruido. Allí no lo tendréis, pero tampoco tendréis las posibilidades de crecimiento que os presenta la vida, y no pasará mucho hasta que ese silencio parezca aburrido y muerto.

No digo que no disfrutéis del silencio. Os insto a disfrutar de él; pero el silencio no está contra el ruido. El silencio puede existir *en* el ruido. De hecho, solo cuando existe en el ruido es un silencio real. El silencio que sentís en el Himalaya o en los Alpes no es vuestro; pertenece al Himalaya. Pero si en la plaza del mercado podéis sentir silencio, podéis estar absolutamente cómodos y relajados, es vuestro. Entonces tenéis un Himalaya en el corazón, ¡y eso es lo verdadero!

131
EGO

Si os aceptáis, ¿creéis que eso potencia un poco de ego? ¡Olvidaos del ego!

Aceptaos. Ya nos ocuparemos más tarde del ego; primero aceptaos en vuestra totalidad. Dejad que aparezca el ego; no representa un problema tan grande, y cuanto más grande sea, más fácil es hacerlo estallar. Es como un globo... se hincha, y con un simple pinchazo basta para hacerlo desaparecer. Dejad que el ego esté ahí, eso se permite, pero aceptaos y las cosas empezarán a cambiar. De hecho, la aceptación significa también aceptación del ego, entonces es una aceptación total. Empezad por aceptaros.

El mundo también necesita a unos pocos grandes egoístas. ¡Necesitamos todo tipo de personas!

132
DISFRUTAD DE LOS CAMBIOS

Los climas cambian. A veces es invierno, a veces es verano.
Si siempre estáis en la misma estación, os sentiréis atascados.

Uno debe aprender a que le guste lo que está sucediendo. A eso llamo madurez. A uno tiene que gustarle lo que ya está ahí. La inmadurez es vivir siempre en el «debería» y nunca en el «es»... y el «es» es el caso. «Debería» es simplemente un sueño.

Sea cual fuere el caso, es bueno. Amadlo, que os guste y relajaos en él. Cuando a veces se presente la intensidad, amadla. Cuando se vaya, despedidla. Las cosas cambian... la vida es un flujo. Nada permanece igual, de modo que a veces hay grandes espacios y a veces no hay ningún lugar al que trasladarse. Pero ambas cosas son buenas. Las dos son regalos de la existencia. Uno debería de ser tan agradecido que no importa lo que pase, uno siente agradecimiento, gratitud.

No veo ningún problema. Disfrutadlo. Esto es lo que está sucediendo ahora mismo. Mañana puede cambiar; entonces disfrutad aquello. Pasado mañana puede ocurrir otra cosa. Disfrutadla. No comparéis el pasado con inútiles fantasías futuras. Vivid el momento. A veces es caliente, otras muy frío, pero ambos son necesarios; de lo contrario, la vida desaparecería porque vive en polaridades.

133
NO SUCEDE NADA

Sentirse quieto, silencioso, también eso está sucediendo...
y es algo más grande que otras cosas que son ruidosas.

Cuando lloráis, cuando gritáis, sentís que sucede algo. Cuando no lloráis, no gritáis, simplemente sentís un profundo silencio, pensáis que no sucede nada. No sabéis que también eso es un gran acontecimiento... mayor que los otros. De hecho, los otros han preparado el camino para este. Este es el objetivo. Los otros son los medios. Pero al principio parecerá vacío, todo perdido. Estáis sentados y no sucede nada.

No sucede nada... y «nada» es muy positivo. Es lo más positivo del mundo. Buda ha llamado a esa nada *nirvana*, lo definitivo. Así que permitidlo, atesoradlo y dejad que siga aconteciendo, dadle la bienvenida. Cuando suceda, cerrad los ojos y disfrutadla para que regrese más veces. Este es el tesoro. Pero al comienzo, puedo entender, le sucede a todo el mundo. Hay muchas cosas que las personas llaman explosiones. Cuando desaparecen y llega lo verdadero, no saben de qué se trata y simplemente echan de menos sus explosiones. Les gustaría que esas explosiones volvieran a suceder. Puede que incluso comiencen a forzarlas, pero lo destruirán todo.

Así que esperad. Si algo estalla espontáneamente, está bien, pero no lo forcéis. Si el silencio está explotando, disfrutadlo. ¡Deberíais estar contentos! Esa es la desdicha del mundo... la gente no sabe qué es qué, de modo que a veces se siente feliz cuando está desdichada, y en ocasiones, cuando debería estar feliz, cuando la felicidad está realmente cerca, se vuelve infeliz.

134
CREED EN LO QUE VEAIS

Nunca creáis en nada a menos que lo hayáis experimentado.
Nunca os forméis prejuicios, aunque todo el mundo diga que es así,
a menos que vosotros mismos os lo hayáis encontrado.

En la India hubo un gran místico, Kabir, que decía: «Nunca creáis en vuestros oídos... solo creed en lo que veáis. Todo lo que habéis oído es falso. Todo lo que habéis visto es verdadero».

Esto habría que tenerlo siempre en cuenta, porque somos seres humanos y tendemos a pronunciar falacias. Formamos parte de este mundo loco, y esa locura está dentro de cada ser humano. No hay que permitirle que os abrume. Uno debe recordar continuamente. Y si se puede conseguir esto... Es arduo, porque los prejuicios son muy cómodos y fáciles; no hace falta pagar por ellos. La verdad es costosa, preciosa, y hay que pagar mucho. De hecho, debéis poner vuestra vida en juego. Entonces llegáis a ella. Pero solo la verdad libera.

Así que al observar a otras personas y el funcionamiento de sus mentes, recordad siempre que el mismo tipo de mente también está oculto en vosotros. Así que nunca le prestéis atención. Os convencerá; discutirá, tratará de convenceros. Simplemente decidle: «Lo veré por mí mismo. Todavía estoy vivo. Puedo encontrar todo lo que sea necesario».

135
AUSTERIDAD

Hay una palabra en latín para escuchar: obedire. La palabra inglesa obedience *viene de ella. Si se escucha correctamente, se crea obediencia.*

Si veis correctamente, esto provoca su propia disciplina. La cuestión básica es que en el interior uno debería estar perfectamente vacío mientras escucha, perfectamente vacío mientras ve, perfectamente vacío mientras toca. Sin prejuicio a favor o en contra, sin estar involucrado, sin tener ninguna tendencia sutil, porque esa tendencia destruye la verdad. No tener ninguna tendencia, permitir que la verdad sea... no obligarla a ser otra cosa, sino dejar que sea, sin importar su naturaleza.

Esta es la vida austera del hombre religioso. Esta es la verdadera austeridad: dejar que la verdad se manifieste... sin perturbarla, manipularla ni dirigirla de ninguna manera acorde con las creencias personales. Cuando se permite que la verdad sea ella misma, desnuda y nueva, una gran disciplina surge en vosotros: la obediencia. En vosotros surge un gran orden.

Entonces dejáis de ser un caos; por primera vez empezáis a reunir un centro, un núcleo, porque la verdad conocida inmediatamente se convierte en vuestra verdad. La verdad conocida como es, inmediatamente os transforma. Ya no sois la misma persona. La misma visión, la misma claridad y la misma experiencia de lo que es la verdad representa una súbita mutación. Es la revolución de la que trata la verdadera religión.

136
ENTRANDO EN EL MIEDO

Siempre que haya miedo, jamás escapéis de él. De hecho, sacad pautas de él. Esas son las direcciones en las que necesitáis viajar. El miedo es simplemente un desafío. Os llama: «¡Venid!».

Siempre que algo es realmente bueno, también asusta, porque os proporciona ciertas percepciones. Os fuerza a avanzar hacia ciertos cambios. Os lleva a un borde desde el cual, si dais marcha atrás, jamás os lo perdonaréis. Si seguís adelante, es peligroso. Ahí está lo que asusta. Si podéis regresar con facilidad, no hay problema. Pero se trata de percepciones de las que no podéis regresar. Si lo hacéis, jamás seréis capaces de perdonaroslo. Siempre os recordaréis como unos cobardes.

Siempre que haya un miedo, recordad no dar marcha atrás, porque ese no es el camino para solucionarlo. Adentraos en él. Si teméis la noche oscura, adentraos en ella, porque es la única manera de superarlo. Es el único modo de trascender el miedo. Adentraos en la noche; no hay nada más importante que eso. Esperad, sentaos solos y dejad que la noche trabaje. Si tenéis miedo, temblad. Dejad que el temblor esté presente, pero decidle a la noche: «Haz lo que quieras hacer. Estoy aquí». Pasados unos minutos, veréis que todo se ha asentado. La oscuridad ya no es oscura, ha llegado a ser luminosa. La disfrutaréis. Podéis tocarla... el silencio aterciopelado, la vastedad... la música. Seréis capaces de disfrutarla y diréis: «¡Qué necio he sido de temer una experiencia tan hermosa!».

137
FALSIFICACIÓN

Primero uno ha de darse cuenta de que lleva una falsificación,
una moneda falsa. Desde luego, os entristece. Sentís como si hubierais
perdido algo... pero jamás lo tuvisteis.

Por ejemplo, la gente simplemente piensa que tiene compasión. Esta es una cualidad muy rara. Le llega solo a un alma muy elevada y desarrollada. La simpatía es posible, pero la compasión es algo de muy alto nivel. Pero cuando lleguéis a sentir que no tenéis ninguna compasión, entonces existirá la posibilidad de que la tengáis.

Ese es el problema con las cosas falsas: si vuestro bolsillo está lleno de monedas falsas y creéis que sois ricos, ¿por qué preocuparos? En cuanto descubrís que sois mendigos y que todas las monedas son falsas, de pronto os entristecéis porque todo el dinero está perdido. Pero ahora podéis averiguar modos de dónde y cómo conseguir el verdadero dinero.

Ahora mismo no podéis realizar la distinción entre lo que es real y lo que es irreal, pero más adelante, cuando surja una conciencia muy integrada, podréis disponer de la distinción entre lo que es real y lo que es irreal; no antes.

No es que en vuestra vida unas pocas cosas sean reales y otras pocas irreales. En este estado, cuando el hombre no es consciente, todo es irreal como un sueño, aunque todo parece real.

En otro estado, cuando el hombre despierta, se convierte en un Buda, entonces todo es real; nada es irreal. De modo que no es que unas pocas cosas son reales y otras pocas irreales. Si no sois conscientes, todo es irreal. Si sois conscientes, todo es real. Pero podréis saber que era irreal solo cuando estéis despiertos, no antes.

138

VOLVEOS POETAS

Un poeta llega a conocer ciertas cosas que son reveladas
solo en una relación poética con la realidad.

El poeta es tonto en todo cuanto se refiera a la inteligencia mundana. Jamás destacará en el mundo de la riqueza y el poder. Pero en su pobreza conoce un tipo distinto de riqueza en la vida que nadie más conoce.

Para un poeta el amor es posible, para un poeta Dios es posible. Solo aquel que es lo bastante inocente como para disfrutar de las pequeñas cosas de la vida puede entender que Dios existe, porque él existe en las pequeñas cosas de la vida: existe en la comida que ingerís, en el paseo que dais por la mañana. Existe en el amor que sentís por vuestro ser amado, en la amistad que tenéis con alguien. Existe en cosas tan pequeñas. No existe en las iglesias; las iglesias no forman parte de la poesía, sino de la política.

Volveos más y más poéticos. Se requieren agallas para ser poético; se necesita ser lo bastante valeroso como para dejar que el mundo os llame tontos, pero solo entonces se puede ser poético. Y al serlo no me refiero a que tengáis que escribir poesía. Escribir poesía no forma demasiada parte de la poesía; solo es una parte pequeña y en absoluto esencial. Uno puede ser un poeta y no escribir jamás una sola línea de poesía, al tiempo que se pueden escribir miles de poemas y no ser un poeta.

Un poeta es un estilo de vida. Es amor por la vida, reverencia por la vida, es una relación de corazón a corazón con la vida.

139
ANSIEDAD

Cread una distancia entre vosotros y vuestra personalidad.
Todos vuestros problemas tienen que ver con la personalidad, no con vosotros.
Vosotros no tenéis ningún problema; en realidad, nadie tiene ningún problema.
Todos los problemas corresponden a la personalidad.

Este va a ser el trabajo: siempre que sintáis ansiedad, recordad que corresponde a la personalidad. Si sentís tensión, recordad que pertenece a la personalidad. Vosotros sois los observadores, los testigos. Cread distancia. No hay que hacer nada más.

Una vez establecida la distancia, de pronto sentiréis que la ansiedad desaparece. Cuando se pierde la distancia, cuando os habéis vuelto a cerrar, la ansiedad regresa. La ansiedad consiste en identificarse con los problemas de la personalidad. La no ansiedad consiste en no involucrarse, sino permanecer sin identificar con los problemas de la personalidad.

Así que durante un mes, observad. Pase lo que pase, manteneos lejos. Por ejemplo, os duele la cabeza. Intentad manteneos alejados y observar el dolor de cabeza. Está sucediendo en alguna parte en el mecanismo del cuerpo. Vosotros os mantenéis separados, como unos observadores en las colinas, distantes, y eso acontece a kilómetros de distancia. Simplemente cread distancia. Cread espacio entre el dolor de cabeza y vosotros, y seguid haciéndolo más y más y más grande. Llegará un punto en el que de repente veréis que el dolor de cabeza está desapareciendo en la distancia.

140

HACEOS CONSCIENTES

Cuando la conciencia crece, y vosotros os volvéis claramente alertas, la aceptación es una consecuencia natural.

La aceptación es un desarrollo posterior de la conciencia. La codicia está ahí, observadla. La ambición está ahí, observadla. Ahora mismo no lo compliquéis con la idea de aceptarla, porque si intentáis aceptar y no podéis, empezaréis a reprimir. Así es como la gente ha reprimido. No puede aceptar, de forma que el único modo es olvidar las cosas y guardarlas en la oscuridad. Entonces uno está bien. Uno siente que no hay problema.

Primero, olvidaos de la aceptación. Simplemente sed conscientes. Cuando la conciencia crece, y vosotros os volvéis claramente alertas, la aceptación es una consecuencia natural. Al ver el hecho, hay que aceptarlo, porque no hay ninguna otra parte a la que ir. ¿Qué podéis hacer? Está ahí como vuestros dos ojos y orejas. No hay cuatro, solo dos.

Simplemente, sed más y más conscientes. No introduzcáis más complejidad en el asunto. La conciencia es suficiente trabajo. La codicia está ahí, así que tratad de averiguar cuánta hay, lo enraizada que está, dónde se encuentra, dónde la estáis escondiendo. Sacadla a la luz, exponedla a la luz. Al verla una y otra vez, quizá veáis que una aceptación natural surge por su propia cuenta. Y esa aceptación es transformación. Una vez aceptada la codicia, se desvanece. Ese es el milagro. Una vez aceptada la ira, esta desaparece. Rechazadla y continuará.

En cuanto aceptáis algo, si es real, solo entonces puede permanecer. Si es irreal, se disolverá. El amor permanecerá, el odio se disolverá. La compasión permanecerá, la ira se disolverá.

141

INFELICIDAD

La gente dice que le gustaría ser feliz, pero en realidad no quiere serlo.
Tiene miedo a perderse.

Siempre que cobráis conciencia de algo, os separáis de ello. Si sois felices, estáis separados y la felicidad está separada. De modo que ser verdaderamente feliz significa ser la felicidad en vez de ser feliz. Poco a poco, os disolvéis. Cuando sois infelices, *sois* demasiado. Cuando uno es infeliz, el ego cobra importancia. Esa es la razón de que las personas egoístas permanezcan muy infelices, y de que la gente infeliz permanezca egoísta. Existe una interconexión.

Si queréis ser egoístas, tenéis que ser infelices. La infelicidad os proporciona el fondo, y el ego sobresale con mucha claridad y precisión, como un punto blanco en un fondo negro. Cuanto más felices sois, menos sois. Por eso muchas personas quieren ser felices pero en realidad lo temen. Esta es mi observación: la gente dice que le gustaría ser feliz, pero en realidad no quiere serlo. Tiene miedo de perderse. La felicidad y los egos no pueden ir juntos. De modo que cuanto más felices seáis, menos sois. Llega un momento en que solo está la felicidad, y vosotros no.

142
LAS DOS PUERTAS

No es una cuestión de elegir entre la verdad y la ilusión,
porque todas las puertas que están fuera de vosotros conducen a la ilusión.

La verdad está dentro de vosotros. Está en el mismo corazón del buscador. De modo que si en una puerta está escrito «ilusión» y en otra «verdad», no os molestéis en elegir entre ellas. Las dos son ilusorias. *Vosotros* sois la verdad. La verdad es vuestra propia conciencia.

Volveos más alertas y más conscientes. No se trata de una cuestión de elegir entre puertas. La oscuridad está ahí porque sois inconscientes, de manera que ninguna luz del exterior puede ayudar. Podría daros una lámpara ahora mismo, pero no os ayudaría. Para cuando hubierais llegado a vuestra habitación, se habría apagado.

Tenéis que volveros más conscientes, cada vez más conscientes y alertas, para que vuestra llama interior, solo ella, ilumine vuestro entorno. En esa luz veréis que todas las puertas han desaparecido. La puerta que era ilusión y la que era verdad... las dos se han desvanecido. Ambas estaban en conspiración. De hecho, ambas conducen al mismo lugar. Simplemente os brindan la ilusión de una elección. De manera que sin importar lo que elijáis, siempre elegís lo mismo. Ambas conducen al mismo pasaje. Que finalmente os hace terminar en una ilusión. De modo que ahí no radica el problema. El problema está en cómo volverse más alerta.

143
MIRANDO EN LA OSCURIDAD

A veces, cuando entráis en vuestra habitación parece oscura. Pero entonces os sentáis y descansáis, y poco a poco la oscuridad desaparece. La habitación está llena de luz. No es que haya sucedido algo. Lo que pasa es que vuestros ojos se han acostumbrado a mirar en la oscuridad.

Se dice que los ladrones empiezan a ver en la oscuridad con más claridad que cualquiera porque deben trabajar en la oscuridad. Tienen que entrar en casas desconocidas y a cada paso hay peligro. Pueden tropezar con algo. Poco a poco, comienzan a ver en la oscuridad. Esta no es tan oscura para ellos. Así que no tengáis miedo. Sed como los ladrones. Sentaos con los ojos cerrados y mirad en la oscuridad lo más profundamente que os sea posible. Que esa sea vuestra meditación.

Todos los días, durante treinta minutos, sentaos en un rincón, cerrad los ojos y cread oscuridad —tan oscura como podáis imaginar— y luego mirad en esa oscuridad. Si os resulta difícil, simplemente pensad en una pizarra ante vosotros, muy oscura y negra. Poco a poco podréis imaginar más oscuridad. Quedaréis tremendamente sorprendidos de que cuanto más miréis en la oscuridad, más claros serán vuestros ojos.

Y si hay miedo, permitidlo. De hecho, deberíais disfrutarlo. Dejad que esté ahí; empezad a temblar. Si el temor inicia una cierta vibración en vosotros, dejadlo, temblad. Asustaos todo lo que podáis. Casi permitid que os posea... y ved lo hermoso que es. Es prácticamente un baño... y con él se desvanecerá mucho polvo. Cuando salgáis de ese temblor, os sentiréis muy vivos, vibrantes de vida, palpitando con una nueva energía, rejuvenecidos.

144
AMAOS A VOSOTROS MISMOS

Siempre pensamos en términos de amar a otro. El hombre piensa en amar a la mujer, la mujer piensa en amar al hombre; la madre piensa en amar al bebé, el bebé piensa en amar a la madre; los amigos piensan en amarse mutuamente. Pero a menos que os améis a vosotros mismos, es imposible amar a nadie más.

Podéis amar a otro solo cuando tenéis amor dentro de vosotros. Podéis compartir algo solo cuando lo tenéis. Pero toda la humanidad ha vivido bajo esta ideología equivocada, de modo que la damos por hecha... como si nos amáramos y ahora toda la cuestión radicara en cómo amar al vecino. ¡Es imposible! Por eso se habla tanto sobre el amor y el mundo sigue feo y lleno de odio, guerra y violencia e ira.

Se alcanza una gran percepción cuando se descubre que uno no se ama. Realmente es duro amarse a uno mismo porque se nos ha enseñado a condenarnos y a no amar. Se nos ha enseñado que somos pecadores. Se nos ha enseñado que no valemos nada. Debido a eso se nos ha hecho difícil amar. ¿Cómo se puede amar a una persona que no vale nada? ¿Cómo podéis amar a alguien que ya está condenado?

Pero llegará. Si ya habéis experimentado la percepción de que no os amáis, no hay nada de qué preocuparse. Se ha abierto una ventana. No permaneceréis mucho tiempo dentro de la habitación... saldréis de un salto. Una vez que habéis conocido el cielo abierto, no podéis permanecer confinados en un mundo estancado. Lo abandonaréis.

145
PRISIONES

El hombre es una tremenda libertad sin límite para su ser. Todos los límites
son falsos. Por eso solo en el amor el hombre se torna sano y pleno,
porque el amor elimina todos los límites, todas las etiquetas; no os encierra
en categorías. Os acepta, sin importar quiénes seáis.

Nadie está realmente enfermo. De hecho, es la sociedad la que está enferma, los individuos son víctimas. La sociedad necesita terapia, los individuos simplemente necesitan amor. La sociedad es la paciente y necesita hospitalización.

Los individuos sufren porque no se puede capturar a la sociedad; permanece invisible. Al intentar atraparla, se encuentra a un individuo al que luego se hace responsable... cuando él simplemente está sufriendo, es una víctima. Necesita comprensión, no terapia; necesita amor, no terapia. La sociedad no le ha dado comprensión, no le ha dado amor. La sociedad le ha dado camisas de fuerza, prisiones. La sociedad lo ha forzado a meterse en un casillero, en una categoría, lo ha etiquetado: este es él, esta es su identidad.

El hombre es libertad y carece de identidad. No se lo puede etiquetar —y esa es su belleza y su gloria—, no se puede decir quién es. Siempre está en desarrollo. Cuando hayáis aseverado que es esto, se habrá movido. En cada momento está decidiendo qué ser: o ser o no ser. En cada momento hay una decisión nueva, una liberación nueva de vida. Un pecador puede ser un santo en un momento, y un santo puede convertirse en un pecador en un momento. El que tiene mala salud puede volverse sano y al revés en un momento. Un simple cambio de decisión, un simple cambio de percepción, de visión, y todo cambia.

146

ILUSIONES DE SATISFACCIÓN

Solo al ser un Buda existe satisfacción; las demás formas de satisfacción son
meros consuelos, un simple confort en el máximo de los casos,
ilusiones creadas por la mente.

Vivir constantemente en la insatisfacción es tan doloroso que la mente crea ilusiones de satisfacción; esas ilusiones mantienen en marcha a la gente, la ayudan. Si os lleváis todas las ilusiones, una persona no dispondrá de ningún motivo para vivir ni siquiera durante un momento más. Son necesarias. En la inconciencia, las ilusiones son obligatorias, porque a través de ellas creamos falsos significados en la vida, y naturalmente, hasta que lo real haya sucedido, debemos continuar creando significados falsos. Cuando una persona se harta de un falso significado, crea otro. Cuando se harta del dinero, se traslada a la política; cuando se harta de la política, empieza a trasladarse a otra cosa. Hasta la así llamada religión no es más que una ilusión sutil.

La religión verdadera no tiene nada que ver con las así llamadas religiones: el cristianismo, el hinduismo, el islam. La religión verdadera es la destrucción de todas las ilusiones. Es vivir en insatisfacción, en profundo sufrimiento, en absoluto dolor, y buscar lo real.

El sendero es de gran dolor y solo unos pocos lo alcanzan, porque en primer lugar las personas no pueden lanzarse a él; no pueden aceptar el dolor de la vida, pero ese dolor es la fuente de todo crecimiento. Ver la verdad desnuda del todo —sin evitarla ni huir de ella, mirándola de frente— es el comienzo de la inteligencia, el comienzo de la atención, el inicio de la conciencia.

147
PUREZA

La pureza que reside en el corazón es incorruptible;
lo que hacéis no la afecta en absoluto.

Hasta el mayor pecador permanece puro en el núcleo más profundo de su ser. De modo que incluso el pecador más profundo sigue siendo un santo; el pecado solo puede tocar la periferia, la circunferencia. No puede ir hasta vuestro núcleo porque el acto está en la superficie, el ser está en el núcleo.

Y cuando empezáis a mirar el ser de las personas, entonces nadie es un pecador, nadie lo ha sido jamás. Eso es imposible. La pureza es tan absoluta que todo lo que hacemos no es más que sueños; ese es el enfoque oriental. Este no le presta mucha atención a lo que hacéis. Dice que sin importar lo que hayáis hecho, simplemente podéis ir al interior y tener un contacto con el ser, que siempre es cristalino y siempre puro, y esa fuente permanece impoluta. En la periferia solo están las caras: santo y pecador, bueno y malo, el famoso y el notorio. Solo son actos, como si se representara un drama. Alguien se ha convertido en un Jesucristo y alguien en un Judas. Los dos son necesarios: Jesús no puede ser sin Judas, ¿y qué sería Judas sin Jesús? Ambos son necesarios para que acontezca toda la historia de Cristo. Pero detrás del escenario se sientan juntos para beber té y fumar.

Esa es la realidad. Todo este mundo es un vasto escenario, un gran drama representado.

Así que no os preocupéis demasiado al respecto. Sea cual fuere el papel que os haya correspondido, desarrolladlo con el máximo gozo posible, y recordad siempre que en lo más hondo permanecéis puros.

148

AMAD ALGO MÁS GRANDE

Amad algo más elevado, algo más grande, algo en lo que os perdáis; solo podéis ser poseídos por ello, pero no podéis poseerlo.

El amor puede crear muchos problemas y también grandes gozos. Hay que estar muy alerta, porque el amor es nuestra química básica. Si uno está alerta acerca de la energía del propio amor, entonces todo marcha bien.

Amad siempre algo más elevado que vosotros y nunca tendréis problemas; amad siempre algo más grande que vosotros. Las personas tienden a amar algo más bajo, más pequeño que ellas mismas. Lo más pequeño se puede controlar, se puede dominar, y os podéis sentir muy bien con lo inferior porque os hace parecer superiores... entonces el ego queda satisfecho. Y en cuanto empezáis a crear ego de vuestro amor, estáis condenados al infierno.

Amad algo más elevado, algo más grande, algo en lo que os perderéis y no podréis controlar; solo podéis ser poseídos por ello, pero no podéis poseerlo. Entonces el ego desaparece, y cuando el amor es sin ego, es una plegaria.

149
EL CORAZÓN COMO MÉTODO

Si queréis descender desde la cabeza, tendréis que pasar por el corazón...
ese es el cruce de caminos. No podéis ir directamente hasta el ser,
no hay ningún camino; tendréis que atravesar el corazón.
De modo que el corazón debe ser empleado como un método.

Pensar, sentir, ser... estos son los tres centros. Pero desde luego sentir está más cerca de ser que de pensar, y sentir funciona como un método. Sentid más y entonces pensaréis menos. No luchéis con pensar, porque con ello volvéis a crear otros pensamientos de lucha. Nunca luchéis con los pensamientos, es inútil.

En vez de luchar con los pensamientos, trasladad vuestra energía a sentir. Cantad en vez de pensar, amad antes que filosofar, leed poesía en vez de prosa. Danzad, contemplad la naturaleza, y hagáis lo que hagáis, hacedlo con el corazón.

El corazón es el centro descuidado: en cuanto empezáis a prestarle atención, comienza a funcionar. Cuando empieza a funcionar, la energía que se movía a través de la mente automáticamente empieza a moverse a través del corazón. Y este se halla más próximo al centro de energía. El centro de energía se encuentra en el ombligo... de modo que bombearlo a la cabeza es realmente un trabajo duro.

Por eso existe todo el sistema de educación: os enseña cómo bombear la energía desde el centro hasta la cabeza y cómo pasar por alto el corazón. De forma que ningún colegio, ninguna universidad, os enseña cómo sentir. Destruyen el sentimiento, porque saben que si sentís no podéis pensar.

Pero es fácil moverse de la cabeza al corazón, y es aún más fácil moverse del corazón al ombligo. En el ombligo sois simplemente un ser, un ser puro... sin sentimientos ni pensamientos; no os movéis nada. Ese es el centro del ciclón.

150
SIN OPUESTO

En sánscrito tenemos tres términos: uno para el sufrimiento,
uno para el gozo y uno que trasciende ambos... que es anand, *felicidad.*

Anand no es ni sufrimiento ni el así llamado gozo: es un gozo totalmente diferente que carece de recuerdo alguno de sufrimiento, que no está contaminado por el opuesto. Esa una pura unicidad donde no existe la dualidad.

Por lo general, resulta difícil incluso concebirlo. A menos que lo probéis, incluso es complicado entenderlo. Porque todo lo que podemos entender necesita al menos dos cosas; el opuesto es una obligación. Podemos entender la figura solo gracias al fondo. Este momento lo llamamos noche por el día, llamamos alguien bueno por el malo, alguien hermoso por el feo. El opuesto es imprescindible, lo define.

Pero *anand* significa el estado en el que no hay opuesto, cuando habéis llegado a la unidad, cuando no existe la posibilidad del otro.

El océano de la felicidad solo tiene una orilla. Es totalmente ilógico, porque ¿cómo puede haber únicamente una orilla? El estado de felicidad es ilógico. Aquellos que están demasiado vinculados a la lógica jamás pueden alcanzarlo, solo le abre su puerta a la gente loca.

151
CRÍTICA

Siempre que estéis a punto de criticar algo, decidid primero
qué vais a aportar como alternativa positiva.

Si no tenéis ninguna alternativa, esperad. Entonces la crítica no hay que hacerla, porque es inútil. Si decís que esta medicina no es buena, puede que tengáis razón, pero, entonces, ¿dónde está la medicina adecuada? Al menos se está haciendo algo.

De modo que la crítica jamás trae la revolución. La crítica es buena como parte de un programa positivo. Así que primero decidid el programa positivo y luego, sin perder de vista dicho programa, criticad. Entonces vuestra crítica será muy valiosa, apreciada incluso por aquellos a quienes estáis criticando. Nadie se sentirá ofendido por ella, porque al tiempo que criticáis, continuamente mantenéis una alternativa positiva en mente y luego proponéis algo.

152
SUEÑO

El sueño es divino, más que cualquier otro momento en las veinticuatro horas. Y si uno se queda dormido mientras medita,
la meditación no deja de resonar en las capas del inconsciente.

¿Os habéis dado cuenta de que cualquiera que haya sido vuestro último pensamiento por la noche, será el primero que tengáis por la mañana? Prestadle atención... el último, el último de verdad, cuando os quedáis dormidos. Os halláis justo en el umbral... el último pensamiento siempre será el primero que tengáis cuando volváis a estar en el umbral y salgáis del sueño.

Por eso todas las religiones han insistido en una oración antes de irnos a dormir, para que el último pensamiento sea sobre la plegaria y esta se hunda en nuestro corazón. Toda la noche permanece como un aroma a vuestro alrededor, llena vuestro espacio interior, y por la mañana, cuando despertáis, de nuevo está ahí.

Ocho horas del sueño se pueden emplear como meditación. El hombre moderno ahora no dispone de mucho tiempo, pero esas ocho horas de sueño se pueden transformar en una meditación. Y la totalidad de mi enfoque es que todo se puede usar y debería usarse... ¡incluso el sueño!

153
PESADILLAS

Siempre que la mente hace algo que va en contra de vuestra naturaleza,
el inconsciente os brinda el mensaje... primero educadamente,
pero si no escucháis, lo hace con una pesadilla.

Una pesadilla no es otra cosa que el grito del inconsciente, un grito de desesperación de que os estáis alejando demasiado y que perderéis por completo vuestro ser. ¡Volved a casa! Es como si un niño se perdiera en el bosque y la madre gritara el nombre del pequeño. Esa es exactamente la naturaleza de una pesadilla. Así que empezad a haceros amigos de vuestros sueños.

Poco a poco veréis que vuestro inconsciente y vosotros os acercáis cada vez más. Cuanto más os acerquéis, menos sueños tendréis, porque entonces no hay necesidad del sueño. El inconsciente puede transmitir su mensaje incluso cuando estáis despiertos. No hay necesidad de que espere hasta que os durmáis. No, puede daros su mensaje en cualquier momento.

Cuanto más cerca estéis, más comienzan a superponerse el consciente y el inconsciente. Esa es una gran experiencia. Por primera vez os sentís como uno. Eso es el yoga, convertirse en uno. Sentís que surge una unidad. Ninguna parte de vosotros es negada. Habéis aceptado vuestra totalidad. Empezáis a ser completos.

154
JUZGAR

Hay que dejar de juzgar.
Es una enfermedad y jamás os permitirá tener paz. Es un diablo.

Cuando juzgáis, jamás podéis estar en el presente: siempre comparando, siempre adelantándoos o retrocediendo, pero jamás en el aquí y el ahora. Porque el aquí y el ahora está simplemente ahí; no es bueno ni malo. Y no hay manera de decir si es mejor, porque no hay nada con qué compararlo. Simplemente está ahí en toda su belleza.

Pero la misma idea de evaluar posee algo del ego. Este es un gran mejorador; vive de la mejora. No cesa de torturaros: «¡Mejorad, mejorad!». Y no hay nada que mejorar.

Siempre que surja un juicio, abandonadlo inmediatamente. Prescindid de él. Es un hábito. No os torturéis de forma innecesaria. Disfrutad.

155

HACEOS AMIGOS DE VUESTROS SUEÑOS

Tenéis que aprender a haceros amigos de vuestros sueños. Los sueños son una comunicación del inconsciente. El inconsciente quiere deciros algo. Tiene un mensaje para vosotros. Está tratando de tender un puente con la mente consciente.

El análisis no es necesario, porque si analizáis el sueño, entonces otra vez el consciente se transforma en el amo. Intenta diseccionar y analizar, y fuerza significados que no son del inconsciente. Este emplea el lenguaje poético. El sentido es muy sutil. El análisis no puede encontrarlo. Solo se puede localizar si empezáis a aprender el lenguaje del sueño. De modo que el primer paso es haceros amigos del sueño.

Así que cuando tengáis un sueño que parezca importante —quizá violento, de pesadilla, pero tal vez sintáis que tiene alguna importancia—, entonces por la mañana, antes de que lo olvidéis, sentaos en la cama y cerrad los ojos. O incluso si os despertáis por la noche, sentaos en la cama y haceos amigos del sueño, decidle: «Estoy contigo y preparado para ir a tu lado. Condúceme allí adonde quieras conducirme; estoy disponible». Simplemente entregaos al sueño. Cerrad los ojos y moveos con él, disfrutadlo; dejad que se despliegue. Os sorprenderá la cantidad de tesoros que oculta un sueño y veréis cómo continúa desplegándose.

156
SOLEDAD

La soledad posee ambas, una especie de tristeza y de pesar y, a la vez, una paz y un silencio muy profundos. De modo que depende de vosotros cómo la contempléis.

Puede resultar muy difícil tener el espacio propio... y a menos que lo tengáis, jamás llegaréis a entablar conocimiento con vuestro propio ser. Siempre ocupado en mil y una cosas —en relaciones, en asuntos mundanos, en ansiedades, planes, futuro, pasado—, uno vive continuamente en la superficie.

Cuando uno está solo, puede empezar a asentarse, a ir hacia dentro. Como no estáis ocupados, no os sentiréis como os habéis sentido siempre. Será diferente; esa diferencia también es extraña. Y desde luego uno echa de menos a sus amantes, seres queridos, amigos, pero no es algo que vaya a durar para siempre. Es solo una disciplina pequeña.

Y si os amáis profundamente y os adentráis en vosotros mismos, estaréis preparados para amar aún más hondamente, porque alguien que no se conoce a sí mismo no puede amar muy profundamente. Si vivís en la superficie, vuestra relación no puede ser de profundidad. Después de todo, es vuestra relación. Si tenéis profundidad, entonces vuestra relación la tendrá.

157
VIOLENCIA

La violencia jamás es parte de la naturaleza. Nadie nace violento.
Uno es infectado por una sociedad violenta, por la violencia que lo rodea,
que lo vuelve violento. De lo contrario, cada niño nace absolutamente no violento.

No hay violencia en tu propio ser. Está condicionada por las situaciones. Uno ha de defenderse contra tantas cosas que el ataque es el mejor método de defensa. Cuando una persona ha de defenderse tantas veces, se vuelve agresiva, violenta, porque es mejor golpear primero que esperar que alguien os golpee y luego atacar. Quien golpea primero tiene más posibilidades de ganar.

Eso es lo que dice Maquiavelo en su famoso libro *El príncipe*. Es la biblia de los políticos. Afirma que el ataque es la mejor forma de defensa. No esperéis; antes de que alguien os ataque, atacad vosotros. No hay necesidad de esperar. Cuando el otro ataca, Maquiavelo dirá que ya es demasiado tarde, que ya estaréis del lado del perdedor.

De ahí que las personas se tornen violentas. Muy pronto llegan a entender que serán aplastadas. El único modo de sobrevivir es atacar, y en cuanto aprendéis este truco, poco a poco toda vuestra naturaleza se ve envenenada por él. Pero no es algo natural, de modo que lo podéis dejar caer.

158
HUMILLACIÓN

Sed humildes, entonces nadie os podrá humillar.
Prescindid del ego, entonces nadie os podrá herir.

A veces es posible que el otro simplemente esté buscando una excusa para soltar su ira, pero ese no es motivo para que os sintáis perturbados. Solo existen dos posibilidades: o el otro tiene razón, y entonces os sentís humillados, o está equivocado, lo que indica que se comporta de un modo ridículo, de manera que toda la situación rebosa humor y se puede disfrutar de ella.

Si consideráis que tiene razón, aceptad lo que sea que diga y sed humildes. Si sois humildes, jamás se os podrá humillar; esa es la cuestión. Una persona humilde está más allá de eso. No podéis humillarla. Ya se encuentra en la última fila, no podéis hacerla retroceder. Ya está derrotada, no podéis derrotarla. Os dice: «Soy el último». ¿Adónde podríais expulsarla? Ya es la última. No intenta ser la primera, de modo que nadie puede estorbarla.

Esa es la actitud taoísta ante la vida. Sed humildes, entonces nadie os podrá humillar. Prescindid del ego, entonces nadie os podrá herir.

159
ADORACIÓN

La actitud de la adoración es algo que debe sentirse. Por lo general es algo que ha desaparecido del mundo. La gente ha olvidado por completo cuál es su significado verdadero.

La adoración es un enfoque hacia la realidad con el corazón de un niño: nada calculador, ni taimado ni analítico, sino lleno de asombro, de una tremenda sensación de maravilla. Os rodea una sensación de misterio... la sensación de la presencia de lo oculto que hay en la existencia, que las cosas no son lo que parecen. La apariencia no es más que la periferia. Mucho más allá de la apariencia se oculta algo de tremenda importancia.

De modo que cuando un niño corre en pos de una mariposa, lo hace con actitud de adoración. O cuando llega a un camino y de pronto se encuentra con una flor, una flor corriente, pero a la que observa con profundo asombro. O cuando se topa con una serpiente y se descubre atónito y lleno de energía. Cada momento aporta sorpresa. No da nada por hecho; esa es la actitud de la adoración.

Jamás deis algo por sentado. En cuanto empezáis a adoptar ese enfoque, os asentáis. El niño que lleváis dentro empieza a desaparecer, vuestro asombro se muere, y cuando no hay asombro en el corazón, no puede haber adoración.

La adoración significa que la vida es misteriosa, tanto que realmente no hay modo de entenderla. Supera la comprensión. Todos nuestros esfuerzos fallan. Y cuanto más intentamos saber, más incognoscible parece.

160
SIMPATÍAS Y ANTIPATÍAS

El día que una persona decide no pedir las cosas que le gustan y empiezan a gustarle las cosas que suceden, es el día en que se vuelve madura.

Podéis seguir anhelando las cosas que os gustan. Eso siempre os hará desdichados, porque, en primer lugar, nunca van a suceder. El mundo no funciona de acuerdo con vuestras simpatías y antipatías. Carece de garantías de que lo que queréis es lo que también quiere el todo. Existe una gran posibilidad de que el todo esté destinado hacia otra cosa de la que nada sabéis.

Cuando a veces acontece eso que os gusta, entonces tampoco os sentiréis muy felices, porque sea lo que fuere lo que exigimos, ya lo hemos vivido a través de la fantasía. De modo que ya es de segunda mano. Si decís que os gustaría que un determinado hombre fuera vuestro amante, entonces en mucho sueños y fantasías ya habéis amado a ese hombre. Y si ello acontece, entonces el hombre verdadero no estará a la altura de vuestras fantasías y va a ser simplemente una copia, porque la realidad nunca es tan fantástica como la fantasía. Y os sentiréis frustrados.

Pero si os empieza a gustar aquello que acontece —si no ponéis vuestra voluntad en contra del todo, si simplemente decís muy bien, si pase lo que pase decís que sí—, entonces jamás podréis ser desdichados. Porque sin importar lo que pase, siempre exhibís una actitud positiva, lista para recibir y disfrutar.

161

INDEPENDENCIA

*Una persona que dice: «Pase lo que pase, voy a mantenerme feliz;
no me afectará. Encontraré un modo de ser feliz sin importar cuáles sean las
circunstancias», es independiente.*

Ninguna política puede afectaros. Ningún cambio en el estado del mundo exterior puede afectaros. Pobre o rico, mendigo o rey, la persona independiente se mantiene igual. Su clima interior no cambia.

Ese es el objetivo de toda meditación, alcanzar tal tranquilidad, tal quietud, que resulte incondicional. Solo entonces es vuestra. En ese momento, pase lo que pase, dejad que acontezca. Permaneceréis felices. Permanecéis tremendamente felices.

Desprendeos de vuestra voluntad y veréis que las cosas que anhelabais empezarán a acontecer por su propia voluntad. De pronto las cosas comenzarán a marchar sobre ruedas. Todo encaja.

162

ENTREGA

En lo más hondo, os gustaría entrar en una entrega total en la que todas vuestras preocupaciones quedaran disueltas y simplemente pudierais descansar. Pero tenéis miedo; todo el mundo tiene miedo a entregarse.

Por lo general creemos que somos alguien... ¡y no somos nada! ¿Qué es lo que vais a entregar? ¿Qué tenéis para entregar? Simplemente un ego falso, la idea de que sois alguien. No es más que una ficción. Entregáis la ficción y os volvéis reales. Entregáis aquello que en realidad no tenéis y entonces os volvéis aquello que sois.

Pero uno se aferra, porque toda la vida nos han educado para ser independientes. Toda la vida nos han educado y programado para luchar, como si la totalidad de la vida no fuera otra cosa que la lucha por sobrevivir.

La vida se conoce solo cuando empezáis a entregaros. Entonces no lucháis, comenzáis a disfrutar. Pero en Occidente, el concepto del ego es muy poderoso y todo el mundo intenta conquistar algo. Incluso la gente habla de conquistar la naturaleza. ¡Una absoluta necedad! Somos parte de la naturaleza; ¿cómo podemos conquistarla? Podemos destruirla; no conquistarla. Poco a poco estamos destruyendo la totalidad de la naturaleza, perturbando la ecología.

No hay nada que conquistar. De hecho, uno ha de ir con la naturaleza, en la naturaleza, y dejar que esta sea.

163
SER HERIDO

Millones de personas han decidido no ser sensibles. Han desarrollado pieles gruesas a su alrededor para evitar que alguien los hiera. Pero a un gran precio. Nadie los puede herir, pero nadie los puede hacer felices tampoco.

Cuando empezáis a abriros, habrá dos cosas disponibles: a veces estará nublado y otras resplandecerá el sol. Pero si permanecéis cerrados en vuestra cueva, entonces no habrá nubes ni sol. Es bueno salir, bailar con el sol, y, sí, también sentirse a veces triste con las nubes... y a veces soplará un viento fuerte. Cuando salís de la cueva, todas las cosas son posibles, y una de ellas es que la gente os puede herir... pero esa es solo una de ellas.

No penséis mucho en ello, de lo contrario os volveréis a cerrar. Hay millones de cosas; pensad también en eso. Seréis más felices, más cariñosos. Estaréis más disponibles, y la gente estará más disponible para vosotros. Seréis capaces de reír, podréis celebrar. Pensad en mil y una cosas. ¿Por qué elegir solo una, que la gente os herirá?

Cuando salís de la habitación, ahí afuera está todo el universo, ¿y no pensáis en la Luna y las estrellas, sino solo en infecciones? Entonces sentiríais un temor desproporcionado. Sí, hay infecciones. Pero cuando salís al exterior, salís al exterior; el sol os aportará sus vitaminas y el viento podría arrastrar algunas infecciones. Todo es posible, pero eso es la vida.

164
MUJERES GORDAS

En Occidente ha arraigado la idea estúpida de que la gordura está mal.
De hecho, en Oriente gustan más las mujeres gordas.

Observad a las actrices hindúes. En la India, gustan más las mujeres gordas. Una mujer delgada no es natural. Puede estar a dieta y forzándose a tratar de permanecer flaca, pero no es natural.

Dejad que la naturaleza siga su curso y todas las mujeres engordarán. Tienen que hacerlo, porque una mujer ha de acopiar más grasa para el niño. Un hombre no puede acumular tanta grasa. Carece de espacios vacíos en su interior, pero una mujer tiene muchos. Los necesita; son reservas de energía. Cuando el bebé llegue al útero, necesitará mucha energía, grasa, alimento, y la mujer no podrá comer, de modo que esa reserva ayuda. Solo una mujer gorda puede ser una buena madre.

Pero en Occidente ha surgido un concepto estúpido. No os preocupéis por él. No para de cambiar. Se modifica en cada época. A veces a la gente le encantan las mujeres gordas, otras las delgadas; es como una moda. Y las mujeres jamás han expresado qué es lo que realmente les gustaría ser. Siempre miran al hombre y lo que a este le gusta.

Si observáis las antiguas estatuas hindúes, los templos Khajuraho, Konark y Puri, siempre encontraréis mujeres gordas, porque en la India siempre han honrado la maternidad de la mujer. Así que no os preocupéis. ¡Disfrutadlo! ¡Haceos hindúes!

165
SALVAJE

El amor es salvaje, y en cuanto uno intenta domesticarlo, resulta destruido.
Es un remolino de libertad, de salvajismo, de espontaneidad.

No podéis dirigir y controlar el amor. Controlado, está muerto. Solo puede ser controlado cuando ya lo habéis matado. Si está vivo, os controla, no al revés. Si está vivo, os posee. Simplemente estáis perdidos en él porque es más grande y vasto que vosotros, más primigenio, más fundacional.

Así que recordadlo, porque del mismo modo llega Dios. Del modo en que os llega el amor, así os llega Dios. Dios también es salvaje... más que el amor. Un Dios civilizado no es un Dios. El Dios de la iglesia, el del templo, no es más que un ídolo. Dios ha desaparecido de allí hace mucho tiempo, porque no hay modo de aprisionar a Dios en un templo o en una iglesia. Para Dios, esas son tumbas.

Si queréis encontrar a Dios, deberéis estar disponibles a la energía salvaje de la vida. El amor es el primer vislumbre, el inicio del viaje. Dios es el clímax, la culminación, pero Dios llega como un remolino. Os arrancará de cuajo, os poseerá. Os aplastará en piezas. Os matará y resucitará. Ha de ser ambas cosas: la cruz y la resurrección.

166

FORTALEZA

Uno puede apegarse demasiado a un refugio, a una protección,
pero eso no os brindará fortaleza. Esta siempre llega cuando os enfrentáis
a situaciones duras, contrarias, que os distraen.

En la Antigüedad la gente solía irse a los monasterios, al Himalaya, a cuevas remotas, donde alcanzaba una cierta paz. Pero esa paz era barata, porque siempre que regresaba a las praderas, al mundo, dicha paz de inmediato se hacía añicos. Era demasiado frágil y la gente le tomaba miedo al mundo. De modo que se trata de una especie de escapatoria, no de desarrollo.

En lo que insisto es en aprender a estar solos, pero jamás os aferréis demasiado a vuestra soledad, para que no perdáis la capacidad de relacionaros con otros. Aprended a meditar, pero no os vayáis a un extremo. De modo que seáis incapaces de amar. Estad en silencio, en paz, quietos, pero no os obsesionéis con ello, de lo contrario no podréis enfrentaros al mundo, al mercado.

Es fácil permanecer en silencio cuando se está solo. Cuesta guardar silencio cuando se está con gente, pero hay que encarar esa dificultad. Una vez que estéis en silencio con otras personas, lo habréis conseguido; entonces ya nada puede destruirlo.

167
PARTICIPACIÓN

Hay cosas que solo podéis conocer si participáis.

Desde el exterior solo se conocen cosas superficiales. ¿Qué le sucede a la persona interior? Alguien llora y las lágrimas fluyen... Podéis observar, pero será muy superficial. ¿Qué sucede con su corazón? ¿Por qué llora? E incluso es difícil interpretarlo... porque puede llorar de desdicha, de tristeza, de ira, de felicidad, de gratitud.

Y las lágrimas son simplemente lágrimas. No existe forma de analizar químicamente una lágrima y averiguar qué la provoca —si es de gratitud, de un estado de felicidad extasiada o de desdicha—, porque todas las lágrimas son iguales. Químicamente no difieren, y son iguales cuando caen por las mejillas.

De modo que resulta casi imposible, en lo que concierne a los reinos más profundos, alcanzar alguna deducción desde el exterior. El hombre no puede ser observado. Solo se pueden observar las cosas. Por eso la ciencia sigue fracasando con el hombre.

Podéis saber desde el interior. Eso significa que tenéis que conocer esas lágrimas por vosotros mismos, de lo contrario jamás sabréis. Se puede aprender mucho a través de la observación, y es bueno que lo hagáis, muy bueno. Pero eso no es nada comparado con lo que se consigue a través de la participación.

168

HIBERNACIÓN

A veces sois fríos, a veces no. Pero no creéis un problema de ello.
Cuando os sintáis de ese modo, sed consecuentes,
y no os sintáis culpables por ello.

No hay necesidad de ser cálidos las veinticuatro horas. Eso sería agotador. Uno también necesita descansar.

Cuando sois fríos, la energía se mueve hacia dentro; cuando sois cálidos, la energía va hacia fuera. Por supuesto que otras personas querrían que siempre fuerais cálidos, porque solo en ese caso vuestra energía se mueve hacia ellas. Cuando sois fríos, vuestra energía no se mueve hacia ellas, de modo que se sienten ofendidas. No se sienten bien, de manera que os dirán que sois reservados. Pero sois vosotros quienes lo decidís.

En esos momentos hibernáis, os retraéis al interior de vuestro ser. Son los momentos de meditación. Así que esta es mi sugerencia: cuando os sintáis reservados, cerrad las puertas de las relaciones y alejaros de la gente. Cuando os sentís reservados, id a casa a meditar. Ese es el momento adecuado para hacerlo. Con la energía moviéndose hacia el interior, podéis ir sobre ella hasta el núcleo de vuestro ser. Os aportará interioridad, y muy fácilmente. No habrá lucha. Simplemente podéis seguir la corriente. Y cuando os sintáis más cálidos, moveos hacia el exterior. Olvidaos de la meditación. Sed cariñosos. Utilizad ambas cosas y que no os preocupéis.

169
LAS ESCRITURAS

Sí, hay escrituras, muchas, y filosofía elevada, ¡pero son tonterías!
Son simplemente para que la gente tonta se mantenga ocupada,
no para el verdadero buscador.

Lo que estoy diciendo está absolutamente vivo, es nuevo, fresco, joven. No es en absoluto tradicional. Se trata de un fenómeno totalmente diferente... tiene que serlo. Porque algunas escrituras fueron escritas hace tres mil años, estaban destinadas para el pueblo para las que fueron escritas. Esa psicología ya no funciona en el mundo. Yo os respondo a vosotros; aquellas escrituras respondían a su pueblo. No fueron escritas para vosotros. Hay un abismo de tres mil, cuatro mil, cinco mil años entre vosotros y esas escrituras. Son completamente irrelevantes. Tan absurdo como alguien que se ponga a estudiar física y se detenga en Newton sin llegar jamás hasta Albert Einstein.

Y desde luego cada maestro ha de hablar ante la gente que tiene disponible. Yo no le hablo a paredes, le hablo a personas; estoy respondiendo. Pero las escrituras no pueden funcionar de esa manera; no pueden crecer.

Por eso en tiempos antiguos muchos maestros insistían en que sus proverbios no debían ser escritos, para que pudieran continuar creciendo. Entonces el maestro entregaría su mensaje al discípulo, y este viviría en un mundo diferente. El maestro desaparecería y el discípulo enseñaría por propio derecho algo a otras personas. Realizaría muchos cambios, porque las personas y las situaciones han cambiado. Se trataría de un fenómeno vivo, en crecimiento. Por eso insistían en no escribirlas, porque cuando escribís un libro se convierte en algo fijo; se paraliza. Ya nadie puede cambiarlo. Si alguien lo hace, entonces los seguidores del libro se encolerizarían.

170
TRISTEZA

Cuando sintáis tristeza, estad tristes. Realmente tristes...
hundíos en la tristeza. ¿Qué otra cosa podéis hacer? La tristeza es necesaria.
Relaja mucho... es una noche oscura que os rodea. Dormíos en ella.
Aceptadla y veréis que en cuanto lo hacéis, empieza a volverse algo hermoso.

La tristeza es fea debido al rechazo; no es fea en sí misma. Una vez que la aceptéis, veréis lo hermosa que es, cuánto os relaja, lo serena y silenciosa que es. Tiene algo para dar que la felicidad nunca tendrá.

La tristeza aporta profundidad. La felicidad da altura. La tristeza brinda raíces. La felicidad ramas. La felicidad es un árbol que va hacia el cielo y la tristeza es como las raíces que se adentran en las entrañas de la tierra. Pero ambas son necesarias, y cuanto más se eleva un árbol, más profundidad alcanza al mismo tiempo. Cuanto más grande, mayores sus raíces. De hecho, siempre están proporcionadas. Un árbol alto poseerá raíces hundidas en la tierra en igual proporción. Eso es equilibrio.

No podéis provocar dicho equilibrio. El que aportéis no servirá. Carece de valía. Será forzado. El equilibrio surge de forma espontánea; ya está ahí. De hecho, cuando estáis felices, os excitáis tanto que os agotáis. ¿Lo habéis notado? Entonces en el acto el corazón se mueve en la otra dirección, os brinda un reposo. Lo sentís como una tristeza. Os está dando un descanso porque empezabais a agitaros demasiado. Es algo medicinal, terapéutico. Es como cuando durante el día trabajáis con ahínco y por la noche os quedáis profundamente dormidos. Por la mañana volvéis a estar frescos. Después de la tristeza, volveréis a estar frescos para estimularos otra vez.

Así que sentid la tristeza cuando estéis tristes. Aceptadla y estad tristes, totalmente tristes.

171

AMOR NO ILUMINADO

El amor no representa necesariamente libertad. Debería ser así...
sería lo ideal. Así que recordad siempre, si amáis a alguien con conciencia,
solo entonces va a ser una bendición. De lo contrario, nadie sabe...

El amor puede ser destructivo de muchas maneras, porque no es necesariamente algo iluminado. Una madre ama a su hijo y todo el mundo sufre por ese amor. Preguntádselo a los psiquiatras, a los psicólogos. Afirman que todas las neurosis se pueden reducir a la relación madre-hijo. Muchas personas que hay en los psiquiátricos sufren únicamente de amor. Los padres aman a sus hijos, los sacerdotes aman, los políticos aman. Todo el mundo ama, pero el amor no es algo necesariamente iluminado.

Cuando el amor es iluminado, es compasión. Entonces posee una cualidad totalmente diferente. Os aporta libertad. Toda su función es brindar libertad. Y no solo *habla* de libertad, sino que realiza los máximos esfuerzos para volveros libres y destruir todos los obstáculos que surgen en el sendero del amor.

Así que el amor puede existir, pero no puede estar alerta. Entonces es destructivo. El amor más conciencia es igual a compasión. El amor solo no es suficiente, de lo contrario el mundo ya se habría convertido en un paraíso. Amáis a vuestra pareja, vuestra pareja os ama, pero ¿qué pasa al final? Nada más que destrucción. Vuestro amor está bien, pero *vosotros* no. Hay algo en lo más hondo del inconsciente que no deja de crear cosas de las que no sois conscientes.

No digo que haya que negar el amor, pero sí que no debería ocupar el primer lugar. Ese privilegio debería tenerlo la conciencia. El amor ha de seguirla como una sombra.

172

INTERPRETAR

Uno debería ser capaz de interpretar papeles
y entonces quedaría libre de dichos papeles.

¿Qué dificultad hay en interpretar un papel? La dificultad surge cuando estáis anclados en otro papel y pensáis que es vuestra personalidad. Habéis estado interpretando un papel, y os habéis identificado tanto con él que desarrollar uno diferente parece algo imposible. Tendréis que relajaros del pasado y pasar a un papel nuevo. Pero eso es bueno. Y pensad que no es más que un papel, un juego que jugáis.

Vuestra esencia carece de personalidad, de papeles. Puede interpretarlos todos, pero no tiene personaje. Por eso la libertad interior es hermosa.

Así que sed actores. En una película, un actor trabaja en un papel y en otra adopta otro. Quizá por la mañana está en un papel y por la noche en otro. Sencillamente pasa de un papel a otro, y no hay problema porque sabe que se trata únicamente de una interpretación.

La totalidad de la vida debería ser así. Uno debería ser tan capaz de entrar y salir que nada pudiera contenerlo. Empezaréis a sentir una libertad que surge en vosotros y comenzaréis a sentir vuestra esencia real. De lo contrario, siempre está confinada en un determinado papel.

173
UN JUEGO

*Vivid vuestro papel, disfrutadlo, es divertido. Pero tomáoslo con ligereza,
con relajación. No vale la pena que os preocupéis.*

Sin importar el papel que tengáis que interpretar en determinadas
circunstancias, interpretadlo al máximo de vuestra habilidad, totalmente.
Pero una vez que se haya terminado, ES irrelevante si habéis tenido éxito
o fracasado. No miréis atrás, seguid adelante. Hay otras obras que tenéis
que interpretar. El éxito o el fracaso no son importantes. Lo que importa es la percepción de que todo es un juego.

Cuando toda vuestra vida se llena con esta conciencia, os veis liberados, ya nada os ata. Dejáis de estar encadenados a algo. Vuestras manos
están libres. Nada os aprisiona. Utilizáis máscaras, pero sabéis que no son
vuestro rostro original. Y os la podéis quitar porque ahora sabéis que se
trata de una máscara. Es de quita y pon. Y entonces además podéis conocer vuestro rostro original. Aquel que es consciente de que la vida es un
juego llega a conocer su rostro original. Y conocer tu rostro original ES
conocer todo lo que merece la pena conocerse.

174
FUTILIDAD

Todo es fútil. Uno ha de entender esto. Si no lo entendéis, siempre
permaneceréis en la ilusión. Todo es fútil, y en la vida no hay progreso, no hay
mejora, porque la vida está eternamente ahí. La vida ya es perfecta.

Todo lo que tratáis de hacer para perfeccionar más la vida es fútil,
pero se requiere tiempo para comprenderlo. Cuando os sentís estancados podéis hacer dos cosas. Podéis cambiar vuestro estilo de vida y entonces, durante unos días, estaréis como en una luna de miel, las esperanzas,
deseos, ambiciones y la posibilidad del mañana vuelven a cobrar vida.
Pero pasados unos días ese mañana nunca llega. Una vez más volvéis a
estar anclados y la totalidad de las cosas retoma su naturaleza rutinaria.

Es igual que cuando amáis a una mujer. Acabada la luna de miel, el
amor se acaba. Al final de la luna de miel volvéis a buscar a otra mujer.
Pero podéis ir de una luna de miel a otra, aunque no os va a ayudar de
ninguna manera. Debéis comprender que no hay nada que conseguir en
la vida. La vida no está orientada hacia los objetivos. La vida está eternamente aquí y ahora. Ya es perfecta. No se puede mejorar.

Cuando comprendéis esto, entonces no hay futuro, no hay esperanza, ni deseo ni ambición. Vivís el momento; lo disfrutáis.

175
ALGO QUE COMPARTIR

El amor es una relación entre otra persona y vosotros. La meditación es una relación entre vosotros y vosotros mismos. El amor es hacia fuera, la meditación es hacia dentro. El amor es compartir. Pero ¿cómo podéis compartir si no lo tenéis en primer lugar? ¿Qué vais a compartir?

La gente tiene ira, celos, odio, así que en nombre del amor, poco a poco empieza a compartir esas cosas, porque es eso lo que tiene. Cuando se acaba la luna de miel y os desprendáis de las máscaras y la realidad cobre vida y os volváis seres reales, entonces, ¿qué compartiréis? Aquello que tenéis. Si es ira, entonces será ira; si es posesividad, entonces será posesividad. Luego surge la lucha y el conflicto y cada uno intenta dominar al otro.

La meditación os dará algo que se podrá compartir. La meditación os brindará la calidad, la energía que pueden convertirse en amor si están relacionados con alguien. Por lo general no poseéis esa cualidad. Nadie la tiene. Debéis crearla. El amor no es algo con lo que nacéis. Es algo que tenéis que crear, algo en lo que tenéis que convertiros. Es una lucha, un esfuerzo y un gran arte.

Cuando tengáis un amor que rebose, entonces podréis compartir. Pero eso únicamente puede suceder cuando os relacionéis con vosotros mismos. Y la meditación no es otra cosa que aprender a relacionarse con uno mismo.

176
SER PLANETARIO

La Tierra no está dividida. La India, Paquistán, Inglaterra y Alemania solo existen en los mapas, y esos mapas son creados por los políticos, la gente obsesionada con el poder. Toda la Tierra es vuestra.

No hay necesidad de identificarse con nada. ¿Por qué confinarse a territorios pequeños? ¿Por qué confinarse por la política? Reclamad toda la herencia de la Tierra. Es vuestra. Sed un ser planetario en vez de nacional. Olvidaos de la India e Inglaterra, pensad en la totalidad del globo. Pensad en todos y en cada uno como hermanos y hermanas; ¡lo son!

Cuando sois hindúes, estáis en contra de otros. Tenéis que estarlo, de lo contrario, ¿cómo definiríais vuestra identidad como hindú? Estáis en contra de China, de Paquistán, en contra de esto y de aquello; básicamente, todas las identificaciones están *en contra*. Cuando estáis a favor de algo, naturalmente estáis en contra de otra cosa. No estéis ni a favor ni en contra... simplemente sed. Desprendeos de la preocupación, es inútil. Hay mejores cosas en que pensar. No os preguntáis: «¿Con qué enfermedad debería identificarme... la tuberculosis o el cáncer?». No os preguntáis eso; esas identidades nacionales son la tuberculosis y el cáncer.

En un mundo mejor no habría países, en un mundo más elevado no habría religiones. Ser humano es suficiente, e incluso un día habrá que ir más allá de eso; entonces uno se convertirá en divino. Entonces hasta la Tierra será demasiado pequeña para conteneros, y las estrellas también serán vuestras, todo el universo lo será. Y cuando uno se vuelve universal, uno ha llegado.

177

¿AHORA QUÉ?

Mientras hacéis algo —tallar, pintar, esculpir—, estáis enfrascados en ello. Es vuestro gozo, vuestra meditación. Pero al terminar, naturalmente regresáis a la mente y esta os empieza a preguntar: «¿Qué sentido tiene?».

Se dice de Gibbon que cuando terminó su historia del mundo lloró. Le había requerido treinta años de trabajo; día y noche, año sí y otro también, trabajando sin cesar. Cada día dormía cuatro horas y trabajaba veinte. Al concluirlo, lloró. Su esposa no podía creerlo, ni tampoco sus discípulos.

«¿Por qué lloras?», le preguntaron. Todo el mundo estaba feliz por la finalización de la obra, el registro más grande de la historia estaba acabado. Pero él lloraba. «¿Ahora qué haré? ¡Estoy acabado!» Y murió a los tres años; no le quedaba nada más que hacer. Siempre había sido un hombre joven; el día en que terminó su trabajo, se hizo viejo. Le sucede a cada creador: un pintor se halla tan apasionadamente absorto en su cuadro que cuando lo termina, de pronto siente un vacío y se pregunta: «¿Ahora qué? ¿Por qué lo hice?». Se necesita una gran percepción para ver que el gozo de la pintura radica en la propia pintura. No hay un resultado... el fin y los medios no están separados.

Si estáis disfrutando de algo determinado, ahí radica su esencia; no pidáis nada más. ¿Qué más necesitáis? La consecución está en el mismo proceso. Habéis crecido a través de él, esa es la consecución. Os habéis hecho más profundos en él; esa es la consecución. Os habéis acercado al centro de vuestro ser, ese es el logro. Si sois conscientes, la sensación de inutilidad desaparecerá.

178

RESPONSABILIDAD

A partir de este momento empezad a pensar que sois la causa de vuestra
vida y vuestro mundo. Ese es el sentido de ser un buscador:
tomar la responsabilidad total del propio ser.

La desdicha no tiene una causa exterior, su causa es interior. Vosotros
no dejáis de echar la responsabilidad fuera, pero eso no es más que una
excusa.

Sí, es activada desde el exterior, pero el exterior no la crea. Alguien
os insulta: el insulto procede del exterior, pero la ira está dentro de vosotros. La ira no la causa el insulto, no es el efecto del insulto. Si en vosotros no hubiera energía de ira, el insulto habría sido impotente.
Simplemente habría pasado, no os habría perturbado.

Las causas no existen fuera de la conciencia humana, existen dentro
de vosotros. Vosotros sois la causa de vuestra vida, y entender esto es
entender una de las verdades más básicas. Comprender esto es iniciar un
viaje de transformación.

179
DESDICHA

La intención de la naturaleza es que todos seamos emperadores;
la naturaleza crea solo reyes, pero jamás lo aceptamos;
parece demasiado bueno para ser verdad.

Solo la felicidad es el criterio para saber si nos acercamos o no a la verdad. Cuanto más próximos estáis a la verdad, más felices sois; cuanto más lejos estáis de la verdad, más desdichados. La desdicha no es otra cosa que distancia de la verdad; la felicidad es proximidad, intimidad. Y cuando uno se ha convertido en uno con la verdad, esa es la felicidad definitiva que no se os puede arrebatar, porque toda distancia ha desaparecido, todo espacio entre vosotros y la verdad ha desaparecido.

La verdad existe en el núcleo central de nuestro ser, pero nosotros existimos en la periferia, vivimos en la periferia. Vivimos en el porche de un palacio y hemos olvidado por completo dicho palacio. Hemos decorado nuestro pequeño porche y creemos que es todo lo que hay. Somos mendigos autocondenados.

La intención de la naturaleza es que todos seamos emperadores; la naturaleza crea solo reyes, pero jamás lo aceptamos; parece demasiado bueno para ser verdad. Somos felices en nuestra desdicha. Esta da algo, y eso es el ego. La desdicha aporta ego, y la felicidad se lo lleva.

Nos gustaría *ser* aunque fuéramos desdichados; no queremos desaparecer. Y eso es lo que está en juego, ese es el juego. Uno ha de desaparecer, y solo entonces la felicidad y la verdad son posibles.

180
ENFERMEDAD PSICOLÓGICA

La patología del hombre existe porque el hombre ha de trascender.
Si no sois capaces de trascender la humanidad, os volveréis patológicos.
El hombre posee una capacidad interior para ir más allá, esa energía
está presente... si no la permitís, se volverá contra vosotros, será destructiva.

Todas las personas creativas son peligrosas, porque si no se les permite su creatividad, se tornarán destructivas.

El hombre es el único animal en la Tierra que es creativo; ningún otro animal es tan peligroso porque ninguno crea. Simplemente viven, tienen una vida programada: jamás se salen de la pauta fijada. Un perro vive como un perro y muere como tal. Nunca intenta convertirse en un Buda, y desde luego jamás se descarría y se transforma en un Adolfo Hitler. Simplemente sigue la pauta. Es muy conservador, ortodoxo, burgués; todos los animales, excepto el hombre, son burgueses.

El hombre tiene algo de anómalo en él. Quiere hacer algo, ir a alguna parte, ser; y si no se le permite, si no puede ser una rosa, entonces le gustaría ser una hierba... pero le gustaría ser algo. Si no puede transformarse en un Buda, se convertirá en un criminal. Si no puede crear poesía, creará pesadillas. Si no es capaz de florecer, no permitirá que nadie más florezca.

181

RECORDAR

¡Todo es divino! Dejad que esto sea el primer elemento fundamental en vuestra vida... puede cambiaros tremenda, completamente.
Así que a partir de este momento recordadlo tanto como podáis.

Es natural que lo olvidéis muchas veces; que no os preocupe. En cuanto volváis a recordarlo, dejad que esté ahí. No os atormentéis por haberlo olvidado una hora. Es natural... es un viejo hábito; durante muchas vidas hemos vivido en ese hábito. Así que es natural. No os atormentéis, no os sintáis desdichados y culpables. Si podéis recordarlo aunque sea durante unos segundos en veinticuatro horas, bastará... porque la verdad tiene tanto potencial, es tan poderosa, que una pequeña gota de verdad es suficiente para destruir todo vuestro mundo de ausencia de verdad. Un simple rayo de luz es suficiente para destruir la oscuridad de miles de años.

De modo que no se trata de una cuestión de cantidad, recordadlo. No es una cuestión de que recordéis durante veinticuatro horas... ¿cómo podríais hacerlo? Jamás pido algo que es imposible, únicamente lo que es posible. Poco a poco, os empujo más y más, y un día, de repente, veis que lo imposible se ha vuelto posible.

182

FLUIDEZ

Es bueno estar en muchas cosas... eso os da fluidez.
Una persona que ha estado en una cosa, y solo en una, se vuelve muy fija
y el cambio se le hace complicado.

Es muy bueno que la gente siga cambiando de este a aquel trabajo; eso la mantiene fluida.

En un mundo mejor, todo sería más móvil de lo que es y las personas estarían cambiando continuamente para que nada se vuelva fijo... lo fijo es una enfermedad.

Cada trabajo nuevo, cada obra nueva, aporta una cualidad nueva a vuestro ser... os hace más ricos.

183

UNIDAD ORGÁNICA

Si no estáis integrados, nada de lo que hagáis podrá tener una integración verdadera, solo se mantendrá unido de forma superficial.
Y esa unión será una unidad mecánica, no orgánica.

Podéis montar un coche... pero no una flor de la misma manera, ya que una flor hay que hacerla crecer. Se trata de una unidad orgánica, interior, posee un centro y este es el que va primero, luego los pétalos. En una unidad metálica, las partes van primero, luego el todo. En una unidad orgánica, el todo va primero, luego lo siguen las partes.

Uno puede escribir poesía sin poesía en ella. Y uno puede escribir una historia sin ningún centro... mucho ruido y pocas nueces, un cuento contado por un idiota, lleno de furia y ruido, sin ningún significado.

El significado procede de la persona, el poeta; no está en la poesía. Si el poeta tiene algo que rebosa de su interior, entonces la poesía se torna luminosa, posee un resplandor, una unidad sutil. Palpita con vida, tiene un corazón que palpita... podéis oír sus latidos. Entonces vive y crece y no para de desarrollarse. Es casi como cuando tenéis un hijo, podéis morir, pero el niño sigue creciendo. La verdadera poesía continuará creciendo aun cuando el poeta ya no esté. Así es como siguen viviendo un Kalidas o un Shakespeare. La poesía tiene algo orgánico; no está ensamblada.

184
LA GRAN AMBICIÓN

Todo hombre es un amor no nato, de ahí la desdicha, la angustia.
Porque la semilla no puede sentirse satisfecha siendo semilla.
Quiere convertirse en árbol, quiere jugar con el viento, elevarse hacia el cielo...
¡es ambiciosa!

Cada ser humano nace con una gran ambición... la ambición es florecer en el amor. De modo que veo a cada ser humano como una posibilidad, un potencial, una promesa. Algo que no ha sucedido y que aún debe acontecer, y a menos que pase no puede haber satisfacción ni paz; habrá agonía, sufrimiento, desdicha.

Solo cuando habéis llegado a un florecimiento en el que sentís que estáis realizados —que habéis alcanzado aquello para lo que habéis nacido, que habéis alcanzado vuestro destino, que ya no queda más—, solo cuando la ambición desaparece por completo porque ha sido satisfecha, una persona es feliz, jamás antes.

185
LA VERDADERA PREGUNTA

La verdadera pregunta no es más que una cápsula en la que está oculta la respuesta, un duro caparazón que protege la contestación delicada que lleva dentro. Es una corteza que rodea a una semilla.

Noventa y nueve de cada cien preguntas son tonterías, y debido a esas noventa y nueve preguntas no sois capaces de formular la pregunta realmente valiosa. Estáis rodeados por noventa y nueve clamores y gritos que no permiten que en vosotros surja la verdadera pregunta. Esta posee una voz muy silenciosa, serena y pequeña, y las irreales son grandes farsantes. Por ellas no podéis formular la pregunta adecuada ni encontrar la respuesta apropiada.

De forma que reconocer las tonterías como tonterías es una gran percepción. Entonces comienzan a escabullirse de vuestras manos, porque si sabéis que son tonterías no podéis retenerlas durante mucho tiempo. La misma comprensión de que se trata de tonterías basta para que vuestras manos se vacíen, y cuando las manos quedan libres de las tonterías, solo permanece la pregunta verdadera y única.

Y la belleza de la verdadera pregunta es que si únicamente queda la pregunta real, la respuesta no anda muy lejos. Se encuentra dentro de la pregunta. El mismo centro de esta es la respuesta.

186

INTROVERTIDOS-
EXTRAVERTIDOS

Hay dos tipos de esclavos: los extravertidos y los introvertidos.

Una persona que no es libre para moverse según el momento y la situación, es una esclava. Hay dos tipos de esclavos: los extravertidos y los introvertidos. Los primeros son los esclavos de lo exterior: no pueden ir hacia dentro, no saben cómo hacerlo, han olvidado por completo la ruta. Si habláis de ir hacia dentro, simplemente os miran desconcertados. No entienden de qué habláis; les parece que decís tonterías. Para ellos *son* tonterías... carecen de sentido.

Una persona que se ha vuelto demasiado introvertida empieza a perder la capacidad de relacionarse, de responsabilizarse y ser activa, y pierde muchas cosas. Se cierra en sí misma, es como una tumba.

La persona realmente sana no está anclada en ninguna parte. Exhala e inhala; exhala libremente e inhala de igual manera. Dentro y fuera son como el aliento que aspira y espira, y es libre en ambos. Y eso le permite estar más allá de ambos, posee trascendencia. Es la persona total.

187
VULNERABLE Y FUERTE

Hay personas que solo se sienten fuertes cuando no son vulnerables; esa fortaleza es falsa. No es más que una fachada, un camuflaje; son personas débiles. Luego hay personas que son vulnerables pero que se sienten débiles.

Los que se sienten débiles cuando son vulnerables no pueden sentirse vulnerables durante mucho tiempo; tarde o temprano su debilidad les inspirará tanto temor que se cerrarán. De manera que el enfoque adecuado es sentirse vulnerable *y* fuerte. Entonces podéis manteneros vulnerables y cada día vuestra fortaleza crecerá, y os volveréis valerosos y más y más vulnerables.

Una persona realmente valerosa está absolutamente abierta... ese es el criterio para el valor. Solo un cobarde está cerrado, y una persona fuerte es tan fuerte como una roca y tan vulnerable como una rosa.

Es una paradoja... y todo lo verdadero siempre es paradójico.

Así que recordad siempre: cuando sintáis algo paradójico, no intentéis hacerlo consistente, porque eso sería falso. La realidad siempre es paradójica: por un lado os sentís vulnerables y por el otro os sentís fuertes... eso significa que ha llegado un momento de verdad. Por un lado sentís que no sabéis nada, por el otro sentís que lo sabéis todo... ha llegado un momento de verdad.

Por un lado siempre sentís un aspecto, y por el otro el aspecto diametralmente opuesto, y cuando unáis esos dos aspectos, recordad siempre que tenéis muy cerca algo verdadero.

188

ESQUIZOFRENIA

La culpabilidad siempre crea esquizofrenia. Y puede lograrlo;
si es muy profunda, puede crear una verdadera escisión.

No existe división entre el mundo y la espiritualidad. Pero debido al fenómeno de la culpabilidad esa división surge. De modo que hay que descartar la culpabilidad. No es que tengáis que unir la espiritualidad y el mundo; *están* unidos. No hay modo de separarlos. Lo que debéis hacer es entender vuestra culpabilidad y desprenderos de ella, de lo contrario siempre crea esquizofrenia. Y puede lograrlo; si es muy profunda, puede provocar una verdadera escisión. Una persona puede convertirse en dos, de tal manera que es capaz de no ser consciente de la otra. La división puede ser tan marcada que los dos aspectos no lleguen a conocerse jamás, que nunca se produzca dicho encuentro.

Debéis comprender vuestra culpabilidad. Moveos con toda la naturalidad que os sea posible y no digáis que algo es «espiritual» y otra cosa es «mundana». Esa misma categorización está mal porque es entonces cuando nace la división. En cuanto etiquetáis algo como espiritual, de pronto habéis condenado al mundo. Cuando decís que algo es mundano, ha surgido la división. No hay necesidad de ello.

No dividís cuando veis la luna por la noche y la disfrutáis, y luego un día veis a un niño sonriendo y también disfrutáis. ¿Qué es espiritual y qué material? Veis una flor abrirse y algo se abre en vosotros que os hace regocijaros. La comida se está preparando, toma el sabor y de repente hay gozo en ello. ¿Qué es espiritual y qué mundano?

189
ALQUIMIA

La meditación es alquímica; transforma todo vuestro ser.
Destruye todas las limitaciones, todas las estrecheces, y os hace amplios.

La meditación os ayuda a deshaceros de los límites de la religión, de la nación, de la raza. La conciencia no solo os ayuda a desprenderos de todo tipo de confinamientos y encierros lógicos e ideológicos, sino que también os ayuda a trascender las limitaciones del cuerpo, de la mente. Os hace conscientes de que sois pura conciencia y no otra cosa.

El cuerpo únicamente es vuestra casa, no sois él. La mente solo es un mecanismo que hay que usar. No es el amo, sino un criado. Al adquirir conciencia de que no sois ni el cuerpo ni la mente, comenzáis a expandiros, os volvéis más y más amplios. Comenzáis a ser oceánicos, celestiales. La transformación os aporta gloria y también victoria.

190

ANHELAR LO POSIBLE

Cuando deseáis lo posible, lo imposible también puede suceder.
Cuando deseáis lo imposible, hasta lo posible se vuelve difícil.

Hay dos tipos de personas, las de energía baja y las de energía alta. No hay nada bueno en tener energía alta ni nada malo en tenerla baja. Así es como existen dos tipos. Las personas de baja energía se mueven muy despacio. Su crecimiento no es sobresaltado, no dan saltos. No explotan. Simplemente crecen como lo hacen los árboles. Requieren más tiempo, pero su crecimiento está más asentado, es más seguro, y retroceder es muy difícil. En cuanto han alcanzado un punto, no es fácil que lo pierdan.

Las personas de alta energía se mueven deprisa. Dan saltos. Con ellos, el trabajo es muy rápido. Eso está bien, pero hay un problema: sea lo que fuere lo que consigan, pueden perderlo con igual facilidad. Retroceden con suma facilidad porque han sido saltos, no desarrollo. Este necesita madurar lentamente, necesita tiempo.

Las personas de baja energía saldrán derrotadas en una competición mundana. Siempre se rezagarán. Por eso han sido criticadas. Hay tanta competencia en el mundo. Se apartarán de la carrera de ratas que es nuestra sociedad; no serán capaces de permanecer en ella. Serán expulsadas, las echarán.

Pero en lo referente al crecimiento espiritual, pueden crecer con una mayor profundidad que las personas de alta energía, porque son capaces de esperar y ser pacientes. No tienen demasiada prisa. No quieren nada al instante. Sus expectativas jamás van dirigidas hacia lo imposible. Solo anhelan lo posible.

191

DERRIBANDO PUENTES

Siempre es bueno derribar puentes con el pasado. Entonces uno se mantiene vivo, inocente y jamás pierde la infancia. Muchas veces es necesario derribar todos los puentes, estar limpio y empezar otra vez de cero.

Siempre que empezáis algo, volvéis a ser un niño. En cuanto comenzáis a pensar que habéis llegado, es otra vez el momento de derribar puentes, porque eso significa que empieza a asentarse la muerte. Os convertís en un ente, en un producto en el mercado. Y todo el que quiera ser creativo ha de morir cada día respecto del pasado, de hecho cada momento, porque la creatividad significa un renacimiento continuo. Si no renacéis, sea lo que fuere lo que creéis, representará una repetición. Si renacéis, solo entonces podrá salir algo nuevo de vosotros.

Sucede que incluso los grandes artistas, poetas y pintores llegan a un punto en el que no dejan de repetirse una y otra vez. En ocasiones ha sucedido que su primera obra es la más grande. Jalil Gibrán escribió *El profeta* cuando solo tenía veinte o veintiún años, y esa también fue su última obra. Después escribió muchos libros, pero ninguno alcanzó esa cumbre. De un modo sutil, no deja de repetir *El profeta*.

De modo que un artista, un pintor o un poeta, músico o bailarín, uno que ha creado algo nuevo cada día, posee una tremenda necesidad de olvidar completamente los ayeres, que no quede ni un recuerdo de ellos. La pizarra está limpia y de lo nuevo nace la creatividad.

192
FILOSOFÍA

Casi siempre pasa que cuando os falta algo empezáis a pensar en ello, comenzáis a crear una filosofía alrededor de ello.

Mi observación es que la gente que no ha amado escribe libros sobre el amor; es una especie de sustituto. La gente que no ha sido capaz de amar, escribe poesía, una magnífica poesía de amor, pero carece de experiencia acerca del amor, de manera que toda su poesía es simple especulación. Puede que deje volar la imaginación, pero eso no tiene nada que ver con la realidad del amor. La realidad del amor es totalmente diferente; ha de experimentarse.

193

EL CORAZÓN PASADO
POR ALTO

*Hemos pasado por alto nuestros corazones, hemos entrado en nuestras cabezas
directamente, sin pasar por el corazón. Hemos elegido un atajo.
Por determinados motivos, el corazón ha sido descuidado, soslayado...
porque el corazón es un fenómeno peligroso.*

En primer lugar, el corazón es incontrolable, y el hombre siempre
teme todo lo que está fuera de control. La cabeza es controlable. Está
dentro de vosotros y en vuestras manos; podéis dirigirla. El corazón es
más grande que vosotros; la cabeza está dentro de vosotros. No se da el
mismo caso con el corazón: vosotros estáis dentro de él. Cuando el corazón despierte, os sorprenderá saber que sois un punto diminuto en él.
Es más grande que vosotros, es vasto. Y el hombre siempre teme perderse en algo vasto.

La función que desempeña es misteriosa, y el misterio nos vuelve
naturalmente aprensivos. ¿Quién sabe qué va a pasar? ¿Y cómo va a encararlo uno? Nunca se está preparado en lo concerniente al corazón. Con
este, las cosas acontecen de forma inesperada. Extraños son sus caminos,
de ahí que el hombre haya decidido soslayarlo, ir directamente a la cabeza y mantener contacto con la realidad a través de la cabeza.

194
COMPARACIÓN

Mi sugerencia es: disfrutad de la música, de la poesía, de la naturaleza, pero evitad la tentación de diseccionarlas. Y tampoco comparéis, porque las comparaciones son inútiles.

No comparéis una rosa con una caléndula. Las dos son flores, de modo que es indudable que poseen ciertas similitudes, pero ahí es donde termina su parecido. También son únicas. Una caléndula es una caléndula... su color es de un dorado danzarín. La rosa es una rosa... esa tonalidad rosácea, esa viveza. Las dos son flores, de modo que ambas son similares, podéis encontrar similitudes, pero no tiene sentido hacerlo. Podéis perder de vista su singularidad, y esa singularidad es hermosa. Las similitudes no tienen mucho sentido.

Hay personas que no paran de encontrar similitudes: qué hay de similar en el Corán y en la Biblia, y qué es similar en la Biblia y en los Vedas. Son personas estúpidas; pierden su tiempo y perderán el tiempo de otras personas. Buscad siempre lo único y evitad la tentación de compararlo, porque la comparación lo tornará mundano, mediocre.

Jesús convirtió el agua en vino. Ese es el milagro de un poeta, eso es poesía... convertir agua en vino. Las palabras corrientes se vuelven tan embriagadoras cuando proceden de un poeta, que uno puede emborracharse. Pero luego están los profesores, los maestros y los eruditos que hacen exactamente lo opuesto: son expertos en convertir el vino en agua. ¡Son los verdaderos anticristo! No hagáis eso. Si no podéis convertir el agua en vino, es mejor no hacer nada.

195
ETERNIDAD

La eternidad no es la continuidad del tiempo para siempre. Ese es el sentido que aparece en los diccionarios: por siempre jamás. Pero para siempre es parte del tiempo... de un tiempo prolongado indefinidamente, pero sigue siendo tiempo. La eternidad es salirse del tiempo; es atemporal, sin tiempo.

El momento presente es la puerta a la eternidad. El pasado y el futuro son parte del tiempo. El presente no es parte del tiempo... el presente se encuentra entre los dos, entre el pasado y el futuro. Si estáis absolutamente alertas, solo entonces os halláis en el presente; de lo contrario, no dejáis de perdéroslo. Si no estáis alertas, cuando lo estéis ya habrá pasado, se habrá convertido en pasado; es muy veloz.

De modo que entre el pasado y el futuro hay una puerta, una abertura, un intervalo —el ahora— que es la puerta a la eternidad. Solo en esta es posible la felicidad: en el tiempo, en el mejor de los casos, está el placer; en el peor, el dolor, pero ambos son fugaces. Su naturaleza no es diferente. El dolor viene y va, el placer viene y va. Son burbujas de agua momentáneas.

La felicidad carece de contrapartida. No es una dualidad de placer y dolor, de día y noche. Es no dual, no tiene opuesto. Es una trascendencia.

Intentad estar cada vez más en el presente. No os adentréis demasiado en la imaginación y la memoria. Siempre que os encontréis adentrándoos en la memoria, en la imaginación, devolveos al presente, a lo que estáis haciendo, adonde estáis, a quienes sois. Regresad una y otra vez al presente. Buda lo llamó la evocación de uno mismo; en esa evocación entenderéis poco a poco lo que es la eternidad.

196
PUNTO CERO

Nos hemos acostumbrado a los altibajos: cuando estamos arriba, nos sentimos bien; cuando estamos abajo, nos sentimos mal. Pero justo en el medio hay un punto que no es ni arriba ni abajo; es el punto neutral.

A veces ese punto neutral asusta mucho, porque si uno se siente mal, uno sabe a qué se debe; si uno se siente bien, también sabe a qué se debe. Pero cuando no se puede sentir ninguna de las dos cosas, uno simplemente se halla en una especie de limbo y siente miedo. Pero ese punto es muy hermoso. Si sois capaces de aceptarlo, os dará una percepción inmensa sobre vuestra vida. Cuando estáis arriba, eso os perturba; todos los placeres conllevan un estado febril de excitación. Y cuando estáis abajo, una vez más os veis perturbados de un modo negativo. Cuando estáis arriba, queréis aferraros a ese estado; cuando estáis abajo, queréis salir de él. Hay algo en lo que trabajar y en lo que mantenerse ocupado, pero cuando os halláis justo en el medio, toda la fiebre se desvanece; es el punto cero.

A través de ese punto cero se puede disponer de una inmensa percepción de uno mismo, porque todo está en silencio.

No hay felicidad ni infelicidad, de modo que no hay ningún tipo de ruido, hay absoluta quietud. Buda empleó este punto muy profundamente con todos sus discípulos. Era una obligación, todo el mundo debía alcanzarlo primero, y luego comenzaba el trabajo. Él lo llamaba *upeksha*, otro nombre para neutralidad.

197
VULNERABILIDAD

La existencia en el cuerpo es muy precaria. En cualquier momento basta con un poco más de oxígeno, o un poco menos, ¡y habéis desaparecido!
Un poco menos de azúcar en la sangre y os habéis marchado...
¡Una leve disfunción en el cerebro y no existís!

La vida existe en la vulnerabilidad... en el peligro, en la inseguridad. No hay seguridad y no puede haberla. La seguridad solo es para las personas muertas. Son muy fuertes. ¿Podéis matar a un hombre muerto? No. ¿Podéis destruir a un hombre muerto? No. Es muy fuerte.

Cuanto más elevada es la calidad de vida, más débil es. Contemplad una rosa, un poema, una canción, la música... ¡vibra durante un segundo y desaparece! Mirad el amor: un momento está ahí, al siguiente no. Observad la meditación.

A medida que ascendéis, descubriréis que las cosas se vuelven más y más vulnerables. De modo que la vulnerabilidad no tiene nada de malo; es entender cómo es la vida. Fingir ser fuerte es una tontería, porque es un error. Nadie es fuerte, nadie puede serlo; no es más que un juego del ego. Incluso Alejandro Magno no es fuerte... llega un día en que toda su fuerza se desvanece.

Así que aprended a aceptar vuestra vulnerabilidad, y luego tendréis una profunda comprensión y un profundo flujo de energía. No la sentiréis como un problema. No lo es; es algo muy importante que está teniendo lugar.

198
ÁNGULOS DIFERENTES

Siempre es bueno sentir al otro desde ángulos diferentes,
porque un hombre posee múltiples aspectos.

Cada persona lleva un mundo dentro, y si de verdad queréis conocer a una persona, tenéis que conocerla desde todos los ángulos posibles. Entonces dos personas pueden quedar encantadas una por la otra para siempre, porque ya no hay ningún papel fijo. Y pasados unos días, cuando volvéis a estar en los papeles de marido y mujer, para variar, ¡entonces es hermoso, es algo nuevo! Es como si volvierais a reuniros después de muchos días.

El cambio siempre es bueno. Y siempre encuentra maneras y medios de relacionarse con la persona de un modo nuevo, en una nueva situación. Nunca entréis en la rutina. Entonces la relación siempre fluye. Siempre hay sorpresas, y es bueno sorprender al otro y verse sorprendido por el otro; de esa forma la relación jamás está muerta.

199
LA VERDAD

La verdad se consigue únicamente mediante la conciencia.
No se trata de un proceso mental, es un fenómeno totalmente diferente.
No debéis pensar la verdad, tenéis que parar todo pensamiento para conocer
la verdad: debéis olvidar todo sobre la verdad, para conocer la verdad.

Debéis desprenderos de la carga de todas las teorías, hipótesis, filosofías e ideologías que habéis aprendido. El proceso de alcanzar la verdad es un proceso de desaprendizaje, de desacondicionamiento. Poco a poco, uno ha de salir de la mente, escabullirse fuera de la mente, para convertirse en un estanque de conciencia, de pura conciencia. Simplemente una absoluta vigilancia: sin hacer nada, vigilando todo lo que sucede en los mundos exterior e interior.

Cuando uno puede observar sin que el juicio interfiera, sin que irrumpan viejas ideas, entonces se revela la verdad. Y el milagro es que no procede de otra parte, no desciende desde las alturas; se encuentra en vuestro interior... es vuestra naturaleza intrínseca. Realmente es una gran revelación conocer la verdad, porque vosotros sois ella y nunca la habéis perdido, ni siquiera durante un solo momento. Siempre habéis sido ella. Es imposible perderla, porque es vuestra naturaleza y esta no se puede perder. Por eso la llamamos naturaleza. Lo que no se puede perder es la propia definición de naturaleza. Aquello que se puede perder no es naturaleza, sino nutrición. La verdad es vuestra naturaleza, vuestro propio ser, vuestra existencia, vuestro centro.

200

INSEGURIDAD

El hombre es una flor frágil. Cualquier piedra puede aplastarlo.
Cualquier accidente, y desaparecéis. Una vez que entendéis esto...

Aunque sintáis mucho miedo, ¿qué hacer? La noche es oscura, el camino desconocido, no hay ninguna luz que lo ilumine, nadie que os guíe, ningún mapa, entonces, ¿qué hacer? Si os gusta llorar, llorad, pero eso no ayuda a nadie. Mejor aceptarlo y tantear en la oscuridad. Disfrutad mientras sois. ¿Por qué perder tiempo en busca de seguridad cuando esta no es posible? Esta es la sabiduría de la inseguridad. Una vez que la entendéis, que la aceptáis, quedáis liberados del miedo.

Sucede siempre en el frente de guerra, cuando los soldados salen a combatir, que los domina el miedo, porque la muerte los espera. Quizá jamás regresen. Tiemblan, no pueden dormir, sufren pesadillas. Una y otra vez sueñan con que los han matado o mutilado. Pero en cuanto llegan al frente, todo el miedo se desvanece. En cuanto ven que la muerte está aconteciendo, que la gente muere, que otros soldados han muerto, que sus amigos puede que estén muertos, que las bombas caen y las balas silban... en menos de veinticuatro horas se asientan, el miedo desaparece. Lo aceptan; empiezan a jugar a las cartas mientras a su alrededor silban las balas. Beben té y lo disfrutan como nunca antes lo han disfrutado, porque puede que sea su última taza. Bromean y ríen, bailan y cantan. ¿Qué hacer? Cuando la muerte está ahí, está ahí.

Eso es inseguridad. Aceptadla, y entonces desaparecerá.

201

PALABRAS

Las palabras no son simplemente palabras.
Tienen sus propios estados de ánimo, sus propios ambientes.

Cuando una palabra se asienta en vuestro interior, aporta una atmósfera diferente a vuestra mente, un enfoque y una visión distintos. Llamad a la misma cosa con un nombre diferente y lo veréis: de inmediato algo es distinto.

Hay palabras que provienen de los sentimientos y palabras intelectuales. Desprendeos cada vez más de las intelectuales. Emplead cada vez más las palabras que provienen de los sentimientos. Hay palabras políticas y palabras religiosas. Desprendeos de las políticas. Hay palabras que de inmediato crean conflicto. En cuanto las pronunciáis, surge una discusión. De modo que nunca empleéis un lenguaje lógico y argumentativo. Utilizad el lenguaje del afecto, del cariño, del amor, para que no surja ninguna discusión.

Si uno empieza a sentir de esta manera, ve que surge un cambio tremendo. Si uno está un poco alerta en la vida, se pueden evitar muchas desdichas. Una sola palabra dicha con inconsciencia puede crear una larga cadena de desdicha. Una leve diferencia, simplemente un pequeño giro, y eso produce un gran cambio. Uno debería tener mucho cuidado y emplear las palabras cuando sea absolutamente necesario. Evitad las palabras contaminadas. Utilizad palabras frescas, carentes de controversia, que no sean discusiones sino simples manifestaciones de vuestros sentimientos.

Si uno puede convertirse en un experto en palabras, la vida será muy distinta. Si una palabra provoca desdicha, ira, conflicto o discusión, dejadla. ¿Qué sentido tiene seguir con ella? Sustituidla por algo más apropiado. Lo mejor es el silencio. Lo mejor es cantar, la poesía, el amor.

202

SIN PALABRAS

Si es posible, vivid una experiencia y no la fijéis con ninguna palabra,
porque eso la empobrecerá.

Estáis sentados... es una noche silenciosa. El sol se ha puesto y las estrellas han comenzado a aparecer. Simplemente ser. Ni siquiera digáis: «Qué hermoso es», porque el momento en que digáis que es hermoso, ya no es lo mismo. Al decir «hermoso», introducís el pasado, y todas las experiencias en que dijisteis que eran hermosas han condicionado la palabra.

¿Por qué traer el pasado? El presente es tan vasto... y el pasado tan estrecho. ¿Por qué mirar a través de un agujero en la pared cuando podéis salir y mirar todo el cielo?

Así que intentad no utilizar palabras, pero si os veis en la necesidad, entonces ser muy selectivos, porque cada palabra posee un matiz propio. Ser muy poéticos al respecto.

203
ESTRATAGEMAS Y PRINCIPIOS

Todas las religiones básicamente no son más que métodos de despertar.
Pero todas las religiones se han descarriado debido a las doctrinas.
Esas doctrinas no son importantes, no son más que soportes de los métodos.
Son arbitrarias.

Por ejemplo, los cristianos creen en una única vida. Esa es una estratagema para hacer que el hombre sea consciente. Os sorprenderíais, porque por lo general lo consideramos un principio. No lo es; no es más que una estratagema para obligar a que entre una idea. Es un modo de martillear: «No perdáis tiempo en cosas innecesarias. No persigáis el poder, el dinero, el prestigio, porque solo tenéis una vida. Se acerca la muerte, y luego no hay más camino. Así que estad alertas, atentos y fijaos en lo que hacéis». Esto es una estratagema; no un principio.

Pero ahí es donde las cosas salen mal: los cristianos lo consideraron un principio, de manera que empezaron a formular una gran filosofía basada en ello. Desde luego, va contra el hinduismo, porque este dice que hay muchas vidas... una larga cadena de vidas, millones de vidas. Aquí hay un problema: si estos son principios, entonces hay un conflicto. Los dos no pueden tener razón, solo uno.

Pero también eso es una estratagema ideada para otro tipo de personas, unas que han conocido demasiado, que han visto muchos cambios y que se han percatado del hecho de que la historia se repite. Pero el fin es el mismo. En Oriente se dice: «Has estado haciendo estas cosas una y otra vez durante muchas vidas. ¿Vas a continuar con este círculo vicioso, con esta repetición aburrida? Ya llevas aquí mucho tiempo, haciendo las mismas cosas estúpidas una y otra vez. ¡Es hora de que estés alerta!».

204
SIMPLEMENTE ESTO

Es la esencia misma de la meditación: simplemente esto.
Permanecer consciente simplemente de esto es meditación...
vigilarlo, observarlo, sin condena, sin evaluación, siendo solo un espejo.

La mente solo puede vivir en el pasado y a través del pasado, o en el futuro y a través del futuro. El momento presente se convierte en su tumba: la mente no puede existir en esto. Y hallarse en un estado de no mente es estar en meditación.

Este puede convertirse en uno de los grandes secretos. Puede ser la misma llave que abra la puerta de lo divino. Cuando algo esté pasando por la mente, recordad: *simplemente esto*. No digáis que está bien, no digáis que está mal; no comparéis. No deseéis que algo sea otra cosa. Sea lo que fuere, es, y sea lo que no fuere, no es.

El hombre crea mucha desdicha de esta tensión. Intenta alcanzar aquello que no es, y tiende a olvidar lo que es.

Por ejemplo, cuando lloráis... en lo más hondo, convertidlo en una meditación. En lo más hondo, decid: *simplemente esto*. No lo evaluéis, no penséis que no debería ser. Dejadlo ser, y manteneos como observadores ecuánimes y distantes. No es ni bueno ni malo... nada jamás es bueno o malo; las cosas simplemente son. Si no juzgamos, la mente empieza a desaparecer. Y ver la realidad sin la mente es ver la verdad.

205
MÁS ALLÁ DE LA TERAPIA

La terapia sugiere que despacio, lentamente, os desprendéis de las cargas.
Lo que digo es algo que está más allá de la terapia,
pero la terapia os prepara.

El trabajo de la terapia es limitado: os ayuda a estar cuerdos, eso es todo; os mantiene cuerdos. Mi trabajo va más allá de la terapia, pero la terapia ha de preparar el camino. Las terapias despejan el terreno; luego yo puedo sembrar las semillas. Despejar el terreno no va a crear el jardín. Ahí es donde la terapia falla en Occidente. Vais a ver al terapeuta, despeja el terreno, os ayuda a eliminar cargas, y entonces empezáis a acumular otra vez las mismas cosas, porque el jardín no está preparado. ¿Qué vais a hacer con el terreno despejado? Volveréis a acumular todo tipo de basura.

La terapia prepara el terreno y luego las rosas pueden crecer en vuestro interior. De manera que el terapeuta tiene razón; la agresión, la ira, la tristeza, la desesperanza, el amor, todo ha de ser expresado, aceptado. Luego empieza mi trabajo; luego os puedo decir cómo desprenderos del ego. Ya no hay necesidad de llevarlo... podéis desprenderos de él.

206
UNIÓN

Empezad a establecer tantos contactos con la existencia como os sea posible.
Sentaos junto a un árbol, abrazadlo y sentid que os estáis reuniendo
y fundiendo con él. Nadad, cerrad los ojos y sentid que os estáis fundiendo
con el agua; dejad que haya una unión.

Encontrad medios en los que podáis relajaros y uniros con algo.
Cuanto más unáis vuestra energía con alguna otra energía, de cualquier
forma —un gato, un perro, un hombre, una mujer, un árbol—, más
cerca estaréis del hogar. Es una tarea agradable, extática.

En cuanto lleguéis a sentirlo, en cuanto le hayáis tomado el gusto, os
sorprenderá lo mucho que os habéis perdido en la vida. Cada árbol junto
al que habéis pasado podría haberos ocasionado un gran orgasmo, y cada
experiencia —un crepúsculo, un amanecer, la luna, las nubes en el cielo,
la hierba en la tierra—, todas estas cosas podrían haber sido una y otra
vez grandes experiencias extáticas. Tumbado sobre el césped, sentir que
os convertís en uno con la tierra. Fundíos con la tierra, desapareced en
ella; dejad que os penetre.

Esta es una meditación: alcanzad la unión a través de todos los
medios que podáis. Dios tiene diez mil puertas y está disponible desde
todas partes. Pero solo está disponible en un estado de unión. Por eso es
por lo que a veces los amantes llegan a conocer la meditación en el orgasmo profundo. Es una de las formas de crear unión, pero es únicamente
una de las muchas formas que hay; de hecho, hay millones. Si uno se
dedica a buscar, no hay final.

207
SÍ

Decidle sí a la vida, desprendeos de todos los noes que os sea posible.
Aunque tengáis que decir que no, decidlo, pero no disfrutéis al hacerlo.
Y si es factible, decidlo en la forma de un sí. No perdáis ni una sola oportunidad
de decir que sí a la vida.

Cuando digáis sí, hacedlo con gran celebración y júbilo. Alimentadlo, no lo digáis a regañadientes. Decidlo con cariño, con entusiasmo, con pasión; volcaos por completo en ello. Cuando digáis sí, ¡convertíos en el sí!

Os sorprenderá saber que se pueden abandonar noventa y nueve noes con facilidad. Los decimos solo como parte del ego; no eran necesarios, tampoco inevitables. El no que queda será muy importante, ese no es necesario eliminarlo. Pero incluso al pronunciar ese no esencial uno ha de ser muy precavido, renuente, porque él no es muerte y él sí es vida.

La gente está muerta porque no cesa de decir que no. Fijaos en vosotros y en otros y os asombraréis: las personas dicen no sin ningún motivo en absoluto. Pero disfrutan al hacerlo, les da un cierto poder. Cuando podéis decirle que no a alguien os sentís poderosos.

208

DOMINACIÓN

La idea de dominar surge de un complejo de inferioridad;
las personas dominan porque tienen miedo, no están seguras de sí mismas.

Hay una historia oriental muy famosa... Un hombre ciego está sentado bajo un árbol. Llega un rey, toca los pies del ciego y dice: «Maestro, ¿cuál es el camino que conduce a la capital?». Entonces llega el primer ministro del rey y, sin tocar sus pies, dice: «Señor, ¿cuál es el camino que conduce a la capital?». Luego llega un ordenanza. Golpea la cabeza del hombre ciego y dice: «Idiota, ¿cuál es el camino que conduce a la capital?». El grupo del rey se ha perdido. Cuando todos se han ido, el ciego empieza a reírse. Hay otra persona sentada a su lado que le pregunta: «¿Por qué ríes?».

El ciego responde: «Porque el primer hombre debía ser un rey, el segundo un primer ministro y el tercero un pobre alguacil».

El hombre queda desconcertado. «¿Cómo has podido saberlo? Eres ciego». El ciego contesta: «Simplemente por su comportamiento... El rey está tan seguro de su superioridad que podía tocarme los pies. El ordenanza se sentía tan inferior que tuvo que golpearme. Debe hallarse en una pobre situación».

Y esto sucede siempre. No hay necesidad de dominar, ninguna en absoluto.

209
NECEDAD

*Esos momentos en que sentís que lo que estáis haciendo es una necedad
son momentos muy raros de sabiduría.*

Buscar es una necedad, porque ya tenemos aquello que buscamos.
Meditar es una necedad, porque la meditación es un estado de no hacer.
Preguntar es una necedad, porque la respuesta no puede venir del exterior... solo de vuestro corazón. De hecho, no puede llegar como respuesta, lo hará como desarrollo. Será un florecimiento de vuestro ser.

Pero esos momentos en que sentís que es una necedad son momentos muy raros de sabiduría. No podéis sentiros necios siempre, ¡de lo contrario os iluminaríais!

En la tradición zen se repite una y otra vez el siguiente incidente, en cada época con cada maestro: alguien llega y afirma que quiere convertirse en un Buda y el maestro lo golpea con mucha fuerza... porque es una cuestión necia. A veces ha sucedido, si se encuentra realmente preparado y a punto, a veces ha sucedido que con el primer golpe del maestro la persona se ha vuelto iluminada. Ha sido capaz de ver en ese golpe que era una necedad preguntar cómo llegar a ser un Buda, ¡porque ya era Buda!

De modo que estas cosas le van a suceder a cada buscador. Al meditar, de pronto hay un rayo de luz y veis que es una necedad. Pero son momentos muy raros de sabiduría aquellos en los que os sentís necios. Solo un hombre sabio puede sentirse necio. Los necios jamás sienten que lo son; creen que son sabios. Esa es la definición de un necio: se considera sabio. Y un hombre sabio ha llegado a saber que todo es una necedad.

210

NIÑOS

Pensad en cada niño como un milagro. Respetadlos, reverenciadlos;
no los deis por supuestos.

Cada niño es un encuentro del Cielo y de la Tierra. Cada niño es un milagro. Algo acontece que por regla general no sucede: la unión de la materia y la conciencia, la unión de lo visible y lo invisible. Así que consideradlo un milagro. Respetadlo, reverenciadlo; no lo deis por supuesto.

En cuanto el niño se da por hecho, empezamos a asesinarlo. Y cada niño es asesinado; eso es lo que está sucediendo en todo el mundo y lo que ha pasado a lo largo de los siglos: es una gran masacre. No se trata solo de que Herodes matara a todos los niños de Israel, es algo que acontece a diario; sucedía antes de Herodes y ha sucedido desde él.

Cada niño pasa por un asesinato psíquico; en cuanto no es respetado y consideráis que os pertenece como si fuera una posesión, el niño ha muerto, ha sido borrado. Hay que respetarlo como a un Dios, porque es la llegada de Dios al mundo otra vez. Cada niño es una declaración de Dios de que aún no se ha cansado, de que todavía no se ha hartado del hombre, que aún alberga esperanzas, que continuará creando nuevos seres humanos, sin importar en qué nos convirtamos, si en pecadores o en santos. Sea lo que fuere lo que hagamos, él todavía espera que se cree el verdadero hombre. ¡Dios aún no ha fallado! Esa es la declaración de cada niño que llega a la Tierra, que llega a la existencia.

211

IRRESPONSABILIDAD

Cuando empezáis a haceros responsables, comenzáis a desprenderos de vuestros rostros falsos. Otros empiezan a sentirse perturbados porque siempre han tenido expectativas y vosotros satisfacíais esas exigencias. Ahora sienten que os estáis volviendo irresponsables.

Cuando dicen que os estáis volviendo irresponsables, simplemente expresan que comenzáis a salir de su dominio. Os hacéis más libres. Para condenar eso, lo llaman «irresponsabilidad».

De hecho, la libertad es crecer. Y os estáis haciendo responsables, pero la responsabilidad significa la capacidad de responder. No es un deber que haya que satisfacer en el sentido ordinario. Es una respuesta, una sensibilidad.

Pero cuanto más sensibles os volvéis, más vais a descubrir que muchas personas pensarán que os volvéis irresponsables —y tendréis que aceptarlo—, porque sus intereses, sus inversiones, no quedarán satisfechos. Muchas veces no colmaréis sus expectativas, pero nadie ha venido a este mundo a satisfacer las expectativas de los demás.

La responsabilidad básica es hacia uno mismo. De modo que un meditador primero ha de ser muy, muy egoísta, pero luego, cuando se haya centrado más, cuando haya arraigado en su propio ser, la energía empieza a rebosar. Pero no es un deber. No es que alguien deba hacerlo. A uno le encanta hacerlo; es compartir.

212

INEXPRESABLE

Cuando algo sucede de verdad, siempre es inexpresable.

Cuando no sucede nada, podéis hablar mucho al respecto. Pero cuando realmente sucede algo, entonces hablar es casi imposible. Uno simplemente se siente incapaz.

Benditos, pues, los momentos en que algo sucede y uno no puede decir qué está pasando y qué ha pasado, cuando uno pierde el habla y no sabe qué decir.

¡Entonces ha sucedido algo de verdad!

213

CONFUSIÓN FELIZ

La claridad es de la mente. La felicidad es de la totalidad. Todo lo que está vivo siempre es confuso. Solo las cosas muertas están claras y no son confusas.

No busquéis la claridad, de lo contrario empezaréis a aferraros a vuestra desdicha, porque esta es muy clara. Id a ver a un médico si tenéis alguna enfermedad que él pueda diagnosticar de un modo preciso. Os puede diagnosticar si tenéis cáncer, o esto o aquello; mil y una enfermedades. Pero si estáis sanos, no tiene nada que diagnosticar. De hecho, la ciencia médica no tiene nada con lo que definir qué es la salud. En el mejor de los casos, puede decir que no estáis enfermos, pero no puede mostrarse muy definitiva acerca de lo que es la salud. No se puede clasificar.

La felicidad es más grande que la salud. La salud es la felicidad del cuerpo, la felicidad es la salud del alma.

Así que no os molestéis con la claridad. ¿Qué tienes que ver tu con la claridad? Aquí no estamos centrados en la aritmética. Solo los tontos hacen eso. Olvidaos por completo de la claridad. La confusión es caótica, desde luego... aterradora... pero la aventura y el desafío están ahí. Aceptad el desafío y lanzaos de cabeza. No le prestéis mucha atención a la confusión.

Centraos más en la felicidad y olvidaos de la confusión, porque esta se hallará presente. Cuando entréis en un nuevo territorio que nunca antes habéis probado, vuestros viejos patrones estarán confusos. Escuchad a la felicidad; dejad que esta sea el indicador. Dejad que eso decida vuestra dirección y avanzad hacia allí.

214
CARÁCTER

Un hombre espiritual carece de carácter.

Una persona es una abertura. ¿Mañana quién sabe quién seréis? Ni siquiera vosotros podéis decirlo, porque aún no habéis conocido el mañana ni lo que os traerá. De modo que la gente que de verdad está alerta nunca promete nada, porque, ¿cómo podéis prometer? No podéis decirle a alguien: «Mañana también te amaré», porque, ¿quién sabe?.

La verdadera percepción os aportará tal humildad que diréis: «No puedo decir nada sobre el mañana. Ya veremos. Deja que venga. Espero amarte, pero nada es seguro». Y ahí radica la belleza.

Un hombre espiritual carece de carácter. Es libertad, y es muy confuso. Un hombre de carácter tiene las cosas muy claras, pero un hombre que vive en libertad es muy confuso consigo mismo y también con los demás. Pero posee belleza en ello, porque está vivo, siempre palpitando con posibilidades nuevas, con nuevas potencialidades.

215
ENERGÍA

Cuando el árbol está a rebosar de vitalidad, florece. Las flores son un lujo.
Solo cuando tenéis mucho y no podéis contenerlas, se manifiestan hacia fuera.

La espiritualidad es un florecimiento, es el lujo definitivo. Si estáis a rebosar de vitalidad, solo entonces algo como una flor dorada florece en vosotros. William Blake tiene razón al manifestar que la energía es deleite. Cuanta más energía tengáis, más deleite experimentaréis.

La desesperación surge por una pérdida continuada de energía; y las personas han olvidado cómo contenerla. En mil y un pensamientos, preocupaciones, deseos, imaginación, sueños, recuerdos... la energía se pierde. Y también en cosas innecesarias que se pueden evitar. Cuando no hay necesidad de hablar, la gente sigue hablando. Cuando no hay necesidad de hacer nada, no es capaz de permanecer sentada en silencio. Tiene que «hacer».

Las personas están obsesionadas con hacer, como si ello fuera algo que embriagara; las mantiene borrachas. Permanecen ocupadas para no tener tiempo para pensar sobre los verdaderos problemas de la vida. Se mantienen atareadas para no tropezar consigo mismas. De lo contrario, tienen miedo al abismo que se abre en su interior. Así es como la energía no cesa de filtrarse y el motivo por el que nunca tenéis suficiente.

Hay que aprender a desprenderse de lo innecesario. Y el noventa por ciento de la vida corriente es innecesario; se puede dejar con facilidad. Hay que ser casi telegráfico, mantener justo lo esencial, y os quedará tanta energía que un día, de pronto, comenzáis a florecer, sin ningún otro motivo.

216
MEDITACIÓN

Hay una meditación que sencillamente sucede... no está en nosotros hacerla. Por nuestra parte solo necesitamos realizar una cosa: y es que si sucede, no debemos entorpecerla.

La meditación que vosotros podéis dirigir seguirá siendo un juego mental. Es vuestra mente la que mantiene el control; es la mente la que lleva a cabo la meditación. Pero dicha meditación no puede llevaros más allá de la mente. ¿Cómo podrá hacerlo si es la mente la que la provoca? Entonces está manipulada por la mente y sigue siendo algo que se encuentra en vuestras manos.

La verdadera meditación es aquella que no está en vuestras manos; todo lo contrario, vosotros estáis en sus manos. Pero las técnicas pueden ayudaros, os llevan a un punto de frustración. Os llevan a un punto de desesperanza. Os llevan a un punto en el que, por desesperación al ver el círculo vicioso que provocáis, que no lleva a ninguna parte, ya que una y otra vez llegáis al mismo punto, a la mente, hasta que un día os dais cuenta de que vuestro hacer es vuestra perdición. En ese mismo momento os dejáis ir.

Entonces desaparece toda la acción, todo esfuerzo. Algo desciende desde el más allá. Eso es liberación. E incluso un único momento de ese vislumbre es suficiente. Nunca más volvéis a ser los mismos... no podéis serlo.

217
LO NUEVO

Simplemente recordad que el cambio es vida. Cada momento permanece
disponible a lo nuevo. Dadle siempre la bienvenida a lo nuevo
para que el cambio pueda continuar.

Lo que la gente hace es simplemente lo opuesto: se aferra a lo antiguo; entonces el cambio se detiene. El cambio es con lo nuevo. Con lo antiguo no hay cambio, pero las personas se aferran a lo antiguo porque eso parece seguro, cómodo, familiar. Habéis vivido con ello, así que lo conocéis, os habéis vuelto diestros en su manejo, expertos. Con lo nuevo volveréis a ser ignorantes. Con lo nuevo podéis cometer errores; ¿y quién sabe adónde puede conducir? De ahí que surja el miedo, y debido a ello la gente se aferra a lo antiguo. Y en cuanto os aferráis a lo antiguo dejáis de fluir.

Permaneced disponibles a lo nuevo. No dejéis de morir al pasado. ¡Está acabado! Ayer, sí, es ayer, y nunca podrá volver. Si os aferráis a él, moriréis con él; se convertirá en vuestra tumba. Abrid el corazón a lo que os llegue. Dadle la bienvenida al sol naciente y decidle siempre adiós al poniente. Sentíos agradecidos, os ha dado mucho, pero por gratitud no os aferréis a él.

Si recordáis esto, la vida no deja de crecer, de madurar. Cada paso nuevo, cada nueva aventura, aporta una riqueza nueva. Y cuando la totalidad de la vida es movimiento, en el momento en que llega la muerte uno es tan rico y ha conocido algo tan tremendamente definitivo, que esta no se puede llevar nada. La muerte solo le llega a las personas pobres... aquellas que no han vivido.

218

BUDEIDAD

Nada falta, todo es como debería ser. Todo el mundo ya es perfecto.
La perfección no es algo a alcanzar; ya está presente.
En el momento en el que os aceptáis, se os revela.

Si no os aceptáis, no dejáis de perseguir sombras, espejismos lejanos. Y solo os parecen hermosos cuando os encontráis muy lejos de ellos. Cuanto más os acercáis, más descubriréis que no hay nada, únicamente arena; que era un espejismo. Entonces creáis otro espejismo. Y así es como la gente desperdicia toda su existencia.

Simplemente aceptaos como sois. No condenéis, nada hay que condenar, nada hay que juzgar. No hay manera de juzgar, de comparar, porque cada persona es única. Nunca ha habido un hombre como vosotros y nunca volverá a haberlo, de modo que estáis solos; la comparación no es posible. Y así es como la existencia quiere que seáis, por eso sois de esa manera. No luchéis con la existencia, y no intentéis mejoraros, de lo contrario crearéis un desastre. Así es como las personas han estropeado sus vidas.

Este es mi mensaje: aceptaos. Será duro, muy duro, porque la mente idealista siempre está ahí, vigilando y diciendo: «¿Qué estáis haciendo? ¡No es lo correcto! Tenéis que volveros grandes, tenéis que convertiros en Buda o en Cristo... ¿qué hacéis? Esto no parece un Buda, os comportáis como necios. ¿Estáis locos?».

Aceptaos. En esa aceptación consiste la budeidad.

219
CANCIÓN DE VIDA

La vida puede ser una canción, pero uno también puede pasarla por alto; no es inevitable. El potencial existe, pero debe ser realizado. Muchas personas piensan que el día en que nacieron todo acabó. Nada está acabado.

El día en que uno nace, las cosas no hacen más que empezar. El nacimiento ha de suceder millones de veces en toda vuestra vida: tenéis que nacer una y otra y otra vez.

El hombre posee tal potencial, tantos aspectos; es multidimensional. Pero las personas nunca exploran su propio ser, por eso la vida es triste, pobre. Esa es la verdadera pobreza. La pobreza exterior no es un gran problema; se puede solucionar, se solucionará. La tecnología ha llegado al punto en que la pobreza va a desaparecer de la faz de la tierra; ha llegado el momento para ello. Pero el verdadero problema es la pobreza interior. Hasta las personas ricas llevan una vida muy pobre. Sus cuerpos están atiborrados de comida, pero sus almas se mueren de hambre. Todavía no han conocido la canción de la vida, no han oído nada de ella. De algún modo continúan existiendo, tirando, arrastrándose, pero no hay júbilo.

Una gran canción es posible, una gran riqueza es posible, pero uno debe empezar a explorar. Y el mejor modo de explorar la canción de la propia vida es amar; esa es la metodología. Así como la lógica es la metodología de la ciencia, el amor lo es del espíritu. Así como la lógica os hace capaces de penetrar más y más en la materia, el amor os hace capaces de ahondar más y más en la conciencia. Y cuanto más profundo vais, más profundamente son liberadas las canciones. Cuando uno ha alcanzado el mismo núcleo del ser, la totalidad de la vida se convierte en una celebración, en una absoluta celebración.

220

MANTENED LA PRIVACIDAD

Cada persona debe tener su propio espacio interior, entonces es bueno encontrarse a veces. Entonces hay gozo en la reunión, anhelo y pasión.

Mi impresión es que siempre es bueno separar el trabajo del amor, siempre. No casan bien juntos. Vuestros problemas de trabajo empiezan a afectar a vuestro amor, y vuestros problemas de amor empiezan a afectar vuestro trabajo; las cosas se multiplican. El amor en sí mismo es suficiente, es un mundo. No lo carguéis con nada más; ya es complicado. Mantenedlos separados y el trabajo os resultará más fácil, vuestra vida amorosa será más relajada.

Mi impresión es que marido y mujer no deberían estar juntos las veinticuatro horas del día; eso también es duro sobre los dos. Perdemos interés. Terminamos por dar por sentada a la mujer y terminamos por dar por sentado al marido. No disponéis de vuestro propio espacio. No dejáis de superponeros, de atestaros, y tarde o temprano termina en estrés.

Es mejor mantener la privacidad de la persona. Cada persona debe tener su propio espacio interior, entonces es bueno encontrarse a veces. Entonces hay gozo en la reunión, anhelo y pasión. De lo contrario no hay pasión, ni júbilo: estáis juntos durante las veinticuatro horas. Uno tiende a olvidar a la persona que está demasiado próxima las veinticuatro horas, lo obvio tiende a ser olvidado. Trabajad por separado y vuestra proximidad crecerá, vuestra intimidad crecerá.

221

NOCHE OSCURA DEL ALMA

Todos aprendemos cómo ser felices y a seguir riendo y bromeando...
así es cómo toda la sociedad avanza en un remolino de alborozo.
Pero todo el mundo lleva una noche profunda y oscura en el interior,
y ni siquiera se es consciente de ella.

Cuando entréis en un estado meditativo, primero entraréis en esta noche oscura del alma. Si lográis pasar por ella —y no hay dificultad en atravesarla—, entonces por primera vez seréis conscientes de que vuestra felicidad no era verdadera. La felicidad falsa desaparecerá y llegará la tristeza verdadera, y solo después de la tristeza verdadera es cuando emergerá la felicidad verdadera. Entonces sabréis que la felicidad falsa era incluso peor que la tristeza verdadera, porque al menos en esa tristeza hay realidad. Si estáis tristes —verdadera y sinceramente tristes—, esa tristeza os enriquecerá.

Os proporciona profundidad, percepción. Os hace conscientes de la vida y de las posibilidades infinitas y de los límites de la mente humana, de la pequeñez de la conciencia humana rodeada por doquier por el infinito, la frágil vida rodeada siempre por la muerte. Cuando estáis realmente tristes cobráis conciencia de estas cosas. Cobráis conciencia de que la vida no es solo vida... también es muerte.

Si realmente queréis ser felices, no sigáis fingiendo, jugando al juego de ser feliz. Según llega la infelicidad, no tardaréis en ver que se oscurecerá, que se tornará intensa. Pero cuando la noche es oscura, la mañana se halla muy cerca.

En cuanto dejáis de luchar, cuando la aceptáis, os brindará un silencio, una profunda vibración. Desde luego que es triste, pero hermoso. Incluso la noche posee su propia belleza, y aquellos que no pueden ver la belleza de la noche se perderán mucho.

222

ALIMENTO

Cuando nace un niño, su primer amor y su primer alimento son lo mismo: la madre. De modo que existe una profunda asociación entre el alimento y el amor; de hecho, el alimento va primero y luego lo sigue el amor.

El primer día el niño no puede comprender el amor. Entiende el lenguaje de la comida, el lenguaje natural y primitivo de todos los animales. El niño nace con hambre; necesita comida de inmediato. El amor no será necesario hasta mucho después... no se trata de una emergencia. Uno puede vivir sin amor durante toda la vida, pero no sin alimentos... ahí radica el problema.

Poco a poco también siente que siempre que la madre está cariñosa le ofrece el pecho de una manera diferente. Cuando no está cariñosa, sino enfadada o triste, le brinda el pecho con mucha renuencia, o ni siquiera se lo da. De modo que el niño cobra conciencia de que siempre que la madre está cariñosa, siempre que el alimento está disponible, también lo está el amor. Esto reside en el inconsciente.

Cuando os falta una vida de amor, coméis más... es un sustituto. Y con la comida las cosas son sencillas, porque la comida está muerta. Podéis seguir comiendo todo lo que queráis... la comida no os puede decir que no. Con el alimento uno sigue siendo el amo. Pero en el amor uno ya no lo es.

Así que os digo, olvidaos de la comida, seguid comiendo tanto como queráis. Pero empezad una vida de amor, y de inmediato veréis que ya no coméis tanto. ¿Lo habéis notado? Si sois felices, no coméis tanto. La gente cree que cuando es feliz come demasiado, pero no son más que tonterías. Una persona feliz se siente tan realizada que no percibe ningún espacio dentro. Un hombre infeliz no deja de tragar comida.

223

EL DIOS DEL AMOR

Entregaos a algo más grande que vosotros dos... eso es el Dios del amor.

En sí mismo el mito de que hay un Dios del amor es hermoso, es una comprensión tremenda. Entonces dos amantes pueden entregarse al Dios y mantenerse independientes. Y cuando sois independientes hay belleza... de lo contrario os convertís en una sombra. Si la pareja se convierte en una sombra, en ese mismo momento empezaréis a perder interés en ella... ¿quién ama a una sombra? Si os convertís en una sombra, vuestra pareja empezará a perder interés en vosotros. Queremos amar a verdaderos seres humanos, no a sombras.

No hace falta transformarse en la sombra de nadie. Seguid siendo vosotros mismos, y que vuestra pareja haga lo mismo. De hecho, al entregaros al Dios del amor, os volvéis auténticos. Y nunca sois tan auténticos como cuando os volvéis auténticos por primera vez. Dos seres auténticos pueden amar muy profundamente... y luego ya no existe la necesidad de contenerse.

Dejad que subraye esta idea: cuando os entregáis al Dios del amor, ya no es tan importante si vuestra pareja se queda, os deja u os vais vosotros. Lo importante es que el amor permanece. Vuestra entrega es al amor, no a la pareja. De modo que la única cuestión es no traicionar el amor. Los amantes pueden cambiar, el amor puede permanecer. En cuanto habéis entendido esto, el miedo desaparece.

224

¡CELEBRAD!

Las cosas pequeñas hay que celebrarlas... como beber té.
La gente zen ha transformado este acto en una ceremonia.
Es el ritual más hermoso que se ha desarrollado en el mundo.

Hay muchas religiones y han nacido muchos rituales, pero no hay nada como la ceremonia del té... algo tan sencillo como beber té, ¡pero celebrándolo! ¡Cocinar, pero celebrándolo! Solo tomar un baño... meterse en la bañera y celebrarlo, o estar bajo la ducha y celebrarlo. Son cosas pequeñas, pero si las celebráis, el total de vuestras celebraciones es de lo que está compuesto Dios. Si me preguntáis qué es Dios, responderé que la suma de todas vuestras celebraciones... celebraciones pequeñas y mundanas.

Llega un amigo y os toma la mano. No perdáis esa oportunidad... porque Dios ha llegado en la forma de esa mano, en la forma de ese amigo. A vuestro lado pasa un niño y ríe. No perdáis la oportunidad de reír con él, porque Dios ha reído a través de ese niño. Vais por la calle y os llega la fragancia de los campos. Deteneos un momento, sentíos agradecidos, porque Dios se ha presentado como esa fragancia.

Si uno puede celebrar momento a momento, la vida se torna religiosa, y no hay otra religión, no hay necesidad de ir a ningún templo. Allí donde estéis está el templo, y todo lo que hagáis es religión.

225

SEGUID SALTANDO

Un día va a suceder. Puedo verlo, justo debajo del horizonte.
En cualquier momento el amanecer es posible. Pero seguid saltando,
no os quedéis dormidos.

Alguien le preguntó a Rothschild: «¿Cómo se hizo rico?». Y él respondió: «Siempre esperé mi oportunidad, y cuando llegó, simplemente salté sobre ella». El hombre dijo: «Yo también estoy esperando mi oportunidad, ¡pero solo la reconozco cuando ya se ha ido! Es un momento tan raro que llega, y cuando estoy preparado para saltar, ya se ha ido».

Rothschild rio y repuso: «¡Siga saltando, de lo contrario se la perderá! Eso es lo que yo he estado haciendo toda mi vida... saltar. Puede que llegue una oportunidad o puede que no, esa no es la cuestión; yo sigo saltando. Cuando llega, siempre me encuentra saltando. Llega y se va en un momento, y como esté pensando en ella, se la perderá».

Así que seguid saltando, en eso consiste únicamente la meditación. Algún día tendrá lugar la coincidencia. Estaréis saltando y el gran momento andará cerca. Algo encajará y algo sucederá. Es un acontecimiento; no es algo que uno haga. Pero si no estáis saltando, os lo perderéis. Es difícil y a veces también aburrido, porque una y otra vez llegáis al mismo espacio y se convierte en algo circular. Pero seguid saltando.

226

USAR MEDICINALMENTE

Siempre que haya algo de presión del exterior, la entrada directa a la meditación se torna difícil. De modo que antes de meditar, durante un periodo de quince minutos, tenéis que hacer algo para cancelar la presión.

Durante quince minutos, sentaos en silencio y pensad que todo el mundo es un sueño... ¡y lo es! Pensad que es un sueño y que no hay nada de importancia en él. Eso es lo primero.

Lo segundo. Tarde o temprano todo desaparecerá..., también vosotros. No siempre estuvisteis ahí, no siempre lo estaréis. De manera que nada es permanente. Y tercero: solo sois testigos. Esto es un sueño pasajero, una película. Recordad estas tres cosas: que este mundo es un sueño y que todo va a pasar, incluso vosotros. La muerte se acerca y la única realidad que hay es la del testigo, de modo que solo sois testigos. Relajad el cuerpo, luego sed testigos durante quince minutos y después meditad. Podréis entrar en la meditación y ya no habrá problema.

Pero siempre que sintáis que esa meditación se ha vuelto sencilla, parad; de lo contrario se volverá habitual. Ha de ser utilizada solo en condiciones específicas, cuando es difícil entrar en la meditación. Si la hacéis todos los días, está bien, pero perderá su efecto, y entonces dejará de funcionar. Así que usadla medicinalmente. Cuando las cosas vayan mal y se compliquen, hacedlo, y os despejará el camino y seréis capaces de relajaros.

227

HACER EL BIEN

Haced lo que sea necesario en la vida, pero no olvidéis manteneros distantes.
Dejad que suceda en la periferia; el centro se mantiene desvinculado.

Uno ha de hacer cosas, de modo que uno no deja de hacerlas, pero no debería sentirse perturbado por ellas. No es más que una actuación, una representación. En cuanto entendéis esto, podéis estar en cualquier parte, en cualquier clase de trabajo y mantener la ecuanimidad; podéis manteneros absolutamente no contaminados.

El problema es que a lo largo de los siglos al hombre se le ha enseñado a hacer el bien, no el mal, a hacer esto, no aquello. El hombre ha recibido mandamientos, cosas que se pueden hacer y cosas que no. Yo no os doy ningún mandamiento. No me preocupa lo que hacéis, mi única preocupación es con vuestro ser.

Si estáis en silencio, felices, centrados, haced lo que haya que hacer y no habrá problema. Si no estáis centrados, integrados en vuestro interior; si no os halláis en un estado de meditación, entonces ni siquiera hacer el bien ayudará. Por esa causa veis que tantas personas que no dejan de hacer el bien únicamente lo hacen porque buscan obtener un prestigio con ello. Hacen daño, su resultado último es el daño.

El énfasis ha de estar no en hacer, sino en ser, y esto es un fenómeno totalmente diferente. No importa que seáis abogados, médicos, ingenieros, prostitutas o políticos; no importa lo que hacéis. Lo único que importa es saber si estáis centrados en vuestro ser. Eso cambiará muchas cosas.

228

MUERTE Y MEDITACIÓN

En cuanto sabéis que vais a morir en unos días, inmediatamente este mundo
—el dinero, el banco, los negocios, esto y aquello— se convierte en algo inútil.
No deja de ser más que un sueño, y vosotros empezáis a despertar.

En cuanto le decís a un hombre que va a morir en un periodo de tiempo específico, y es seguro —el hombre ya está muerto en cierto sentido y empieza a pensar en el futuro—, entonces la meditación es posible. En cuanto una persona sabe que va a morir, se desprenderá de muchas tonterías por propia voluntad. De inmediato la totalidad de su visión se transforma.

Si tenéis que marcharos mañana, empezáis a hacer las maletas y ya no os preocupa la habitación que ocupáis en este hotel. De hecho, ya no estáis aquí; preparáis vuestras maletas y cosas y pensáis en el viaje. Lo mismo sucede con una persona cuando le decís que va a morir, que la muerte es segura y no se puede evitar y que no debería seguir tonteando; ha llegado el momento decisivo y sabe que ha desperdiciado demasiado de su vida... De inmediato el hombre le da la espalda al mundo y empieza a escudriñar en la oscuridad del futuro.

En ese momento, si le habláis sobre la meditación, estará dispuesto a practicarla... y ese puede ser el mayor de los regalos.

229
MAL NECESARIO

Cuando vivís con ciegos, vivid como tal, porque tenéis que vivir con ellos.
No podéis cambiar todo el mundo.

Sé que hay burocracia, pero tiene que haberla, porque la gente es absolutamente irresponsable. No hay modo de abandonar de repente la burocracia, los tribunales, las leyes y la policía. No hay forma porque no seréis capaces de vivir ni un solo momento. Es un mal necesario. Uno ha de aprender a vivir con personas que no están alertas, que están dormidas; roncan. Puede perturbaros, pero no hay nada que podáis hacer al respecto.

Como mucho, lo único que podéis hacer es no imponer el mismo comportamiento estúpido que la sociedad os ha impuesto a vosotros. No se lo impongáis a nadie más. Quizá estéis casados, tengáis una esposa, un marido, hijos... no se lo impongáis a ellos, tampoco a vuestros amigos. Es lo único que podéis hacer. Pero tenéis que vivir en la sociedad y tenéis que seguir las reglas.

De manera que no condenéis las cosas. Tratad de entender. Hay muchos males que son necesarios. La elección no radica entre el bien y el mal. En la vida real, la elección siempre es entre un mal mayor y un mal menor.

230
VIDA Y MUERTE

Las meditaciones de vida y de muerte os pueden ayudar tremendamente.

Por la noche, antes de iros a dormir, realizad esta meditación de quince minutos. Es una meditación sobre la muerte. Tumbaos y relajad el cuerpo. Sentid como si os estuvierais muriendo y que no podéis mover el cuerpo porque estáis muertos. Cread la sensación de que estáis desapareciendo del cuerpo. Hacedlo durante diez, quince minutos, y a la semana empezaréis a sentirlo. Quedaos dormidos meditando de esa manera. No lo interrumpáis. Dejad que la meditación se convierta en sueño y, si el sueño os vence, entrad en él.

Por la mañana, en cuanto sintáis que estáis despiertos —no abráis los ojos—, llevad a cabo la meditación de vida. Sentid que cobráis vida más plenamente, que la vida regresa y todo el cuerpo se halla lleno de vitalidad y energía. Empezad a moveros, oscilando en la cama con los ojos cerrados. Sentid que la vida fluye en vosotros. Sentid que el cuerpo tiene un gran flujo de energía, justo lo opuesto que la meditación de muerte. Así que realizad la meditación de muerte por la noche antes de iros a dormir y la meditación de vida justo antes de levantaros.

Con la meditación de vida podéis respirar hondo. Simplemente sentíos llenos de energía... que la vida entra con la respiración. Sentíos plenos y muy felices, vivos. Luego, pasados quince minutos, levantaos. Las meditaciones de vida y de muerte os pueden ayudar tremendamente.

231
ATAJO

Hay que recordar una cosa sobre la meditación: es un largo viaje y no existe ningún atajo. Cualquiera que diga lo contrario os está engañando.

Es un largo viaje, porque el cambio es muy profundo y se alcanza después de muchas vidas; muchas vidas de hábitos rutinarios, pensamientos, deseos y estructura mental. Que tenéis que perder mediante la meditación. De hecho, casi es imposible, pero sucede.

Un hombre que se convierte en meditador adquiere la mayor responsabilidad del mundo. No es fácil. No puede ser instantáneo. De manera que desde el principio no esperéis demasiado, entonces luego no os podréis frustrar. Siempre seréis felices, porque las cosas se desarrollarán con lentitud.

La meditación no es una flor de temporada que aparece a las seis semanas. Es un árbol muy grande. Necesita tiempo para extender sus raíces.

232
PIES

Sentid más y más en los pies.

A veces simplemente erguíos sobre la tierra y sentid su frescura, su suavidad, su calor. Sentid aquello que la tierra esté preparada para daros en ese momento y dejad que fluya a través de vosotros. Y permitid que vuestra energía fluya hacia la tierra. Estad conectados con ella.

Como mucho, la gente respira hasta el ombligo, pero no más allá, de manera que la mitad del cuerpo está casi paralizado, y, debido a ello, lo mismo le sucede a la mitad de la vida. Entonces muchas cosas se vuelven imposibles, porque el tronco inferior del cuerpo es como una raíz. Las piernas son las raíces que os conectan con la tierra. De modo que las personas cuelgan como fantasmas, desconectadas de la tierra. Uno ha de regresar a los pies.

Lao Tse solía decirle a sus discípulos: «A menos que empecéis a respirar desde la planta de los pies, no sois mis discípulos». Respirar desde la planta de los pies... y tiene toda la razón. Cuanto más ahondéis, más profunda será vuestra respiración. Es casi cierto que el límite de vuestro ser es el límite de vuestra respiración. Cuando el límite se incrementa y llega hasta vuestros pies, a la respiración le sucede lo mismo —no en un sentido fisiológico, sino psicológico—, y entonces habréis reclamado la totalidad de vuestro cuerpo. Por primera vez estáis enteros, de una pieza, juntos.

233

LA VIEJA MENTE

Si hacéis caso a vuestro gusto, estáis prestando atención a vuestra vieja mente.
Uno ha de hacer algunas cosas que vayan contra los propios gustos,
y entonces se crece; de lo contrario no se crece nunca.

El desarrollo no es tan suave como piensan algunos. Es doloroso, y el máximo dolor surge cuando tenéis que ir en contra de vuestros propios gustos.

Pero ¿quién es ese que no para de decir: «Esto me gusta y esto no me gusta»? Es vuestra vieja mente, no vosotros. Si se la deja, no habrá manera de cambiar. La mente dirá que no os mováis porque le gusta la situación. De modo que uno ha de salir de ahí. A veces hay que estar en contra de los gustos o de lo que os desagrada. La decisión es vuestra.

Siempre que se cambia un estilo antiguo, resulta doloroso, duele. Es como aprender una habilidad nueva. Conocéis la vieja a la perfección, de modo que todo marcha con facilidad. Cuando aprendéis una habilidad nueva, resulta duro, y no estamos hablando únicamente de una habilidad nueva, sino de aprender un nuevo ser. Va a ser difícil. Lo viejo ha de morir para que nazca lo nuevo. Lo viejo ha de irse para que pueda surgir lo nuevo. Si continuáis aferrándoos al pasado, no habrá espacio para que llegue lo nuevo.

234

IDEALES

Siempre que a las personas se les enseñan grandes ideales, empiezan a sentirse mal y culpables, esto y aquello. Porque esos ideales son tontos e imposibles; nadie puede realizarlos.

Hagáis lo que hagáis, siempre os quedáis cortos, siempre sois un fracaso, porque el ideal resulta imposible. Es inhumano. Lo llaman sobrehumano... pero es *in*humano. Porque se convierte en una tortura autoimpuesta, y entonces todo lo que hagáis lo haréis mal. Eso es lo que os puede causar problemas. Os sentís fatal por los ideales. Así que desprendeos de ellos y simplemente sed.

Volveos realistas. Entonces todo parece hermoso y perfecto. Cuando carecéis de un ideal de perfección, todo es perfecto porque no hay nada con qué compararlo y condenarlo.

Y yo no veo ninguna suciedad, no veo nada que condenar. Pero durante siglos la mente ha sido condicionada para condenar. Esa resulta una gran estrategia en manos de los políticos y los sacerdotes: crean culpabilidad dentro de vosotros para poder manipularos. Manipular a un ser humano es el peor crimen que se puede cometer.

235
EXPECTATIVAS

Si no hay deseo, si no tenéis idea de lo que debería suceder, si carecéis de idea, entonces las cosas suceder.

Las personas que tienen grandes deseos jamás pueden sentirse agradecidas, porque, pase lo que pase, siempre es ínfimo comparado con sus deseos, es poca cosa. Y como no podéis sentiros agradecidos, muchas más cosas que podrían haber tenido lugar ya no suceden, porque solo podrían pasar a través de la gratitud. De modo que os veis atrapados en un círculo vicioso: deseáis demasiado, y debido a ello no podéis sentiros agradecidos. Pase lo que pase, no le vais a prestar atención; simplemente lo soslayáis. Y entonces os volvéis más y más cerrados.

Si no hay deseo, si no tenéis idea de lo que debería suceder, si carecéis de idea, entonces las cosas suceden. Son cosas que ya están pasando, pero lo que cambia es que vosotros les prestáis atención. Os sentís tremendamente emocionados porque ha sucedido y no habíais esperado nada. Si al salir a la calle esperáis encontrar mil euros en la acera, y solo os topáis con un billete de diez euros, diréis: «¿Qué hago aquí?». Pero si no esperarais esos mil euros, un billete de diez euros es estupendo... Y si hubierais estado agradecidos, entonces de la misma fuente de los diez euros podrían llegar diez millones. Pero seguís sintiendo agradecimiento

236
OÍR Y ESCUCHAR

El arte de la escucha divina... eso es la meditación. Si uno puede aprender a escuchar correctamente, habrá aprendido el secreto más profundo de la meditación. La gente oye pero no escucha.

Oír es una cosa... escuchar, algo por completo diferente; son dos mundos aparte. Oír es un fenómeno físico; oís porque tenéis orejas. Escuchar es un fenómeno espiritual. Lo hacéis cuando ponéis atención, cuando vuestro ser interior se une a vuestras orejas.

Escuchad los sonidos de las aves, el viento al pasar entre los árboles, el río desbordado, el océano al rugir y las nubes, las personas, el lejano tren al pasar, los coches en la carretera... cada sonido ha de ser usado. Y escuchad sin ninguna imposición sobre lo que escucháis... no juzguéis; en cuanto juzgáis, la escucha se detiene.

La persona realmente atenta se mantiene sin conclusiones; jamás saca una conclusión sobre nada. Como la vida es un proceso... nunca algo termina. Solo la persona necia puede sacar conclusiones; la persona sabia titubeará antes de hacerlo. De modo que escuchad sin conclusiones. Simplemente escuchad: alertas, silenciosos, abiertos, receptivos. Estad ahí, totalmente con el sonido que os rodea.

Y os sorprenderéis: un día de repente el sonido está ahí, vosotros estáis escuchando, y sin embargo hay silencio. Es un silencio verdadero que acontece a través del sonido.

237
MIRONES

La gente se ha vuelto completamente pasiva. Se escucha música, se lee un
libro, se ve una película... ya no se participa en ninguna parte, se es un
observador, un espectador. Toda la humanidad se ha visto reducida a simple
espectadora.

Es como si otra persona estuviera haciendo el amor y vosotros mira-
rais... y eso es lo que sucede. Toda la humanidad se han vuelto unos
mirones. Otra persona hace las cosas y vosotros observáis. Desde luego,
estáis fuera, de modo que no os involucráis, no hay compromiso ni peligro. Pero ¿cómo podéis entender el amor al mirar cómo hace el amor
otra persona?

Mi sensación es que la gente se ha vuelto espectadora de manera tan
profunda, que cuando hace el amor es observadora. La gente ha empezado a hacer el amor a la luz... con todas las luces encendidas, rodeada
de espejos para poder observarse hacer el amor. Hay personas que tienen
instaladas cámaras fijas en sus dormitorios para poder sacar fotografías
automáticamente, y luego mirarse cómo hacen el amor.

Cuando participáis, algo irracional empieza a funcionar. Haced el
amor y simplemente sed como animales salvajes. Si escucháis música, bailad... cuando la música se ha vuelto una danza, la razón queda aparcada
a un costado. Y la razón solo puede ser espectadora, jamás participante.
Siempre se sitúa en el lado seguro, observando desde algún sitio en el
que no hay peligro.

De modo que encontrad cada día algo que podáis hacer sin pensar
en ello. Excavad un agujero en la tierra, eso bastará. Transpirad bajo el
sol caliente y excavad... simplemente sed los excavadores. De hecho, los
excavadores no, sino la excavación. Olvidaos por completo de vosotros
en la tarea. Participad, y de repente veréis surgir una nueva energía.

238
RESPIRAR

Cuando la respiración es perfecta, todo encaja en su sitio. Respirar es vida.
Pero la gente lo soslaya, no le presta ninguna atención. Y cada cambio que vaya
a suceder, sucederá a través del cambio en vuestra respiración.

Todo el mundo respira mal porque la totalidad de la sociedad se basa
en condiciones, nociones y actitudes muy erróneas. Por ejemplo, un
niño pequeño llora y la madre le dice que no lo haga. ¿Qué va a hacer el
niño?... como el llanto está cerca, y la madre le dice que no llore, empezará a contener el aliento, porque esa es la única manera de frenarlo. Si
contenéis el aliento, todo se detiene: el llanto, las lágrimas, todo.
Entonces, poco a poco, se convertirá en una costumbre... no estéis enfadados, no lloréis, no hagáis esto, no hagáis aquello.

El niño aprende que si respira de forma poco profunda, mantiene el
control. Si respira perfecta y totalmente, del modo en que cada niño respira al nacer, entonces se vuelve salvaje. De forma que se paraliza.

Cada niño, sin importar género, empieza a jugar con los órganos
genitales porque la sensación es placentera. El niño es completamente
inconsciente de los tabúes sociales y esas tonterías, pero si la madre, el
padre o alguien os ve jugar con vuestros genitales, de inmediato os dirán
que paréis. Y en sus ojos hay tal condena que os quedáis conmociona-
dos, y le tendréis miedo a respirar profundamente, porque si lo hacéis os
masajea los órganos genitales desde dentro. Eso se vuelve problemático,
de modo que no respiráis profundamente; solo os entregáis a una respiración somera, para quedar aislados de vuestros órganos genitales.

Todas las sociedades que reprimen el sexo están destinadas a ser sociedades de respiración superficial. Solo la gente primitiva que no tiene ninguna actitud represiva hacia el sexo respira a la perfección. Su respiración es
hermosa, completa y total. Respiran como los animales, como los niños.

239
ADICCIÓN AL TRABAJO

El trabajo es bueno, pero no debería volverse una adicción.
Muchas personas han convertido su trabajo en una droga para poder olvidarse
de sí mismas en él... igual que un borracho que se olvida en el alcohol.

Uno debería ser tan capaz de no hacer como de hacer... entonces uno es libre. Uno debería ser capaz de sentarse, de no hacer nada, tan perfecta, hermosa y felizmente como cuando trabaja con ahínco y hace muchas cosas; entonces uno es flexible.

Hay dos tipos de personas: las que están pegadas a su letargo y el otro extremo pegado a su ocupación. Ambas están en cárceles. Uno debería ser capaz de pasar de uno a otro sin esfuerzo. Entonces disponéis de una cierta libertad, vuestro ser tiene una cierta gracia y espontaneidad.

No estoy en contra del trabajo, no estoy en contra de nada... pero nada debería volverse una adicción. De lo contrario, os encontráis en un estado muy confuso. Si el trabajo es una ocupación y uno se oculta en él, entonces se convierte en algo repetitivo, mecánico. Es más como una obsesión, estáis poseídos por un demonio.

240
AMOR Y LIBERTAD

Este es el problema del hombre: amor y libertad.
Estas dos palabras son las más importantes de la lengua humana.

Es muy fácil elegir una —escoger el amor y desprenderse de la libertad—, pero entonces siempre estaréis acosados por la libertad y ello destruirá vuestro amor. Dará la impresión de que este va contra la libertad, que es hostil a ella, antagonista. ¿Cómo se puede abandonar la libertad? No se puede hacer ni siquiera por el amor. Poco a poco os hartaréis del amor y empezaréis a iros al otro extremo.

Un día abandonaréis el amor y correréis hacia la libertad. Pero ¿cómo se puede vivir libres y sin amor? El amor es una gran necesidad. Ser amado y amar es casi una respiración espiritual. El cuerpo no puede vivir sin aire, y el espíritu no puede vivir sin amor.

De este modo uno se mueve como un péndulo: de la libertad al amor, del amor a la libertad. De esa manera la rueda puede continuar durante muchas vidas. Así es como ha continuado. La llamamos la rueda de la vida. No para de girar: los mismos radios subiendo y bajando.

La liberación se produce cuando se alcanza una síntesis entre el amor y la libertad. Elegid la paradoja. No escojáis las alternativas que os ha dado la paradoja. Elegid toda la paradoja. No escojáis uno, sino ambos; elegid juntos. Adentraos en el amor y permaneced libres. Permaneced libres, pero jamás hagáis que vuestra libertad se vuelva antiamor.

241
COMO UN NIÑO

La cualidad del niño terminará por llegar si meditáis. Un poco de medita-
ción y empezaréis a sentiros más como niños, más frescos. Y con ella llega una
especie de irresponsabilidad... irresponsabilidad en el sentido de que ya no
tomáis en consideración las obsesiones de otras personas.

Tal como yo lo veo, volverse como un niño es una gran responsabilidad. Comenzáis a ser responsables con vosotros mismos, pero empezáis
a desprenderos de las máscaras, de los rostros falsos. Otros pueden
empezar a sentirse perturbados porque siempre han tenido expectativas
y vosotros satisfacíais esas exigencias. Ahora van a sentir que os estáis volviendo irresponsables. Cuando afirman eso, solo dicen que os alejáis de
su dominio. Os volvéis personas más libres. Para condenarlo, os llaman
«inocentes» o «irresponsables».

De hecho, la libertad es crecer. Y volverse responsable... pero la responsabilidad significa capacidad de responder. No es un deber que haya
que satisfacer en el sentido corriente. Es comprensión, es sensibilidad.
Pero cuanto más sensibles os volvéis, más descubriréis que muchas personas consideran que os estáis volviendo irresponsables —y tendréis que
aceptarlo—, porque sus intereses, sus inversiones, no quedarán satisfechos. Muchas veces no satisfaréis sus expectativas. Pero nadie está aquí
para satisfacer las expectativas de otro.

242

SEXO VIRGINAL

Hay una especie de sexo que no es en absoluto sexual.
El sexo puede ser hermoso, pero la sexualidad jamás lo será.

El foco debería ser el amor. Amáis a una persona, compartís su ser, compartís vuestro ser con ella, compartís el espacio. Eso exactamente es el amor, crear un espacio entre dos personas... un espacio que o no pertenece a ninguno o pertenece a los dos; un pequeño espacio entre dos personas donde ambas se encuentran y se funden. Ese espacio no tiene nada que ver con el espacio físico. Es simplemente espiritual. En ese espacio vosotros no sois vosotros, y el otro no es el otro. Ambos entráis en ese espacio para reuniros.

Hay una especie de sexo que no es en absoluto sexual. El sexo puede ser hermoso, pero la sexualidad jamás lo será. La sexualidad significa sexo cerebral: pensar en ello, planificarlo, dirigirlo, manipularlo y hacer muchas cosas, pero en lo más hondo de la mente lo básico sigue siendo que uno se acerca a un objeto sexual.

Cuando la mente no tiene nada que ver con el sexo, entonces es sexo puro, inocente. Sexo virginal. Ese sexo a veces puede ser más puro incluso que el celibato, porque si un célibe piensa continuamente en el sexo, entonces no es celibato.

243
LUZ

Sentíos más y más llenos de luz. Ese es el modo de acercarse a la fuente original.

Sentíos más y más llenos de luz. Siempre que cerréis los ojos, ved luz cayendo sobre todo vuestro ser. Al principio será imaginación, pero esta es muy creativa, y para vosotros será muy creativa

Así que imaginad una llama cerca del corazón y que estáis llenos de luz. Continuad incrementando esa luz. Se vuelve deslumbrante... ¡deslumbrante! Y no solo empezaréis a verla; otros también comenzarán a sentirla. Siempre que estéis cerca de ellos, empezarán a sentirla, porque vibra.

Forma parte del derecho de todos, pero hay que reclamarlo. Es un tesoro no reclamado. Si no lo hacéis, permanece muerto, enterrado bajo tierra. Una vez que lo reclamáis, habéis reclamado vuestro ser interior.

De modo que siempre que veáis luz, sentid una profunda reverencia. Simplemente algo corriente... una lámpara está encendida y vosotros sentís una profunda reverencia. En la noche hay estrellas... observadlas y sentíos conectados. Por la mañana, el sol sale. Contempladlo y dejad que el sol interior salga con él. Y siempre que veáis luz, de inmediato tratad de establecer contacto con ella... y veréis que pronto podréis hacerlo.

244
VIRTUD

Las personas se vuelven falsas benefactoras. Eso no es la verdadera virtud...
es simple camuflaje.

Aporta respetabilidad, os proporciona una agradable sensación para el ego. Os hace sentir que sois alguien importante —no solo a los ojos del mundo, sino incluso a los ojos de Dios—, tanto que podéis erguiros, aun en presencia de Dios; podéis exhibir todas las buenas obras que habéis hecho. Es egoísta, y la religiosidad no puede ser egoísta.

No es que una persona religiosa sea inmoral, pero no es moral... es amoral. No posee un carácter fijo. Su carácter es líquido, está vivo, se mueve de momento a momento. Responde a situaciones que no están acordes con una actitud, idea o ideología fijas; simplemente responde con su conciencia. Su conciencia es su único carácter, no hay otro.

245
ANHELO

Un deseo se convierte en anhelo cuando estáis dispuestos a arriesgarlo todo por él. Un anhelo es superior a la vida... uno puede morir por él. Deseos hay muchos... anhelos solo puede haber uno, porque necesita vuestra total energía, os necesita como sois en vuestra totalidad.

No podéis retener ninguna parte de vosotros, no podéis entrar en él con cautela e inteligencia, calculando. Ha de ser un salto loco.

El hombre es muy fragmentario: un deseo os lleva al norte, otro al sur, y todos os llevan en todas las direcciones y os enloquecen. De ahí que las personas no lleguen a ningún sitio —no es posible—, porque una parte se mueve en esta dirección y otra en aquella dirección, que es diametralmente opuesta. ¿Cómo podéis llegar? Para ello sería necesaria vuestra totalidad. Por eso veis personas que se arrastran; no tienen ninguna intensidad de vida; no es posible. Se pierden en muchas direcciones... no pueden tener esa energía.

Pero este anhelo ha de ser muy feliz; no debería hacerse de manera seria, porque en cuanto os volvéis serios, os ponéis tensos. El anhelo de uno debería ser intenso, pero en absoluto tenso. Ha de ser alegre, con risa, baile y canto. No ha de convertirse en un deber. No estáis complaciendo a Dios, ni a nadie... simplemente estáis viviendo tal como queréis vivir; de ahí vuestra felicidad. Es el modo en que habéis elegido vivir, es la forma en que queréis encenderos... pero ha de ser una llama danzarina.

246
REFLEXIONAR

Es una buena señal, una buena indicación de que habéis empezado a reflexionar sobre vosotros mismos... acerca de lo que habéis hecho y por qué lo habéis hecho.

Cuando uno empieza a cuestionarse los actos, las direcciones, los objetivos propios, surge una gran confusión. Para evitarla, muchas personas jamás piensan en lo que están haciendo; simplemente siguen haciéndolo. Saltan de una cosa a otra, para que no les quede tiempo. Cansadas, se quedan dormidas; a primera hora de la mañana comienzan a perseguir sombras otra vez. Eso continúa y continúa hasta que un día mueren sin saber quiénes eran, qué hacían exactamente y por qué lo hacían.

Ahora titubearéis con todo. Es el comienzo de la sabiduría. Solo las personas estúpidas nunca vacilan. La gente sabia lo hace. Consideradlo como uno de los dones de ser un buscador y que otros muchos regalos vienen de camino. Se trata de un gran don.

247

DESASOSIEGO

La naturaleza crea al ser humano para casi ocho horas de duro trabajo.
Poco a poco, a medida que la civilización y la tecnología han avanzado,
se han ocupado de gran parte del trabajo humano, ya no tenemos nada que
requiera un trabajo duro, y eso se ha convertido en un problema.

En el pasado, la gente sufría porque no tenía suficiente energía para seguir adelante. Ahora sufrimos porque tenemos más energía que la que podemos utilizar. Eso puede transformarse en desasosiego, en neurosis, en locura. Si hay energía y no se usa de forma correcta, se vuelve amarga. Creamos energía cada día y cada día debemos usarla. No se puede acumular; no podéis ser tacaños con ella.

En el pasado, el hombre realizaba trabajos duros siendo cazador y agricultor. Poco a poco ese trabajo ha desaparecido, y las sociedades son más ricas y poseen más y más energía; el desasosiego debe aparecer. De ahí que los norteamericanos sean las personas más inquietas del mundo, y en parte ello se debe a que conforman la sociedad más rica del mundo

Deberíamos desterrar la idea de utilidad, porque es del pasado. Cuando había menos energía y más trabajo, la utilidad tenía un sentido, era un valor. Ahora ya no lo es.

Así que encontrad un modo de emplear la energía —jugad, corred, ejercitaos— y deleitaos con ella. Emplead la energía y entonces os sentiréis muy serenos. Esa serenidad será totalmente diferente de una quietud forzada. Podéis forzaros, podéis tener energía y reprimirla, pero estáis sentados sobre un volcán y en su interior hay un temblor constante. Cuanta más energía uséis, más energía nueva tendréis a vuestra disposición.

248

VIEJOS HÁBITOS

*Las viejas tendencias, los viejos hábitos, os forzarán a ir al futuro
y al pasado. En el momento en el que lo recordéis, relajaos...
relajaos en el ahora.*

Reíos de lo ridículo de los viejos hábitos. No digo que luchéis contra ellos. Si lo hacéis, crearéis ansiedad. Simplemente digo que os riáis. Siempre que os sorprendáis con las manos en la masa —de nuevo en el futuro y en el pasado—, no tenéis que hacer nada. Salid de ahí... igual que una serpiente se desprende de la piel vieja. No hace falta luchar. La lucha jamás soluciona nada. Puede crear más complejidades.

Así que no os digo que luchéis... solo os pido que entendáis. El mañana seguirá su curso por su propia cuenta. Cuando llegue, allí estaréis para encararlo. Y jamás llega como el mañana; siempre lo hace como el hoy. Así que aprended a estar aquí ahora.

249
CAMBIO DE DIRECCIÓN

La mañana es muy frágil y los nuevos rayos del sol no pueden ser muy poderosos, pero demostrarán ser cada vez más potentes en cada momento. Alimentadlos, nutridlos. Y no os identifiquéis con el pasado.

A partir de este momento pensad en vosotros como recién nacidos. La noche ha llegado a su fin y nacéis con la mañana. No va a ser fácil, porque la atracción del pasado es profunda. La mañana es muy frágil y los nuevos rayos del sol no pueden ser muy poderosos, pero demostrarán ser cada vez más potentes en cada momento. Alimentadlos, nutridlos. Y no os identifiquéis con el pasado. Si aparece algún viejo hábito, simplemente observadlo. Manteneos distantes, como si perteneciera a otra persona... como si el cartero os hubiera entregado una carta equivocada. No va dirigida a vosotros, de modo que la devolvéis a correos.

La mente seguirá creyendo en ello debido al viejo hábito, porque la mente necesitará tiempo para saber que la dirección ha cambiado. Se mueve muy despacio; y luego el inconsciente se mueve aún más despacio. El cuerpo es muy letárgico. Tienen diferentes sistemas de tiempo.

250
EL CORAZÓN ROTO

Un corazón roto está bien. Aceptadlo con gozo. Dejad que exista, no lo reprimáis, porque la tendencia natural de la mente es reprimir cualquier cosa dolorosa. Al reprimirlo destruiréis algo que estaba creciendo.

El destino del corazón es que lo rompan. Su objetivo es ese... ha de estallar en llanto y desaparecer. El corazón ha de evaporarse, y cuando eso suceda, exactamente en el lugar que ocupaba, llegaréis a conocer el verdadero corazón.

Este corazón ha de romperse. Cuando se haya deshecho, de pronto llegáis a conocer un corazón más profundo. Igual que una cebolla, la peláis y debajo hay una nueva capa.

251
COMO UN TERMOSTATO

Se nos ha enseñado a no perder jamás el control por nada —en la risa, en el llanto, en el amor, en la ira—, a no ir jamás más allá del límite.

Para todo hay un límite y solo se nos ha permitido llegar hasta dicho límite, luego debemos contenernos. Tras un prolongado condicionamiento, se convierte en algo casi automático, como un termostato. Llegáis hasta cierto punto y de pronto algo se activa en el inconsciente. Algo hace *clic* y os detenéis.

Yo enseño el descontrol, porque solo en el descontrol seréis libres. Y cuando la energía se mueva espontáneamente sin una mente detrás que la manipule, que la dirija, que le dicte órdenes, entonces se produce una tremenda felicidad.

Los árboles son más felices; existen en un plano inferior, pero son más felices. Y lo mismo le sucede a los animales; existen en un plano inferior pero son más felices. Y el motivo es que no saben cómo controlarse.

El hombre puede ser más feliz que los árboles y las flores y los pájaros, pero debe evitar una trampa, y esta es la trampa de controlarse.

252
SEXO

La profundidad de vuestra experiencia sexual decidirá la profundidad de todas vuestras experiencias. Si uno no puede adentrarse profundamente en la experiencia sexual, entonces jamás podrá adentrarse profundamente en nada, porque se trata de la experiencia más fundamental y natural.

Vuestra biología está lista para el sexo, no se supone que debáis aprender nada sobre él. Aprendéis música, ya que es algo que no está incorporado a vosotros, tenéis que aprenderla. Aprendéis poesía, pintura, danza, tenéis que aprenderlo. El sexo está ahí... el guion ya lo tenéis en vuestra biología.

De modo que si no sois capaces de adentraros profundamente en el sexo —que es algo natural—, ¿cómo podréis hacerlo en la música o en la danza? Si os contenéis en el sexo, también os contendréis en la danza. Tampoco seréis capaces de entrar en ninguna relación, porque la relación siempre tiende a volverse sexual. La gente tiene tanto miedo... Y es la mente moderna la que se torna especialmente temerosa, porque se han llegado a conocer muchas cosas, y el conocimiento no os ha ayudado a profundizar, solo os ha ayudado a sentir miedo.

Nunca antes en la historia de la humanidad el hombre tuvo miedo, pero después de Masters y Johnson todo hombre teme descubrir que no es lo bastante hombre. La mujer tiene miedo a descubrir si será capaz o no de experimentar un orgasmo. Si no puede tenerlo, es mejor no adentrarse en el sexo, porque entonces resulta muy humillante, o deberá fingir. Y el hombre tiene tanto miedo y nervios, tiembla por dentro por si no consigue demostrarle a la mujer que es el hombre más grande del mundo. ¡Qué tontería! Solo con ser vosotros mismos ya es suficiente.

253
IMAGINACIÓN

Jamás reneguéis de la imaginación. Es la única facultad creativa del hombre, la única facultad poética, y uno no debería negarla.

Negada, la imaginación se vuelve muy vengativa. Se transforma en una pesadilla, se torna destructiva. De lo contrario, es muy creativa. Es creatividad y nada más. Pero si la rechazáis, si renegáis de ella, iniciáis un conflicto entre vuestra creatividad y vosotros, del que saldréis perdiendo.

La ciencia jamás puede ganar frente al arte, y la lógica nunca frente al amor. La historia jamás puede ganar frente al mito, y la realidad es pobre comparada con los sueños, muy pobre. De modo que si lleváis alguna idea contra la imaginación, dejadla. Porque todos la llevamos... esta época es muy antiimaginación. A las personas se les ha enseñado a ser pragmáticas, realistas, empíricas, y diversas tonterías más. La gente debería soñar más, ser más inocente, estar más extática. Debería poder crear su propia euforia. Y solo a través de eso alcanzáis vuestra fuente original.

Dios debe ser una persona tremendamente imaginativa. ¡Mirad el mundo! Quienquiera que lo creara o lo soñara, ha de ser un gran soñador... hay tantos colores y tantas canciones. Toda la existencia es un arco iris. Tiene que salir de una imaginación profunda.

254
DIFICULTADES

Las dificultades están siempre. Son parte de la vida.
Y es bueno que así sea, de lo contrario no habría desarrollo.

Son desafíos. Os provocan a trabajar, a pensar, a encontrar formas de superarlas. El mismo esfuerzo es esencial. De manera que aceptadlas siempre como si fueran bendiciones.

Sin dificultades, el hombre no habría llegado a ninguna parte. Si llegan dificultades mayores, eso significa que la existencia os está buscando, que os da más desafíos. Y cuantos más solventéis, mayores desafíos os estarán esperando. Solo en el último momento desaparecen, pero ese último momento llega por las dificultades, de lo contrario jamás se presentaría.

De forma que nunca toméis una dificultad negativamente. Encontrad algo positivo en ella. La misma piedra que os bloquea el paso puede servir como escalón. Si no hubiera una piedra en el camino, jamás ascenderíais. Y el mismo proceso de subir, de convertirla en un escalón, os proporciona una nueva altitud de ser. De modo que en cuanto pensáis en la vida de manera creativa, todo se vuelve útil y todo tiene algo que aportaros. Nada carece de sentido.

255
CANCIÓN DE DIOS

Todos somos canciones diferentes del mismo cantor,
gestos diferentes del mismo bailarín.

Cada ser es una canción de Dios: único, individual, incomparable, irrepetible, pero que procede de la misma fuente. Cada canción posee su propio sabor, su propia belleza, su propia música, su propia melodía, pero el cantor es el mismo. Todos somos canciones diferentes del mismo cantor, gestos diferentes del mismo bailarín.

Empezar a sentir es meditación. Entonces el conflicto desaparece, los celos se vuelven imposibles, la violencia impensable, porque en todo el mundo solo están nuestros propios reflejos. Si pertenecemos a la misma fuente, igual que todas las olas del océano, entonces, ¿qué sentido tiene el conflicto, la competencia, los sentimientos de superioridad, inferioridad y demás tonterías? Nadie es superior ni inferior: todo el mundo es, simplemente, él o ella mismos.

Y todo el mundo es tan único que jamás ha habido un individuo igual a vosotros antes y no existe la posibilidad de que vuelva a existir alguien como vosotros. De hecho, ni vosotros mismos sois iguales durante dos momentos consecutivos. Ayer erais una persona diferente, hoy sois otra. Mañana nadie sabe.

Cada ser es un flujo, un cambio constante, un río que fluye. Heráclito dice que uno nunca se puede bañar en el mismo río dos veces. Y yo os digo que ni siquiera podéis hacerlo una sola vez, porque el río fluye constantemente. Y el río representa la vida.

256

DESESPERANZA

Todos tenéis los artilugios que os ha proporcionado la tecnología, lo último;
¿qué os puede ofrecer el mañana que ya no tengáis hoy?

El futuro se desploma, y con ello surge una gran desesperanza. Hasta
ahora, el mundo ha vivido con gran esperanza, pero de pronto las esperanzas desaparecen y se asienta la desesperanza. Para mí, esto es de inmensa importancia. Esta crisis en la conciencia humana es de gran importancia. O bien el hombre ha de desaparecer de la Tierra o bien tendrá un
ser totalmente nuevo, un nuevo nacimiento. Y mi trabajo consiste en
darle un nacimiento nuevo a la conciencia humana.

El mundo nos ha fallado... ahora ya no hay nada que anhelar aquí en
la Tierra. Ahora el anhelo puede elevarse alto. Ahora lo visible está acabado y podemos buscar lo invisible. Ahora la vida mundana corriente
carece de encanto, ha perdido todo júbilo. Hemos satisfecho todos los
deseos, todos los posibles deseos, y ellos no nos han satisfecho a nosotros. Ahora el descontento real es posible, y estar realmente descontento es una gran bendición.

257
HABLAR

Si no tenéis ganas de hablar, no lo hagáis... no digáis ni una sola palabra que no surja de manera espontánea. No os preocupéis si la gente considera que os estáis volviendo locos. Aceptadlo. Si cree que os habéis vuelto tontos, ¡aceptadlo y disfrutad de vuestro atontamiento!

El verdadero problema radica en las personas que no paran de hablar y no saben de qué hablan o por qué. Siguen hablando porque no pueden parar. Pero si cobráis un poco de conciencia sobre todas las tonterías y el problema que continúa en la mente, en cuanto sois conscientes de que no hay nada que decir, que todo parece una trivialidad, entonces titubeáis.

Al principio da la impresión de que estáis perdiendo la capacidad de comunicaros... no es así. De hecho, la gente no habla para comunicarse, sino para evitar la comunicación. No tardaréis en ser capaces de comunicaros de verdad. Esperad y no forcéis nada.

Que no os preocupe el silencio. Nos ocurre porque toda la sociedad existe para hablar, por el lenguaje, y las personas que son muy articuladas en el habla alcanzan un puesto de poder: son líderes, eruditos, políticos, escritores. Uno no tarda en sentir miedo de estar perdiendo el dominio del lenguaje, pero no os preocupéis. El silencio es estar asido a Dios, y una vez que sabéis qué es el silencio, ya tenéis algo de qué hablar.

En cuanto os hayáis adentrado en el silencio, entonces vuestras palabras tendrán sentido por primera vez. Dejan de ser palabras vacías, están llenas con algo del más allá. Poseen un aura de poesía, una danza... llevan con ellas vuestra gracia interior.

2 58
SUEÑO

Cuando os vais a la cama, una cosa debería permanecer en la conciencia mientras os quedáis dormidos: que todo es un sueño; todo, de manera incondicional, es un sueño.

Lo que veis con los ojos abiertos... también eso es un sueño. Lo que veis con los ojos cerrados... también es un sueño. El sueño es la materia de que está compuesta la vida. Dormíos con eso en mente; con el recuerdo constante de que todo, todo sin excepción, es un sueño. Cuando todo es sueño, no hay nada de qué preocuparse.

Ese es el concepto total de *maya*: que el mundo es ilusorio. No que el mundo *es* ilusorio —posee su propia realidad—, pero es una técnica que debéis asentar profundamente en vosotros.

Entonces nada os perturba. Si todo es un sueño, entonces carece de sentido estar perturbado. Pensadlo, si en este momento pensáis que todo es un sueño —los árboles, la noche, el sonido de la noche—, de pronto os veis transportados a un mundo diferente. Estáis ahí, el sueño está ahí, y nada merece que os preocupéis.

De modo que a partir de esta noche marchaos a dormir con esta actitud. Y por la mañana lo primero que tenéis que recordar es que todo es un sueño. Dejad que sea un pensamiento recurrente durante el día, y de repente os sentiréis relajados.

259
INTIMIDAD

Cuando sabéis cómo relacionaros —incluso cómo relacionaros con las cosas—,
toda vuestra vida cambia.

Cuando os ponéis los zapatos, podéis relacionaros con ellos de una forma muy amistosa, o podéis mostrar indiferencia, e incluso hostilidad. Nada será diferente para el zapato, pero mucho lo será para vosotros.

No perdáis ninguna oportunidad de estar llenos de amor. Hasta al poneros los zapatos sed cariñosos. Esos momentos de plenitud de amor os serán de utilidad. Relacionaos con las cosas como si fueran personas. La gente hace exactamente lo opuesto: se relaciona con las personas como si fueran cosas. Un marido se convierte en una cosa, una esposa se convierte en una cosa, una madre se convierte en una cosa.

Las personas olvidan completamente que se trata de seres vivos. De modo que habitualmente se relacionan con otras personas como si fueran cosas, utilizan y manipulan. Pero podéis relacionaros con las cosas como si fueran personas, incluso con la silla podéis mantener una relación cariñosa, y también con los árboles, con los pájaros, con los animales y con la gente.

Cuando la cualidad en vuestra forma de relacionaros cambia, toda la existencia adquiere una personalidad. Entonces deja de ser impersonal, indiferente... surge una intimidad.

260

LIBERACIÓN DE VOSOTROS MISMOS

La iluminación no es un estado de éxtasis, está más allá del éxtasis.

La iluminación no tiene excitación en sí misma; el éxtasis es un estado de excitación. El éxtasis es un estado mental, un hermoso estado mental, pero solo eso al fin y al cabo. El éxtasis es una experiencia. Y la iluminación no es una experiencia, porque no queda nadie que la experimente.

El éxtasis sigue en el ego, la iluminación está más allá del ego. No es que os iluminéis... dejáis de ser, entonces la iluminación es. No es que os liberéis, no es que permanezcáis en esa liberación, liberados... os liberáis de vosotros mismos.

261

EGOCENTRISMO

Sucede... las personas que se interesan en su propia naturaleza y quieren saber quiénes son, se vuelven egocéntricas; es algo natural.

Cuando os volvéis demasiado egocéntricos, eso mismo se convierte en la última barrera; es algo de lo que hay que desprenderse. Nada ha de cambiar en ello, hay que añadir algo, y eso aportará equilibrio.

Buda solía insistir en la meditación y en la compasión al mismo tiempo. Solía decir: «Cuando meditáis y sentís éxtasis, de inmediato bañad de éxtasis toda la existencia». Decid de inmediato: «Deja que mi éxtasis sea de toda la existencia». No lo acumuléis, de lo contrario se convertirá en un ego sutil. Compartidlo, dadlo de inmediato, para que volváis a quedar vacíos. Seguid vaciándoos, nunca lo acumuléis. De lo contrario, puede ser igual que acumular dinero; si acumuláis éxtasis, experiencias importantes, el ego se puede fortalecer mucho.

Y esa segunda clase de ego es más peligrosa por ser más sutil... se trata de un ego muy beato, puro veneno.

262

RETROCEDER

No hay vuelta atrás, y no hay necesidad de volver atrás.
Tenéis que avanzar, no retroceder.

Una y otra vez pensaréis en cómo volver atrás. No es posible, no hay necesidad de hacerlo. Tenéis que avanzar. Tenéis que alcanzar vuestra propia luz; y eso se puede lograr. No hay posibilidad de retroceder, y aunque la hubiera, la misma experiencia ya no os satisfaría más. Solo sería una repetición... no os estimularía: el estímulo estaba en la novedad. Ahora la misma experiencia no os va a proporcionar ningún gozo. Diréis: «Esto lo conozco... pero ¿qué más hay? ¿Qué tiene de nuevo?». Y si se repite algunas veces, os aburriréis con ello.

Hay que avanzar, y cada día hay experiencias nuevas. La existencia es tan eternamente nueva que nunca repetiréis la misma visión. Posee tantos millones de aspectos que cada día podéis tener una nueva visión... entonces, ¿para qué molestaros con la antigua? No hay necesidad.

263
CONCIENCIA

No hay ningún lugar a donde ir; simplemente tenemos
que ver dónde estamos. Si percibís eso, de pronto reconocéis que ya estáis allí,
en el lugar que tratabais de alcanzar.

Uno nace como debería, no hay que añadir ni mejorar nada. Y nada se puede mejorar. Todos los esfuerzos por mejorar crean más desorden y confusión, nada más. Cuanto más tratéis de mejoraros, en más dificultades os encontraréis, porque el mismo esfuerzo va contra vuestra realidad. Esta es como debería ser, no hay necesidad de mejorarla. Uno solo crece en conciencia, no existencialmente.

La situación es como si no os hubierais mirado en el bolsillo y os considerarais mendigos, seguís mendigando y en el bolsillo lleváis un diamante valioso que puede proporcionaros suficientes tesoros para toda la vida. Pero un día metéis la mano en el bolsillo y de pronto sois emperadores. Nada ha cambiado existencialmente, la situación es la misma... el diamante estaba antes ahí, y está ahora. Lo único que ha cambiado es que habéis cobrado conciencia de que lo teníais.

De modo que todo crecimiento es crecimiento en conciencia, no en ser. El ser permanece exactamente como estaba. Buda o Cristo, vosotros o cualquiera, poseéis exactamente el mismo estado, el mismo espacio... pero uno cobra conciencia y se convierte en un Buda, el otro permanece inconsciente y continúa mendigando y siendo un mendigo.

264

NEUROSIS

La neurosis aparece solo cuando no podéis aceptar el fracaso, de lo contrario no hay indicio de neurosis. Jamás aparece cuando uno triunfa.

Cuando las cosas marchan a la perfección, cuando uno está en la cima del mundo, ¿por qué habría de ser neurótico? El problema surge únicamente cuando de pronto descubrís que ya no estáis en la cumbre. Os halláis en una zanja, oscura y horrible, y las cosas ya no marchan bien. Es en ese momento cuando hace su aparición la neurosis. La misma energía que se convertía en ambición y que os impulsaba se vuelve en contra de vosotros en el fracaso, empieza a mataros, a destruiros. Y entonces surge la neurosis.

Si cada persona neurótica fuera a tener éxito, no habría neurosis en el mundo. Cuando Hitler tenía éxito, no estaba loco; nadie sospechó jamás que estuviera loco. Pero en el último momento, él mismo supo que estaba loco... se suicidó.

El problema aparece cuando no tenéis éxito. Hay que mantener una actitud de juego durante el éxito. Desarrollad esa actitud de juego. Poco importan el éxito y el fracaso... lo que sí importa es que disfrutéis de lo que sea que estéis haciendo.

Cada éxito va seguido de un fracaso, cada día es seguido por una noche y cada amor por una oscuridad. La vida es una progresión, un movimiento, nada es estático. Ahora sois jóvenes, un día seréis viejos. Ahora tenéis muchos amigos, un día no tendréis ninguno. Ahora tenéis dinero, un día no tendréis nada. Si sois juguetones, nada está mal. Solo hay que desarrollar una cualidad: una actitud juguetona.

265
REPETICIÓN

La repetición no existe. La existencia siempre es nueva, absolutamente nueva.

Cada día es diferente, y si a veces no lográis ver la diferencia, eso simplemente significa que no veis bien. Nada se repite jamás. La repetición no existe. La existencia siempre es nueva, absolutamente nueva. Pero si miramos a través del pasado, de los pensamientos acumulados, de la mente, entonces puede dar la impresión de repetición. Y esa es la razón por la que la mente es la única fuente de aburrimiento. Os aburre porque jamás permite que la frescura de la vida se os revele. Posee un determinado patrón. No cesa de ver las cosas bajo el mismo patrón.

Si la vida parece repetirse, entonces recordad siempre que no es la vida, sino vuestra mente. La mente hace que todo sea opaco, plano, unidimensional. La vida es tridimensional, pero la mente es unidimensional. La vida está llena de colores. La mente es solo blanco y negro. La vida es como un arco iris. Entre el negro y el blanco hay millones de matices de luz, color y sombras. La vida no se divide en sí y no. La mente está dividida. La mente es aristotélica. La vida es no aristotélica.

266

SUAVIDAD

Lo suave siempre vence a lo duro. Lo suave está vivo, lo duro está muerto. Lo suave es como una flor, lo duro es como una roca. Lo duro parece poderoso pero es impotente. Lo suave parece frágil pero está vivo.

Cualquier cosa viva es siempre frágil, y cuanta más elevada la calidad de vida, mayor su fragilidad. De manera que cuanto más ahondáis, más suaves os volvéis, o cuanto más suaves os volvéis, más ahondáis. El núcleo más interior es absolutamente suave.

Esa es toda la enseñanza de Lao Tse, la enseñanza del Tao: sed suaves, sed como el agua; no seáis como una roca. El agua cae en la roca. Nadie puede imaginar que al final el agua vaya a ganar. Es imposible creer que el agua va a ganar. La roca parece tan fuerte, tan agresiva, y el agua tan pasiva. ¿Cómo va a ganar el agua sobre la roca? Pero con el tiempo la roca desaparece. Poco a poco lo suave continúa penetrando en lo duro.

De modo que permitid que sea un recordatorio constante. Siempre que empecéis a sentir que os volvéis duros, relajaos de inmediato y volveos suaves, sin importar las consecuencias. Aunque seáis derrotados y momentáneamente veáis que va a ser una pérdida, dejad que así sea, pero volveos suaves... a la larga, la suavidad siempre gana.

267

VELOCIDAD

*Cada uno posee su propia velocidad y debería moverse conforme a ella,
a aquello que es natural para vosotros.*

Una vez que alcancéis vuestro propio ritmo, podréis hacer mucho más. No será turbulento, irá con suavidad y podréis hacer mucho más. Hay trabajadores lentos, pero la lentitud posee sus propias cualidades. Y de hecho estas son mejores. Un trabajador veloz puede ser cuantitativamente bueno. Podrá producir más, cuantitativamente hablando, pero cualitativamente nunca podrá ser muy bueno. Un trabajador lento es cualitativamente más perfecto. Toda su energía penetra en una dimensión cualitativa. La cantidad quizá no sea mucha, pero eso tampoco es lo que realmente importa.

Si podéis hacer algunas cosas, cosas realmente hermosas, casi perfectas, os sentís muy felices y satisfechos. No hay necesidad de hacer muchas. Incluso si podéis hacer una sola cosa que os satisfaga totalmente, es suficiente; vuestra vida está realizada. Podéis seguir haciendo muchas cosas sin que nada os deje satisfechos y todo os ponga enfermos. ¿Qué sentido tiene?

Hay que entender algunas cosas básicas. No existe nada llamado naturaleza humana. Hay tantas naturalezas humanas como seres humanos, de modo que no hay criterio.

268

PERMITIR

El gran secreto de la ciencia espiritual es permitir que algo acontezca sin hacerlo. Se requiere una gran comprensión y conciencia para dejar que las cosas sucedan.

Por nuestra parte no es necesaria ninguna acción, porque hagamos lo que hagamos, sale de nuestras mentes confusas; lleva la huella de todo lo que tenemos en ella. No puede ser algo realmente profundo, porque la mente en sí misma es muy superficial.

Al ver y comprender esto, surge un nuevo enfoque... el enfoque del desprendimiento. El gran secreto de la ciencia espiritual es permitir que algo acontezca sin hacerlo. Se requiere una gran comprensión y percepción para dejar que las cosas sucedan. La mente sufre una constante tentación de interferencia. Aporta sus deseos, quiere las cosas conforme a sí misma, y ahí radica todo el problema. Somos partes diminutas de esta vasta existencia. Poseer alguna idea de lo propio es una idiotez. Es exactamente el sentido de la palabra *idiota*, literalmente... poseer una idea de lo propio.

Es como si una ola en el océano tratara de hacer algo por su propia cuenta. Es una simple parte de un vasto océano. No es ni independiente ni dependiente. Igual que nosotros, y si lo entendemos, entonces desaparece toda la ansiedad. En ese momento ya no queda adónde ir, no hay objetivo que alcanzar y no existe la posibilidad de fracasar o verse frustrado. Se experimenta una gran relajación... ese es el significado de entregarse, de confiar. La vida adquiere un color totalmente nuevo. Carece de la tensión que por lo general está presente. Se vive relajadamente, tranquilo y calmado, en casa.

269

TRUCOS DE LA MENTE

Este es el problema de todos los buscadores espirituales. Tarde o temprano la mente empieza a jugar malas pasadas.

Alguien verá luces, otro empezará a oír sonidos, alguien comenzará a experimentar otra cosa. Y el ego dice: «Esto es algo grande... solo te sucede a ti. Es raro. Eres especial, por eso te sucede a ti». Y uno empieza a cooperar.

No le prestéis mucha atención... ¡desentendeos de ello! Uno ha de vaciarse por completo. La única experiencia espiritual que merece la pena llamar espiritual es la experiencia de la nada, del vacío... lo que los sufíes llaman *fana*, la desaparición del ego. Esa es la única experiencia espiritual... lo demás son simples trucos de la mente. Y la mente es capaz de crear muchas cosas. Puede empezar a alucinar; puede tener visiones, Cristo y Buda... La mente posee la capacidad de soñar... se puede soñar incluso con los ojos abiertos. Cuando veis a Jesucristo delante de vosotros, ¿cómo no creerlo? Pero Jesucristo no está delante de vosotros... es vuestra proyección.

Por eso los maestros zen dicen: «¡Si te encuentras con Buda en el camino, mátalo!». Tienen razón. Parece sacrílego, muy irrespetuoso decir que si os encontráis con Buda en el camino tenéis que matarlo, pero es muy cierto. En el camino conoceréis a Buda, a Jesucristo o a Mahoma... eso no es lo importante. Os encontraréis con cualquier cosa para la que hayáis sido condicionados en la infancia. Aparecerán los grandes maestros espirituales y los lamas tibetanos, y veréis que está sucediendo algo importante. Y encontraréis a personas necias que os apreciarán. Dirán: «Sí... Tu rango sube más y más cada día, estás llegando a puestos más elevados». No escuchéis a esas personas.

270
IGNORANCIA

Al ignorar de lo interior uno permanece ignorante. No soslayar lo interior es el comienzo de la sabiduría. Me gusta la palabra ignorancia. *Significa que algo ha sido soslayado, dejado atrás... no le habéis prestado atención.*

Algo hay ahí —siempre ha estado ahí—, pero lo habéis descuidado. Quizá se lo puede soslayar con facilidad porque siempre está ahí. Siempre soslayamos aquello que siempre está ahí; siempre tomamos nota de lo nuevo porque lo nuevo aporta cambio. El perro sigue sentado si nada se mueve a su alrededor... puede descansar, puede soñar. Pero en cuanto algo se mueve de inmediato se pone alerta. Aunque solo sea una hoja muerta, empezará a ladrar. Ese es exactamente el estado de la mente; toma nota únicamente cuando algo cambia, y luego vuelve a quedarse dormida.

Y nuestro tesoro interior siempre ha estado con nosotros. Es muy fácil de ignorar; hemos aprendido a hacerlo. Ese es el significado de la palabra *ignorancia*.

Dejad que vuestra búsqueda sea el comienzo de no soslayar lo interior, y el despertar se producirá por sí solo. Y cuando el amor despierta, la vida posee un sabor totalmente diferente. Adquiere el sabor del néctar, de la inmortalidad.

271

VIEJA Y MEZQUINA

La mente no deja de encogerse... a medida que envejecéis, la mente se vuelve más y más pequeña y más y más mezquina. No es fortuito que la gente mayor se vuelva un poco mezquina.

Hay tantas personas mayores que siempre están enfadadas, irritadas, molestas, sin motivo en particular, y ello se debe a que han perdido el corazón en su vida. Han vivido solo con la mente, que no conoce ningún camino para expandirse; únicamente sabe encogerse, algo que nunca deja de hacer. Cuanto más sabéis, más pequeña la mente que tenéis.

La persona ignorante posee una mente mayor que la persona culta, porque no tiene nada en la mente. No hay espacio. La persona instruida está demasiado llena de conocimiento; carece de espacio. Pero el corazón es otro nombre del espacio interior.

Así como existe el espacio exterior —el cielo sin barreras, sin límites—, de la misma manera el cielo interior carece límites. Ha de ser así: si el exterior es infinito, el interior no puede ser finito. Debe equilibrar el exterior; es su otro polo. El cielo interior es tan grande como el exterior, de la misma proporción.

La meditación no tiene que suceder en la cabeza... no puede suceder allí, y sea lo que fuere lo que tenga lugar allí, no es más que una imitación de la meditación. No es ni verdad ni real; lo real siempre acontece en el corazón. Así que recordadlo: cuando hablo de despertar, hablo del despertar del corazón. No debe entenderse únicamente como una doctrina; ha de experimentarse, ha de convertirse en vuestra estado existencial.

272
IRA Y DOLOR

La ira surge como una protección contra el dolor. Si alguien os hace daño, os enfadáis para vuestro ser contra el dolor. De modo que cada dolor es suprimido por la ira... capas y capas de ira encima del dolor.

Seguid trabajando en la ira, y de pronto, en cualquier momento, sentiréis que la ira ha desaparecido... que os ponéis tristes, no iracundos. La atmósfera cambiará de ira a tristeza, y cuando suceda, podréis estar seguros de que os halláis cerca del dolor; entonces el dolor estallará.

Es como si excaváramos un agujero en la tierra para hacer un pozo. Primero tenemos que extraer la tierra y muchas capas de piedra, y luego brota el agua. Al principio no está limpia, sino embarrada; luego, poco a poco, comienzan a estar disponibles fuentes más limpias. Primero llegará la ira, que posee muchas capas, como la tierra. Luego llegará la tristeza como el agua embarrada, y entonces accederéis al dolor, a un dolor puro, limpio. Y el dolor puro es tremendamente hermoso, porque de inmediato os proporcionará otro nacimiento.

273
DESILUSIÓN

Comprender que aquello a lo que hasta ahora habíais llamado amor
no era tal, es una de las percepciones más importantes. Cuando esto acontece,
muchas cosas se hacen factibles.

La gente no deja de pensar que ama, y esa se convierte en su mayor ilusión... y cuanto antes se desilusione, mejor. El amor es algo tan raro que no puede estar tan fácilmente disponible para todos. Es tan raro como llegar a ser un Buda, nada menos.

La percepción de que no conocéis el amor es buena, pero os entristecerá, os volverá taciturnos. Sin embargo, no os preocupéis, porque la mañana nace de una noche oscura. Cuanto más oscura es la noche, más cerca está la mañana. Os sentiréis muy, muy sombríos y tristes porque sea lo que fuere que creíais que era amor, no lo era, y habéis vivido en un ensueño, perdiéndoos la realidad. Cuando comprendéis esto, os ponéis muy tristes, casi morís.

No intentéis escapar de ese estado. Relajaos en él, dejad que esa tristeza os ahogue y no tardaréis en salir de ella completamente renovados.

La tendencia humana es no permitirlo, es escapar de él: ir a un restaurante, al cine, a reuniros con amigos para hablar de tonterías, hacer algo para estar ocupados y poder escapar de ese estado. Pero si escapáis, os volvéis a perder algo que iba a suceder. Entregaos a él.

LO FALSO Y LO VERDADERO

La primera vez que la mente se vuelve meditativa, el amor da la impresión de ser una servidumbre. Y en un sentido es verdad, porque una mente que no es meditativa no puede estar realmente enamorada. Ese amor es falso, ilusorio; más parecido a un capricho y menos al amor.

Pero no tenéis nada con qué compararlo a menos que suceda el de verdad, de modo que cuando la meditación empieza, poco a poco se disipa y desaparece el amor ilusorio. Primero, no os desaniméis. Segundo, no lo convirtáis en una actitud permanente; estas son dos posibilidades.

Si alguien es un creador y medita, toda la creatividad desaparecerá por el momento. Si sois pintores, de pronto no os encontraréis enfrascados en vuestra pasión. Podéis continuar, pero veréis que vuestra energía y entusiasmo se reducen. Si sois poetas, la poesía cesará. Si sois hombres que habéis estado enamorados, esa energía simplemente se desvanecerá. Si tratáis de obligaros a entrar en una relación, de ser vuestro viejo yo, la imposición será muy peligrosa. Entonces hacéis algo contradictorio: por un lado tratáis de entrar, por el otro, intentáis salir. Es como si condujerais un coche y pisarais al mismo tiempo el acelerador y el freno. Puede ser un desastre, porque hacéis dos cosas opuestas al mismo tiempo.

La meditación solo va contra el amor falso. Lo falso desaparecerá, es una condición básica para que aparezca lo verdadero. Lo falso debe irse, debe abandonaros por completo; solo entonces estaréis disponibles para lo real. Mucha gente piensa que el amor está contra la meditación, y la meditación contra el amor... lo cual no es cierto. La meditación está contra el amor falso, pero por completo entregada al amor verdadero.

275
DESAMPARO

El mundo es vasto y el hombre está desamparado. Es difícil,
muy difícil, pero una vez que aceptáis el sufrimiento humano básico
os invadirá una calma absoluta.

Es más fácil aceptar la desdicha propia que la de otro. Incluso resulta posible aceptar el sufrimiento de otro, pero la desdicha de un niño: inocente, desvalido, que sufre sin ninguna causa aparente; no puede replicar, tampoco protestar o defenderse. Parece tan injusto, feo, horrible, que es difícil de aceptar.

Pero recordad que no solo el niño está desamparado, sino vosotros también. En cuanto entendéis vuestro propio desamparo, la aceptación llegará como una sombra. ¿Qué podéis hacer? También vosotros estáis desamparados. No digo que os volváis duros como una piedra. Sentidlo, pero sabed que estáis desamparados. El mundo es vasto y el hombre está desamparado. En el mejor de los casos, podemos sentir compasión. Y aunque hagamos algo, no hay certeza de que nuestra acción vaya a ayudar... quizá cause más desdicha.

De modo que no os digo que perdáis la compasión. Solo perded la convicción de que el sufrimiento humano está mal. Y desprendeos de la idea de que tenéis que hacer algo al respecto, porque en cuanto la persona activa entra en juego, el testigo está perdido. La compasión es buena, el desamparo es bueno. Llorad, no hay nada de malo en ello. Dejad que fluyan las lágrimas, pero hacedlo sabiendo que también estáis desamparados; por eso lloráis. La idea misma de que podemos hacer algún cambio es muy egoísta, y el ego no para de perturbar las cosas. Así que desprendeos del ego y simplemente observad.

276

INMUTABLE

Recordad siempre que no sois momentáneos, sino eternos...,
no mutables sino inmutables.

Si veis una flor, en ella hay dos elementos que la constituyen: uno que siempre está cambiando —el cuerpo, la forma—, y luego, oculto detrás de la forma, está lo que no tiene forma, aquello que es inmutable. Las flores vienen y van, pero la belleza permanece. A veces se manifiesta en una forma, a veces vuelve a disolverse en lo que no tiene forma. Una vez más habrá flores y la belleza se manifestará... luego se marchitarán y la belleza pasará a lo no manifiesto.

Y lo mismo sucede con los seres humanos, con las aves, los animales, con todo. Tenemos dos dimensiones: la parte diurna, cuando nos manifestamos, y la parte nocturna, cuando dejamos de manifestarnos... pero en la que somos eternos. Siempre lo hemos sido y siempre lo seremos. El ser está más allá del tiempo y del cambio.

Al principio recordadlo «como si así fuera», luego empezaréis a sentir su realidad.

277
CAMBIO

Queremos cambiar si no hay riesgo, y eso es imposible. Esa condición —el que no haya riesgo— imposibilita el cambio, porque todo ha de estar en juego, solo entonces es posible el cambio.

El cambio no puede ser parcial. O es o no es... únicamente puede ser total. De modo que la decisión radica entre ser o no ser. Es un salto, no un proceso gradual. Si de verdad estáis hartos de la vida que habéis llevado, si estáis realmente hartos de los viejos patrones que habéis repetido constantemente, entonces no hay problema.

Es fácil, muy fácil, si existe la comprensión de que habéis estado llevando una vida que no ha valido gran cosa, que no os ha aportado nada, que nunca os ha permitido florecer.

No se trata de una cuestión de reconocimiento mundano. La gente puede pensar que habéis tenido éxito, que poseéis todas las cualidades que envidian, pero esa no es la cuestión. En lo más hondo de vuestro ser sentís que estáis estancados, helados, encogidos, como si ya os hallarais muertos, como si algo se hubiera cerrado. El sabor de la vida, la poesía y el flujo, la canción, han desaparecido, y la fragancia ya no está. Seguís adelante porque tenéis que hacerlo. ¿Qué otra alternativa hay? Ya casi parecéis víctimas de las circunstancias, del azar, como una marioneta, sin saber lo que hacéis, adónde vais, de dónde venís, quiénes sois.

Si de verdad pensáis que este ha sido el caso, entonces no hay problema... el cambio es muy fácil. Se trata de un fenómeno tan espontáneo que no es necesario hacer nada al respecto; su sola comprensión aporta el cambio. La comprensión es una revolución radical, y no existe otra revolución.

278

DESAPEGO

No estoy a favor de la renuncia. Disfrutad de todo lo que brinda la vida, pero permaneced siempre libres. Si los tiempos cambian, si las cosas desaparecen, os da igual. Podéis vivir en un palacio o en una choza... podéis vivir felices bajo el cielo.

Esta constante percepción de que uno no debería empezar a aferrarse a nada hace que la vida sea feliz. Uno disfruta tremendamente de todo lo que tiene a mano. Y siempre es más de lo que uno puede disfrutar, y siempre está disponible. Pero la mente se encuentra demasiado apegada a las cosas... y así perdemos de vista la celebración que siempre está disponible.

Está la historia de un monje zen que era un maestro, y una noche un ladrón entra en su choza, pero allí no encuentra nada para robar. El maestro se quedó muy preocupado por lo que pudiera pensar el ladrón. Se había alejado unos ocho kilómetros de la ciudad, y en una noche tan oscura...

Solo disponía de la manta que utilizaba... era su ropa, su cobertor, todo. Puso la manta en un rincón, pero el ladrón no podía ver en la oscuridad, de manera que tuvo que decirle que se la llevara, le suplicó que la aceptara como un regalo, que no debería regresar con las manos vacías. El ladrón quedó muy desconcertado; se sintió tan incómodo, que escapó con la manta.

El maestro escribió un poema diciendo que si hubiera estado al alcance de su mano, le habría dado la luna al ladrón. Sentado aquella noche bajo la luna, desnudo, disfrutó más que nunca de ella.

La vida siempre está disponible... más de lo que podéis disfrutar, y siempre tenéis más a vuestra disposición de lo que podéis dar.

279
VISLUMBRES

Siempre empieza con vislumbres, y es bueno que sea así; una súbita apertura del cielo sería demasiado, insoportable. A veces uno puede enloquecer si una comprensión tiene lugar súbitamente.

A veces se puede ser lo bastante tonto como para entrar demasiado súbitamente en una comprensión, y entonces resulta peligroso, porque sería excesivo para vosotros; no podríais absorberla. La cuestión no radica en la comprensión, sino en cómo digerirla poco a poco, para que no sea una experiencia sino que se convierta en vuestro ser.

Si es una experiencia, vendrá y se irá; nunca dejará de ser un vislumbre. Ninguna experiencia puede permanecer como algo permanente... solo vuestro ser puede serlo.

Y no seáis codiciosos acerca de los asuntos interiores. Es malo incluso con los exteriores, y muy malo con los interiores. No es tan peligroso cuando sois codiciosos con el dinero, el poder y el prestigio. Porque esas cosas simplemente son vanas, y que seáis o no codiciosos no marca una gran diferencia. Pero la codicia interior, cuando avanzáis por un sendero interior, puede ser muy peligrosa. Muchas personas casi se han vuelto locas. Puede resultar demasiado deslumbrante a sus ojos y pueden cegarse.

Siempre es bueno llegar e irse. Dejad que sea un ritmo constante, para que nunca estéis fuera del mundo y jamás en él. Poco a poco os daréis cuenta de que lo trascendéis. Ha de ser algo gradual... del mismo modo en que una flor se abre tan gradualmente que no podéis ver cuándo ha tenido lugar realmente la apertura.

280

EL CUERPO

Escucha siempre atentamente a tu cuerpo.
Susurra, nunca grita.

El cuerpo os transmite mensajes solo con susurros. Si estáis alerta, seréis capaces de entenderlos. Y el cuerpo posee una sabiduría propia que es mucho más profunda que la mente. Esta simplemente es inmadura. El cuerpo ha permanecido sin la mente durante milenios. La mente ha llegado hace poco. Aún no sabe mucho. El cuerpo todavía mantiene bajo su control todas las cosas básicas. La mente solo ha recibido las cosas inútiles... pensar; pensar en filosofía y en Dios, en el infierno y en la política.

Así que escuchad al cuerpo y nunca comparéis. Nunca antes ha habido una persona como vosotros, y jamás la habrá. Sois absolutamente únicos: pasado, presente y futuro. De manera que no podéis comparar notas con nadie y tampoco podéis imitar a nadie.

281

LA ESTRELLA POLAR

Es la estrella más permanente y quieta. Todo se mueve menos esa única estrella, que no lo hace.

El amor es la Estrella Polar. Todo se mueve, el amor es lo único que nunca lo hace. Todo cambia, y solo el amor se mantiene permanente. En este mundo cambiante solo el amor es la sustancia inmutable. Todo lo demás está en flujo, es momentáneo. Únicamente el amor es eterno.

Debéis recordar estas dos cosas. Una es el amor, porque es lo único que no es ilusorio. Es la única realidad; todo lo demás es sueño. De modo que si uno consigue volverse cariñoso, uno se vuelve real. Si uno alcanza el amor total, se ha transformado en uno mismo, en la verdad, porque el amor es la única verdad.

Y lo segundo es que cuando camináis, recordad que algo en vosotros jamás camina. Se trata de vuestra alma, de vuestra estrella polar. Coméis, pero algo en vosotros nunca come. Os enfadáis, pero algo en vosotros nunca se enfada. Hacéis mil y una cosas, pero algo en vosotros permanece absolutamente más allá de la acción. Es vuestra estrella polar. Así que al caminar, recordad aquello que jamás camina. Al moveros, recordad lo inmóvil. Al hablar, recordad el silencio. Al hacer cosas, recordad ser.

Recordad siempre aquello que es absolutamente permanente, que jamás titila, que nunca oscila, que no conoce ningún cambio. Eso inmutable dentro de vosotros es lo real. Y el modo de encontrarlo está en el amor.

282

REGRESO AL CENTRO

Si sentís que osciláis un poco a izquierda y derecha y no sabéis dónde está vuestro centro, eso simplemente demuestra que ya no estáis en contacto con vuestro hara, *de modo que debéis crear ese contacto.*

Por la noche, cuando os vayáis a dormir, echaos en la cama, apoyad las dos manos cinco centímetros por debajo del ombligo y presionad un poco. Luego empezad a respirar, respirad hondo, y sentiréis cómo ese centro sube y baja con la respiración. Sentid toda la energía que tenéis ahí como si os encogierais y existierais como un pequeño centro, como una energía muy concentrada. Hacedlo durante diez o quince minutos, y luego quedaos dormidos.

Podéis quedaros dormidos mientras lo hacéis; eso os ayudará. Entonces ese proceso de centramiento persistirá toda la noche. Una y otra vez el inconsciente irá a centrarse allí. De modo que sin que lo sepáis, toda la noche entraréis en un contacto profundo de muchas maneras con ese centro.

Por la mañana, en cuanto sintáis que el sueño se ha desvanecido, no abráis los ojos. Llevad una vez más las manos hasta ese punto, empujad un poco y empezad a respirar; sentid otra vez el *hara*. Hacedlo durante diez o quince minutos y luego levantaos. Realizadlo cada noche, cada mañana. A los tres meses empezaréis a sentiros centrados.

283

DESCONDICIONAMIENTO

El amor es un descondicionador. Se lleva los viejos patrones y no os proporciona un patrón nuevo.

Casi siempre sucede que los amantes se vuelven infantiles... porque el amor os acepta. No os exige nada. No os dice: «Sed esto, sed aquello». Solo os dice: «Sed vosotros mismos. Sois buenos como sois. Sois hermosos». El amor os acepta. De pronto empezáis a olvidaros de vuestros ideales, de los «debería», de las personalidades. Os desprendéis de vuestra vieja piel y de nuevo os transformáis en niños. El amor hace que las personas sean jóvenes.

Cuanto más amáis, más jóvenes os mantenéis. Cuando no amáis, empezáis a haceros viejos, porque comenzáis a perder contacto con vosotros mismos. El amor no es más que entrar en contacto con vosotros a través del otro... alguien que os acepta, que refleja lo que sois.

El amor puede ser la condición propicia para desprenderos de todo condicionamiento. El amor es un descondicionador. Se lleva los viejos patrones y no os proporciona un patrón nuevo. Si os da un patrón nuevo, no es amor. Entonces habría empezado otra vez la política.

284

MARAVILLA

El conocimiento destruye la capacidad de maravillarse. Esta es una de las cosas más preciadas de la vida, y el conocimiento la destruye. Cuanto más sabéis, menos os maravilláis, y cuanto menos os maravilláis, menos significa la vida para vosotros.

No estáis extasiados con la vida. No estáis sorprendidos... empezáis a dar las cosas por sentadas.

El corazón inocente está en un continuo estado de maravilla, como un niño que recoge caracolas o piedras de colores en la playa, o que simplemente corre de un lado a otro en un jardín en pos de mariposas... y se maravilla por todo. Por eso los niños hacen tantas preguntas.

Si salís una mañana a dar un paseo con un niño, termina por agotaros porque empieza a preguntar por esto y aquello, a formular preguntas que no se pueden contestar: «¿Por qué los árboles son verdes?» y «¿Por qué es roja la rosa?» Pero ¿por qué hace esas preguntas? Se siente intrigado. Está interesado por todo. La palabra interés procede de una raíz que significa estar involucrado... *inter-esse*. El niño se involucra en todo lo que pasa.

Cuantos más conocimientos adquirís, menor se vuelve vuestra participación en la vida. Simplemente pasáis de largo... no os preocupa la vaca, el perro, el rosal, el sol y el pájaro; no os preocupa. La mente se os ha vuelto muy estrecha; simplemente vais a la oficina o volvéis a casa. Cada vez más vais en pos de dinero, eso es todo. O detrás de poder, pero ya no estáis relacionados con la vida en su multidimensionalidad. Estar maravillado es relacionarse con todo, y ser constantemente receptivos.

285

CUALQUIER MOMENTO, CUALQUIER LUGAR

La meditación no tiene nada que ver con el momento y el lugar. Tiene que ver con vosotros, con vuestro espacio interior. De modo que siempre que estéis libres de la rutina diaria, relajaos y permitid que acontezca. Puede suceder en cualquier lugar, en cualquier momento, porque es no-temporal y no-espacial.

La meditación correcta no conoce limitación, y lentamente el flujo se torna más y más consciente. Entonces, cualquier cosa que estéis haciendo permanece en la superficie; en lo más hondo el río sigue fluyendo. Incluso en el mercado, rodeados de todo tipo de agitación, estáis en absoluto silencio. Hasta cuando alguien os insulta, os ofende o trata de provocaros, en lo más hondo reina la calma; algo permanece impasible. Aun cuando hay mil y una distracciones, en el centro nada se distrae. Pero esa meditación no la puede conseguir la mente; solo la puede permitir el corazón.

Este momento es meditación... ¡está ahí! No habéis hecho nada para que suceda; acontece por su propia cuenta. En este momento no hay tiempo. En este momento os veis transportados. En este momento podéis sentir esa calma, esa serenidad, esa trascendencia.

286

VIDA SOCIAL

El noventa por ciento de las actividades de la gente no sirve para nada;
no solo son inútiles, sino dañinas también. Es lo que llamáis hacer vida social,
encontrarse con personas, relacionarse, charlar, conversar...
y casi todo tonterías. Es bueno que desaparezca; cuando uno se vuelve
un poco alerta, desaparece.

Es como alguien que ha sufrido una fiebre muy alta, en la que ha gritado y ha dado vueltas en la cama. Luego la fiebre remite y considera que la vida ha desaparecido porque ya no se agita ni dice que la cama vuela por el cielo, que está rodeado de fantasmas. Ya no se encuentra en un estado de delirio. Desde luego parecerá un poco pobre, porque lo rodeaban un montón de personas y volaba por el cielo y hablaba con los Dioses... ¡todo ha desaparecido y regresado la normalidad!

Eso es lo que sucede cuando desaparece la vida social: el delirio se desvanece... os convertís en seres normales. En vez de hablar todo el día, de cotillear de manera innecesaria, hablaréis de forma telegráfica. Quizá no habléis mucho, tal vez os convirtáis en personas de pocas palabras, pero esas pocas palabras serán importantes. Y en ese momento solo permanecerán las relaciones verdaderas, que son valiosas.

No hace falta estar rodeado de una multitud. Unas pocas relaciones íntimas son suficientes; satisfacen de verdad. De hecho, como la gente carece de relaciones íntimas, quizá tenga muchas para sustituirlas. Pero la verdadera intimidad no se puede sustituir. Podéis tener mil y un amigos, que no compensarán un único amigo de verdad. Pero eso es lo que hace la gente: cree que la cantidad puede convertirse en sustituto de la calidad. Nunca es así, no puede serlo.

287
DEJARSE IR

En cuanto uno sabe cómo hallarse en un estado de dejarse ir, entonces por primera vez la vida comienza a acontecer. Nos esforzamos innecesariamente por alcanzar algo; de hecho, el mismo esfuerzo es el estorbo.

La vida sucede... no se puede alcanzar. Cuanto más se afana uno, menos tiene. No hace falta ir hacia ella, viene por su propia cuenta. Lo único que hace falta es un estado total de receptividad, de apertura. Hay que convertirse en un anfitrión de vida. No se requiere perseguirla. En eso anida la desdicha; cuanto más la perseguís, más se aleja.

Y la vida lo contiene todo. Contiene a Dios, contiene felicidad, bendición, belleza, bondad, verdad, o lo que busquéis... lo contiene todo; no hay nada aparte de la vida. La vida es el nombre de la totalidad de la existencia.

Hay que aprender a estar pacientemente relajados y tiene lugar el milagro de milagros: cuando estáis totalmente relajados, un día de pronto algo cambia. Desaparece un telón y veis las cosas tal como son.

Si tenéis los ojos demasiado llenos de deseos, expectativas y anhelos, no pueden ver la verdad. Están cubiertos por el polvo del deseo. Toda búsqueda es inútil. La búsqueda es un producto secundario de la mente. Encontrarse en un estado de no búsqueda es el gran momento de la transformación.

Todas las meditaciones son simples preparativos para ese momento. No son verdaderas meditaciones, sino preparativos para que un día, simplemente, podáis sentaros, sin hacer ni desear nada.

288

EL GUÍA

Todos los ríos llegan al océano sin ningún guía, sin ningún mapa.
También el hombre puede llegar al océano, pero se enreda en el camino.

El guía, el maestro, no es necesario para que os lleve al océano... eso puede suceder por sí solo; el maestro resulta necesario para manteneros alerta con el fin de que no os enredéis en el camino, porque hay mil y una atracciones.

El río no para de moverse. Llega hasta un árbol hermoso... el río lo disfruta y sigue adelante; no se une al árbol, de lo contrario el movimiento se detendría. Llega hasta una montaña hermosa, pero continúa... absolutamente agradecido, con el júbilo de atravesar la montaña y todas las canciones y danzas que le suceden. Agradecido, desde luego, pero en absoluto unido. Sigue su marcha... su movimiento no se detiene.

El problema con la conciencia humana es que se encuentra con un árbol hermoso y quiere establecer allí su hogar; ya no quiere ir a ninguna parte. Os encontráis con un hombre o una mujer hermosos y queréis uniros. El maestro es necesario para que os recuerde una y otra vez que no os unáis a nada. Y eso no quiere decir que no debáis disfrutar. De hecho, si os unís no seréis capaces de disfrutar; solo podéis disfrutar si os mantenéis independientes, libres.

289
MOMENTOS PROPICIOS

Cuando os sentís felices, cariñosos, como si flotarais... esos son los momentos propicios en que la puerta se encuentra muy cerca. Una simple llamada será suficiente.

Casi siempre que las personas se sienten desdichadas, ansiosas, tensas, nerviosas, prueban la meditación... pero entonces cuesta entrar. Cuando os sentís dolidos, enfadados, tristes, entonces pensáis en la meditación, pero eso es como ir contra la corriente y será muy difícil.

Cuando os sentís felices, cariñosos, como si flotarais... esos son los momentos propicios en que la puerta se encuentra muy cerca. Una simple llamada será suficiente.

De pronto una mañana os sentís bien, sin ningún motivo en particular. Algo debió haber sucedido en lo más profundo del inconsciente. Algo debió suceder entre vosotros y el cosmos, una armonía; tal vez por la noche, en pleno sueño. Por la mañana os sentís bien; no perdáis tiempo. Unos simples minutos de meditación representarán más que días enteros de meditación cuando os sentís desdichados.

O de pronto, por la noche, tumbados en la cama, os sentís como en casa... en un entorno acogedor y en el calor de la cama. Sentaos solo cinco minutos; no desperdiciéis ese momento. Hay una cierta armonía... usadla, sed como un surfista sobre una ola que os llevará lejos, más de lo que podríais ir solos. Así que aprended a utilizar esos momentos de felicidad.

290

UNICIDAD

Fuera, dentro, son falsas divisiones, igual que todas las divisiones.
Útiles, porque es difícil hablar sin palabras. Pero luego llegáis a entender
que solo hay uno. Carece de fuera y de dentro. Es uno y sois vosotros.

Ese es el significado del Upanishad del *Tattwamasi Swetaketu*: «Eso eres tú». *Eso* significa el exterior, y *tú* significa el interior; están unidos. Eso se convierte en vosotros, y vosotros os convertís en eso... de repente no hay ninguna división.

No *hay* división... la muerte es vida y la vida es muerte. Todas las divisiones existen porque la mente es incapaz de ver que lo contradictorio puede ser uno. Es por la lógica que la rige como la mente es incapaz de ver cómo una cosa puede ser ambas. La mente piensa en y/o; dice es esto o aquello. Y la vida es ambas, la existencia es ambas al mismo tiempo... tanto que decir que la existencia es ambas no es correcto. Es una tremenda unicidad.

291
MÁSCARAS

Simplemente sed conscientes. Sea lo que fuere lo que estéis haciendo...
al llevar una máscara, sed conscientes; llevadla a sabiendas. No debería ser
algo automático.

Si estáis sentados dominados por la tristeza y llega alguien y seguís tristes, también lo entristeceréis. Y no os ha hecho nada. No se lo merece bajo ningún concepto, entonces, ¿por qué ponerlo triste innecesariamente? Sonreís y habláis, y lo conseguís, bien conscientes de que se trata de una máscara. Cuando la persona se marcha volvéis a estar tristes. No fue más que un formulismo social. Si lo hacéis conscientemente, no hay problema...

Si tenéis una herida, no es necesario que se la mostréis a todo el mundo; no es asunto de nadie. ¿Por qué crear desdicha en la mente de los demás acerca de esa herida? ¿Por qué ser un exhibicionista? Que esté ahí; cuidadla, atendedla y tratad de curarla. Cuando vayáis al médico, mostrádsela, pero no hay necesidad de mostrársela a todo aquel que pase por el camino. Simplemente sed conscientes.

Uno ha de utilizar muchas máscaras; funcionan como un lubricante. Alguien llega y os pregunta cómo estáis, y empezáis a contarle toda vuestra desdicha. No os ha pedido eso, solo os decía hola. Y en ese momento os tiene que escuchar durante una hora entera. ¡Es excesivo! La próxima vez ni siquiera os saludará; huirá.

En la vida se necesitan muchas cosas porque no estáis solos, y si no vivís de acuerdo con el patrón formal de la sociedad, crearéis más desdicha para vosotros, nada más.

292
SORPRESA

Todo lo que es hermoso y verdadero, siempre llega como una sorpresa.
Así que retened la capacidad de poder sorprenderos. Esa capacidad
es una de las grandes bendiciones de la vida.

En cuanto perdéis esa capacidad, estáis muertos. Si las cosas os pueden sorprender, aún seguís vivos. Y cuanto más os sorprenden, más vivos estáis. Es la vivacidad de un niño al que sorprenden las cosas más triviales. Ni siquiera podemos creer por qué se sorprende... un árbol corriente, un pájaro, un perro, un gato, un guijarro en la playa. Está más sorprendido de lo que lo estaríais vosotros si os encontrarais con un gran diamante... ni siquiera entonces os sorprenderíais. Pero como él se sorprende y posee la capacidad de hacerlo, cada guijarro se convierte en un diamante. Si no os sorprendéis, incluso un diamante puede convertirse en un guijarro ordinario.

La vida tiene tanto sentido como la capacidad de sorprenderos y de maravillaros que poseéis. Así que manteneos siempre abiertos. Y no dejéis de recordaros una y otra vez que la vida es infinita. Es siempre un proceso en marcha; jamás llega a un fin. Es un viaje interminable y eterno y cada momento es nuevo, original. Cuando digo que cada momento es original, me refiero a que cada momento os devuelve a vuestros orígenes, os transforma otra vez en niños.

293
LO INCOGNOSCIBLE

La mente es lo conocido, la meditación es erguirse en lo desconocido y Dios es lo incognoscible... como un horizonte al borde de lo desconocido. Cuanto más os acercáis, más se aleja. Es siempre un arco iris y jamás podréis agarrarlo.

Podéis intentarlo y debéis hacer todos los esfuerzos por llegar hasta él, pero siempre es inalcanzable.

Dios es imposible, y porque Dios es, la vida es hermosa. Debido a que lo imposible es, la vida, que es tremendamente hermosa, pierde su significado.

Por eso es por lo que en Occidente la vida pierde más sentido que en Oriente. Como la ciencia os ha proporcionado más conocimientos, y debido al polvo cegador que ha vertido sobre vosotros, cada día se reduce más vuestra capacidad de sorpresa. Os estáis volviendo casi insensibles a lo incognoscible. Esa es la única tumba, la única muerte... que pensáis que habéis conocido.

Permaneced siempre disponibles a lo desconocido y lo incognoscible...

294
LA VOZ CRÍTICA

Esta voz crítica nunca es vuestra. Erais niños y el padre os decía:
«No hagáis esto»; y la madre os decía: «No hagáis esto».
Lo que queríais hacer siempre estaba mal, y lo que nunca queríais hacer,
ellos querían que lo hicierais... y siempre estaba bien.

Os encontráis en un doble aprieto. Tenéis el derecho de no hacer lo que no queréis hacer... de manera que si lo hacéis, lo realizáis como un deber. Entonces no hay júbilo; sentís que os estáis destruyendo, que desperdiciáis vuestra vida. Si hacéis aquello que os gusta, os sentís culpables, consideráis que hacéis algo malo.

De modo que tenéis que deshaceros de vuestros padres, eso es todo. Y es algo muy sencillo, porque ya sois adultos... ellos no están presentes, solo están en el interior de vuestra mente.

No me refiero a que vayáis a matarlos... me refiero a que matéis esto... esta simple resaca del pasado. Ya no sois niños: reconoced ese hecho. Asumid la responsabilidad, es vuestra vida. Así que haced lo que más os apetezca, y jamás hagáis algo que no deseéis. Si tenéis que sufrir por ello, sufrid. Hay que pagar un precio por todo; nada es gratis en la vida.

Si disfrutáis de algo y todo el mundo lo condena, ¡bien! Dejad que lo haga. Vosotros aceptáis esa consecuencia, merece la pena.

Si no os gusta algo y el mundo dice «hermoso», carece de sentido, ya que nunca disfrutaríais de la vida. Es vuestra... ¿y quién sabe? Mañana podéis morir. ¡Así que disfrutad mientras estéis con vida! No es asunto de nadie... ni de los padres, ni de la sociedad, de nadie. Es vuestra vida.

295
CORRER

Si podéis correr largas distancias, es una meditación perfecta.
Trotar, correr, estupendo; nadar... cualquier cosa en la que podáis
involucraros por completo, y perderos.

Solo permanece la actividad, vosotros no... el ego no puede funcionar. Cuando corréis, en realidad solo está la acción de correr, no el corredor. Y eso es la meditación.

Si solo está el baile y no el bailarín... meditación. Si estáis pintando y solo existe la pintura y no el pintor, entonces es meditación. Cualquier actividad que sea total y en la que no exista una división entre quien la hace y lo que se hace se convierte en meditación.

296
TÉCNICA

El amor funciona; la técnica es solo una excusa.
El terapeuta funciona, no la terapia.

A veces, cuando hay un hombre como Fritz Perls, algo empieza a suceder. No es gestalt, es la personalidad del hombre: su tremendo coraje, su compasión. Intenta ayudar; trata de llegar hasta la otra persona.

Pero nuestra mente lógica dice que debe ser la terapia gestalt lo que ayuda; y esa ha sido la falacia a lo largo de los siglos. No es el cristianismo el que ayuda, fue Cristo. Y no tiene nada que ver con el budismo, fue Buda. Durante dos mil quinientos años la gente ha pensado que era el budismo lo que ayudaba a las personas. En absoluto, era Buda. Si Buda hubiera estado diciendo otra cosa, también eso habría sido de ayuda. Aunque hubiera dicho lo opuesto de lo que fuera que dijera, también eso habría ayudado. Era la fuerza vital de aquel hombre, su compasión y comprensión lo que ayudaron.

Pero nuestras mentes de inmediato se aferraron a las técnicas, a lo superficial. Entonces esto se convierte en algo importante y perdemos contacto con lo principal, lo esencial. Y hay problemas: lo esencial no se puede enseñar, solo se puede enseñar lo no esencial. De modo que no podéis enseñarle a Fritz Perls... podéis enseñar gestalt. Fritz Perls acontece cuando acontece; ¡no hay modo de enseñar eso! Pero la sociedad quiere estar segura de algo, de manera que empieza a enseñar, y solo se puede enseñar lo no esencial.

De modo que todas las enseñanzas van contra el maestro, porque este aporta lo esencial y la enseñanza enseña lo no esencial.

297
HUIDA DE LA PRISIÓN

Es un juego... ¿quién sabe? Yo puedo estar equivocado. Quizá no haya
conseguido salir de la cárcel, tal vez solo estoy fingiendo... ¡Puede que sea el
carcelero! Nadie puede estar jamás seguro de ello. De modo que se trata de
una apuesta, es una confianza. La confianza siempre es una apuesta.

Si una persona decide ante sí misma que no va a fumar y no se lo
cuenta a nadie, existen noventa y nueve posibilidades entre cien de que
fume. Pero una segunda persona decide que no fumará y va y se lo cuenta a todo el mundo... se dirige a todos los amigos y les dice que ha tomado la determinación de no fumar. Existe el noventa por ciento de posibilidades de que siga fumando. La tercera posibilidad es que se una a una
sociedad de no fumadores en la que nadie fume. Entonces existe el
noventa y nueve por ciento de que no vuelva a fumar.

Gurdjieff solía decir que si queréis hacer algo, encontrad nuevos amigos con quienes poder hacerlo. Es como si estuvierais encerrados en una
celda: queréis escapar, pero lograrlo solo será muy difícil. Si formáis un
grupo, las posibilidades serán mayores: podéis matar a los guardias... algo
que os resultaría muy complicado solos. Podéis romper el muro... tarea
que solos os sería muy ardua. Pero aún existe la posibilidad de que no
tengáis éxito, porque vuestro grupo será un grupo pequeño de desvali-
dos prisioneros. Las fuerzas que rigen en la cárcel son más grandes que
vosotros.

La tercera cosa, la mejor, es establecer contacto con personas que
estén fuera, que ya sean libres, que no se encuentren en la cárcel, que os
puedan proporcionar cosas, que os puedan ofrecer el mapa, sobornar a
los guardias y llevarse de excursión al carcelero.

298
RITMO CORPORAL

Es muy importante comprender el ritmo corporal. Y no se puede cambiar.
Se establece en cuanto nacéis.

Vigilad vuestro ritmo. Si tenéis ganas de iros pronto a la cama, hacedlo y levantaos temprano por la mañana. Cuando hayáis entendido qué tiempo es el que os va bien, será mejor que mantengáis una regularidad. Si a veces no os es posible ser regulares, no pasa nada, pero no convirtáis la irregularidad en una rutina.

Se han llevado a cabo muchas investigaciones sobre el ritmo corporal, y parece que no existe la posibilidad de cambiarlo. Es algo que está en las mismas células; las células están programadas.

Hay pájaros que se quedan dormidos cuando se pone el sol. Se los trasladó a cámaras artificiales y se los quiso engañar. Cuando en el exterior era de noche, en la cámara había luz, y cuando fuera era de día, reinaba la noche en la cámara. Se los mantuvo allí durante meses. Se convirtieron en aves neuróticas —empezaron a suicidarse o a matarse entre sí—, pero no se les pudo alterar el ritmo corporal.

Se dormían durante el día en la cámara y despertaban cuando allí imperaba la noche. Y, desde luego, resultó muy extraño para sus cuerpos estar despiertos por la noche... comenzaron a sentir algo extraño y eso empezó a repercutir en sus sistemas.

Así que simplemente seguid vuestros ritmos corporales.

299
SOMBRA

Nadie puede matar al ego, porque el ego no es. Si estuviera allí, ya habríais podido matarlo. Es una sombra... no se puede matar a una sombra.

Hasta luchar con una sombra es una necedad, os derrotaría... y no porque sea muy poderosa, ¡sino porque la sombra no es! Si empezáis a pelear con una sombra, ¿cómo podéis ganar? Es algo no existencial; lo mismo le sucede al ego.

El ego es la sombra del yo. Así como el cuerpo crea una sombra, el yo también la crea. No podéis luchar con ella ni tampoco matarla; de hecho, el que quiere matar es el ego.

Uno solo puede entender. Si queréis matar a la sombra, llevad luz y desaparecerá; aportad más conciencia y el ego se desvanecerá.

300
LA LLAVE MAESTRA

La clave es la aceptación total. Es la llave maestra; abre todas las puertas.

No hay cerradura que no se pueda abrir con la aceptación; sencillamente encaja en todas... ya que en cuanto aceptáis algo determinado, en vuestro ser se ha iniciado una transformación, porque no hay conflicto. No sois dos. En la aceptación os habéis convertido en uno, os habéis transformado en una unidad.

Recordad vuestra unidad, vuestra complejidad. Es hermosa. Los deseos son hermosos. La pasión es buena... si la aceptáis, se convertirá en compasión. Si aceptáis los deseos, poco a poco veréis que la misma energía se va transformando en algo sin deseos. Es la misma energía que estaba involucrada en los deseos. Cuando los aceptáis, poco a poco os relajáis, perdéis la tensión y la energía comienza a fluir con más naturalidad. Empezáis a ver las cosas como son. No estáis muy involucrados con este o aquel deseo. Lo habéis aceptado, de modo que no hay problema.

Todo lo que llamáis deseo se convertirá en aceptación de los deseos. En este momento es como el carbón. Puede ser transmutado en diamantes; se convierte en algo precioso. Solo imaginaos en un hombre sin deseos; será impotente. De hecho no estará vivo porque, ¿cómo vivirá sin deseos? De modo que la aceptación de los deseos no es algo negativo. Es la última seguridad de todos los deseos. Conocidos, entendidos, vividos, experimentados, habéis ido más allá de ellos. Habéis alcanzado la mayoría de edad.

301
PADRES

Siempre es bueno llegar a un entendimiento con los padres.

Es una de las cosas básicas. Gurdjieff solía decir: «A menos que estéis en buena comunión con vuestros padres, habéis errado vuestra vida». Si persiste cierta ira entre vosotros y vuestros padres, jamás os sentiréis cómodos. Allí donde estéis, os sentiréis un poco culpables. Jamás seréis capaces de olvidar y de perdonar. Los padres no son solo una relación social. Habéis venido de ellos. Formáis parte de ellos, sois una rama de su árbol. Aún estáis arraigados en ellos.

Cuando los padres mueren, algo muy arraigado muere en vuestro interior. Cuando los padres mueren, os sentís solos por primera vez, desarraigados. De modo que mientras están vivos, deberíais hacer lo necesario para que surja entendimiento y os podáis comunicar con ellos y ellos con vosotros. Entonces las cosas se asientan y las cuentas se saldan. Y cuando abandonen el mundo —se marcharán algún día—, no os sentiréis culpables, no os arrepentiréis; sabréis que las cosas están aclaradas. Ellos han sido felices con vosotros; vosotros habéis sido felices con ellos.

302
REENCARNACIÓN

El concepto oriental de la reencarnación es hermoso. No es importante que sea cierto o no. Os aporta una actitud muy relajada hacia la vida.
Eso es lo que cuenta.

En Occidente hay demasiadas prisas debido a ese concepto cristiano de que solo hay una vida, y que con la muerte desaparecéis y no seréis capaces de volver. Eso ha creado una idea muy descabellada en la mente de las personas. De modo que todo el mundo tiene prisa, va a toda velocidad.

A nadie le preocupa adónde va; lo importante es ir más deprisa, nada más. Así que nadie disfruta de nada, porque, ¿cómo podéis disfrutar a semejante velocidad? La totalidad de la vida se ha convertido en algo parecido a un atropello y fuga.

Para disfrutar de algo es necesaria una actitud muy relajada. Para disfrutar de la vida se necesita la eternidad, de lo contrario no se puede disfrutar. ¿Cómo podéis disfrutar cuando la muerte va a llegar tan pronto? Uno intenta disfrutar tanto como puede, pero en ese mismo esfuerzo se pierde toda la paz, y sin paz no hay gozo. El júbilo solo es posible cuando disfrutáis muy lentamente de las cosas. Únicamente es posible disfrutar cuando se dispone de suficiente tiempo que perder.

El concepto oriental de la reencarnación es hermoso. No es importante que sea cierto o no. Os aporta una actitud muy relajada hacia la vida. Eso es lo que cuenta. A mí no me preocupa la metafísica. Tal vez sea verdad, tal vez no; esa no es la cuestión. Para mí es irrelevante. Pero os proporciona un fondo muy hermoso.

303
HISTORIA

La historia es tan fea. El hombre no ha llegado al nivel en que debería comenzar la historia. Todo ha sido una pesadilla.

La humanidad aún no tiene nada que escribir sobre sí misma... solo unos pocos casos; en alguna parte un Buda, un Jesucristo... como estrellas distantes.

La humanidad ha vivido con violencia, guerras y locura, de modo que en cierto sentido sería bueno que olvidarais el pasado. Es demasiado pesado y no ayuda. De hecho, corrompe la mente. Mirar hacia el pasado da la impresión de que el hombre no puede crecer. Hace que las cosas parezcan perdidas.

Aún no merece la pena escribir o leer sobre historia. Y pensar en ella no es bueno. Solo se ocupa del pasado. De los muertos. De aquello que ya no es. Nuestra ocupación debería ser con lo que existe ahora, en este mismo momento.

Y no olvidéis únicamente la historia, sino también vuestra biografía, e iniciad los días cada mañana como si fueran completamente nuevos, como si nunca antes hubierais existido. De eso se trata la meditación: empezar cada momento como algo nuevo, fresco como el rocío, sin saber nada del pasado. Cuando no sabéis nada del pasado y no portáis nada de él, no proyectáis ningún futuro. No tenéis nada que proyectar. Cuando el pasado desaparece, lo mismo le sucede al futuro. Están unidos. Entonces solo queda el presente puro. Y eso es eternidad pura.

3º4
ARRAIGADOS

Si estáis arraigados en el amor, estáis arraigados.
No hay ninguna otra manera de estarlo.

Podéis tener dinero, una casa, seguridad, un buen saldo bancario; eso no os proporcionará raíces. No son más que sustitutos pobres del amor. Incluso puede incrementar vuestra ansiedad, porque en cuanto tenéis seguridad física —dinero o rango social—, teméis más y más que os puedan quitar esas cosas. O empezáis a preocuparos con tener más y más, ya que el descontento no conoce límite. Y vuestra necesidad básica era estar arraigados.

El amor es la tierra donde uno necesita estar arraigado. Así como los árboles están arraigados en la tierra, el hombre lo está en el amor.

Las raíces del hombre son invisibles, de modo que nada visible os va a ayudar. El dinero es muy visible, una casa es muy visible, el rango social es muy visible. Las raíces del hombre son invisibles. El hombre es un árbol con raíces invisibles. Tendréis que encontrar algo de tierra invisible —llamadlo amor, devoción, plegaria—, pero va a ser algo así... invisible, intangible, elusivo, misterioso. No podéis atraparlo. Todo lo contrario, deberéis permitirle que os atrape a vosotros.

3o5
DEDICACIÓN

La vida debe convertirse en una dedicación, solo entonces tiene sentido...
de lo contrario carece de sentido. Este llega a través de la dedicación,
y cuanto mayor sea el objeto de vuestra dedicación, mayor el sentido.

Hay personas dedicadas a un país... la madre patria. Es algo muy diminuto a lo que dedicarse, y muy necio, ya que puede explotarlo un Adolfo Hitler.

Luego hay personas dedicadas a una iglesia: hinduismo, cristianismo, islam. Mejor que a un país, pero aun así un dogma, un credo, algo fabricado por el hombre y que, básicamente, divide a la humanidad. Uno se vuelve cristiano, otro hinduista, y ya hay una división, un conflicto, violencia... y la belleza y la ironía es que la violencia se produce en nombre del amor.

Así que nunca os dediquéis a nada que divida.

306
VACÍO-LLENO

Con una mano cread vacío, con la otra cread plenitud, para que cuando estéis realmente vacíos, vuestra plenitud pueda llenarlo.

A veces sucede que uno puede volverse adicto a un solo tipo de meditación. Eso provoca un cierto empobrecimiento. Se debería permitir que muchas dimensiones penetraran en el ser. Habría que permitir al menos dos meditaciones: una inactiva y una activa. Es un requisito básico; de lo contrario la personalidad se vuelve sesgada.

Observar es un proceso pasivo. En realidad, no tenéis que hacer nada. No es una acción; es una especie de no-acción. Es una meditación budista... muy buena, pero incompleta. De modo que los budistas se han vuelto muy sesgados. Se transformaron en seres muy serenos, pero han pasado por alto una cosa... lo que yo llamo felicidad.

El budismo es uno de los enfoques más hermosos... pero incompletos. Le falta algo. Carece de misticismo, de poesía, de romance; es casi pura matemática, una geometría del alma, pero no poesía del alma. Y a menos que podáis bailar, jamás quedaréis satisfechos. Guardad silencio, pero emplead dicho silencio como una aproximación a la felicidad.

Realizad algunas meditaciones de danza, de canto, de música, para que al mismo tiempo, una al lado de la otra, vuestra capacidad de disfrutar, de estar gozosos, también se incremente.

307
LÍMITES

El amor significa abandonar el límite territorial. Esa línea invisible ha de desaparecer, de ahí que surja el miedo, porque se trata de nuestra herencia animal. Por eso, cuando os encontráis en un estado mental de amor, vais más allá de la herencia animal. Por primera vez os volvéis humanos, humanos de verdad.

Si realmente queréis vivir de forma rica, plena y tremendamente vibrante, entonces no hay otra manera. El único modo es establecer más y más contacto con la gente. Dejad que más y más personas entren en vuestro ser, dejad que más y más personas entren en vosotros.

Os pueden hacer daño —ese es el miedo—, pero es un riesgo que hay que asumir. Vale la pena. Aunque os protegierais toda la vida y no permitierais que nadie se acercara, ¿qué sentido tendría que estuvierais vivos? Estaríais muertos antes de haber muerto. No habríais vivido. Sería como si nunca hubierais existido, porque no hay más vida que la relación. Así que hay que asumir el riesgo.

Todos los seres humanos son como vosotros. En esencia el corazón humano es el mismo. De manera que permitid que se acerquen. Si lo hacéis, ellos os permitirán acercaros. Cuando los límites se superponen, el amor sucede.

308
TEORIZAR

El filósofo inventa la verdad; no es un descubrimiento.
Es su propia invención intelectual. Teoriza; realiza conjeturas.

La verdad no ha de inventarse. Todo lo que se inventa será falso. La verdad ya está ahí... o aquí. Hay que descubrirla. No hay necesidad de inventarla, porque aquello que inventéis va a ser falso. No sabéis qué es la verdad; ¿cómo podréis inventarla? Al no conocerla, resulta imposible inventarla. Aquello que se invente en la ignorancia no será más que una proyección de ignorancia. La verdad no puede inventarse; solo puede descubrirse, porque ya es el caso.

Y segundo, el telón no cubre la verdad. El telón está en vuestros ojos. La verdad no está oculta. Es absolutamente clara, se encuentra justo delante de vosotros. Allí donde miréis, estáis mirando a la verdad. Aquello que hagáis, se lo estáis haciendo a la verdad. Que lo sepáis o no lo sepáis, esa no es la cuestión.

Un verdadero buscador de la verdad es aquel que no inventa, que no conjetura, que no infiere, que no realiza un silogismo lógico, que simplemente se muestra receptivo, abierto, que responde, que es vulnerable y está disponible ante la verdad. Un buscador de la verdad ha de aprender una cosa, y es a ser infinitamente pasivo y paciente y estar a la espera. La verdad os acontece siempre que os encontráis abiertos.

3o9
EL MOMENTO ATÓMICO

Cada momento es atómico y no hay necesidad de que dos momentos tengan alguna secuencia, ninguna necesidad.

Es la mente unidimensional la que continuamente solicita algún significado que abarque todos los momentos... que todo esté conectado por una cadena de causa y efecto, que todo deba moverse hacia alguna parte, llegar a alguna parte, concluir en alguna parte. Esa es la mente lógica, la mente unidimensional.

La vida es multidimensional. Carece de objetivo, de destino. Y, de hecho, carece de significado... en el sentido de que todos los momentos vayan en fila con una meta en alguna parte. No, la vida no va a ninguna parte. Simplemente danza aquí. La palabra correcta es danza, no movimiento.

Cada momento es una danza y uno debería disfrutar de cada momento según viene y acontece. Entonces vuestra carga desaparecerá por completo. Esa es la libertad... estar en el momento, ser del momento, jamás preocupados por el pasado, por lo que aún ha de venir, y sin intentar nunca establecer una secuencia lógica.

310
CREPÚSCULO

Muchas personas han entrado en la existencia a través del crepúsculo.

En la India, la palabra *sandhya* —significa crepúsculo— se ha convertido en sinónimo de plegaria. Si os acercáis a un hindú ortodoxo y está rezando, dirá: «Estaba en *sandhya*... realizaba mi crepúsculo». Cuando se produce un cambio... por la mañana, por la noche; cuando sale el sol, justo antes del amanecer, se produce un gran cambio. La totalidad de la existencia pasiva se vuelve activa. El sueño se quiebra, los sueños desaparecen. Los árboles, los pájaros, la vida por doquier, surge otra vez. Es una resurrección. Es un milagro cada día. Si os permitís flotar con ello en ese momento, podéis alcanzar una gran cumbre.

Y el mismo cambio se produce otra vez cuando el sol se pone. Todo se aquieta, se serena. La existencia se ve impregnada de tranquilidad y de un profundo silencio. En ese momento, siempre que lo permitáis, podéis alcanzar grandes profundidades. Por la mañana podéis alcanzar grandes cumbres; por la noche, grandes profundidades, y ambas son hermosas. Elevaos muy alto o descended muy profundo. De las dos maneras os trascendéis a vosotros mismos.

3¹¹
LA MONTAÑA INTERIOR

Cuando se está en absoluto silencio y no hay movimiento en la mente,
uno se empieza a sentir como la gran cima de la montaña... nevada.

La montaña siempre ha atraído a los meditadores. Hay algo en las
montañas: el silencio, la quietud, la absoluta inmovilidad... casi atempo-
ralidad. La montaña se mantiene casi siempre permanente, y el modo en
que se yergue representa una forma de centrarse. Como si la montaña se
hallara en una profunda situación de centrarse, todo se centra hacia dentro. Buda sentado bajo un árbol parece una montaña. Y no es fortuito
que las primeras estatuas que se realizaron en el mundo fueran de Buda
y estuvieran hechas en piedra piedra: una roca, inmóvil, atemporal,
inmortal, centrada en sí misma.

El movimiento de la mente crea desdicha. El movimiento de la
mente es pensamiento, deseo, imaginación, memoria, y todas estas cosas
crean desdicha. Cuando no hay movimiento del pensamiento y del
deseo, la mente ha desaparecido. Vosotros sois, pero no hay mente en
ello. Ese estado de no-mente os brindará la percepción de la montaña
interior.

3¹²
METAFÍSICA

Meta significa más allá. Lo físico no lo es todo, la materia no lo es todo, y aquellos que piensan que la materia lo es todo se muestran satisfechos con la circunferencia de la vida. No dejarán de moverse en círculo, pero jamás llegarán a casa, porque el hogar existe en el centro.

La metafísica significa llegar al hogar, saber que sois conciencia, que toda la existencia está llena de conciencia, que esta no es un efecto secundario de la materia. No lo es. La materia solo es el cuerpo de la conciencia —su ropa, su cobijo, su morada, su templo—, pero la deidad es la conciencia. Y el templo está creado para la deidad, no al revés. La materia existe porque la conciencia existe, no al contrario.

La materia es conciencia dormida; la conciencia es materia despierta. En última instancia solo hay una cosa... llamadlo x, y, z, o Dios o verdad, lo que deseéis. En última instancia solo hay una cosa, pero esa cosa puede tener dos estados: uno de sueño y uno de vigilia. Cuando la materia se vuelve consciente de sí misma, es conciencia. Cuando la conciencia se olvida de sí misma, es materia.

De modo que aquellos que creen que la materia lo es todo, permanecen dormidos. Y sus vidas no dejan de moverse a ciegas en la oscuridad. Jamás saben qué es la luz, jamás llegan al amanecer. Y, por supuesto, en la oscuridad tropiezan mucho y se hieren a sí mismos y a otros, y toda su vida consiste únicamente en conflicto, fricción, violencia y guerra. Nunca llegan a saber qué es el amor, porque el amor solo es posible cuando se está lleno de luz.

La metafísica es una especie de dulce sabiduría. La lógica es amarga, pendenciera; los filósofos no paran de pelear. El hombre que ha llegado a conocerse a sí mismo es dulce... su sola presencia es como la miel.

313
UNA HABILIDAD

La verdadera meditación es una habilidad, no un arte... la habilidad de
sumirse en un silencio espontáneo. Si estáis atentos, en veinticuatro horas,
cada día, encontraréis unos pocos momentos en los que automáticamente
caéis en el silencio. Llegan por su propia cuenta; lo que pasa
es que no hemos estado atentos.

Así que de lo primero que hay que tener conciencia es del instante en que llegan esos momentos... y cuando lleguen, simplemente dejad de hacer lo que estuvierais haciendo. Sentaos en silencio, fluid con el momento. Y llegan... son naturales; unas pocas ventanas siempre se abren solas, pero estamos tan ocupados que nunca vemos que la ventana se ha abierto y que la brisa entra y el sol también; estamos demasiado ocupados con nuestro trabajo.

Así que estad atentos... a primera hora de la mañana, frescos tras una noche de sueño largo y profundo, cuando el mundo empieza a despertar y los pájaros han comenzado a cantar y el sol a salir, si sentís un momento que os rodea, un espacio que crece en vosotros, caed en él. Sentaos en silencio bajo un árbol, a la orilla de un río o en vuestra habitación, y simplemente sed... sin hacer nada. Atesorad ese espacio... y no tratéis de prolongarlo.

En cuanto hayáis conocido esa habilidad, os llegará con más asiduidad, hasta que comenzáis a entrar en una especie de armonía con ella. Entonces comienza una relación de amor entre vosotros y ese espacio llamado silencio, serenidad, tranquilidad, quietud. Y el vínculo se vuelve más y más profundo. Hasta que al final siempre está ahí. Siempre podéis cerrar los ojos durante un momento y contemplarla; está ahí. Casi podéis tocarla... se vuelve tangible. Pero es una habilidad, no un arte. No podéis aprenderla... tenéis que absorberla.

314
MÚSICA NO TOCADA

En sánscrito nada significa música, pero en español significa nada. También ese es un sentido hermoso, porque la música de la que hablo es la música de la nada, del silencio. Los místicos la han llamado la música no tocada.

Hay una música que está no creada, que se encuentra ahí como una corriente oculta en nuestro ser; es la música de la armonía interior. También hay una música en la esfera exterior: la armonía de las estrellas, de los planetas; toda la existencia es como una orquesta. Excepto el hombre, nada está desafinado; todo se halla en una armonía tremenda. Por eso los árboles poseen tanta gracia, al igual que los animales y los pájaros. Solo el hombre se ha vuelto feo, y el motivo es que ha intentado mejorarse; ha tratado de convertirse en algo.

En cuanto surge el deseo de *llegar a ser algo*, uno se vuelve feo, se desafina, porque la existencia solo sabe de *ser*; llegar a ser es una fiebre en la mente.

El hombre jamás está contento. Ese descontento crea fealdad, porque está completamente lleno de quejas, solo quejas y nada más. Quiere esto, quiere aquello y jamás está contento; aunque lo consiga quiere más. El «más» persiste... la mente no deja de pedir más y más. Llegar a ser es la enfermedad del hombre.

En cuanto uno deja de «llegar a ser», de pronto se oye una música. Y cuando esa música empieza a rebosar, a fluir por vosotros y a ir lentamente más allá hacia otras personas, se convierte en algo compartido. Esa es la gracia de los Budas. Están llenos de música interior, de armonía, y la armonía no deja de rebosar; también llega hasta otras personas.

3¹5
INTREPIDEZ

Crecer hasta alcanzar vuestro destino requiere coraje, intrepidez,
y la intrepidez* es la cualidad más religiosa.

Las personas llenas de miedo no pueden avanzar más allá de lo conocido. Lo conocido proporciona una especie de consuelo, de seguridad,
porque es conocido. Uno es perfectamente consciente. Sabe cómo tratar
con ello. Se puede permanecer casi dormido y ocuparse de ello... no hay
necesidad de estar despierto; esa es la comodidad que tiene lo conocido.

En cuanto cruzáis el límite de lo conocido, surge el miedo, porque a
partir de ese momento seréis ignorantes, no sabréis qué hacer, qué no
hacer. Ya no estaréis tan seguros de vosotros mismos, ya se pueden
cometer errores; podéis perderos. Ese es el temor que mantiene a las personas atadas a lo conocido, y en cuanto una persona está atada a lo conocido, está muerta.

La vida solo puede vivirse peligrosamente... no hay otra manera de
vivirla. Únicamente a través del peligro la vida alcanza su madurez, su
desarrollo. Hace falta ser un aventurero, siempre listo para arriesgar lo
conocido por lo desconocido. De eso trata ser un buscador. Pero en
cuanto uno ha probado los gozos de la libertad y la intrepidez, uno
jamás se arrepiente, porque entonces se conoce lo que es vivir de forma
óptima. Entonces se sabe lo que significa quemar la antorcha vital por
ambos extremos a la vez. E incluso un único momento de esa intensidad
es más gratificador que toda la eternidad de vida mediocre.

---

* Del inglés *fearlessness*. Miedo trascendido. *(N. del T.)*

316

BUSCAR

Lao Tse ha dicho: «Buscad, y no encontraréis. No busquéis, y encontraréis».
Se trata de una de las declaraciones más importantes de todos los tiempos.
Buscad, y no encontraréis. En el mismo acto de buscar habéis perdido.

En el mismo acto de buscar habéis asumido un punto de vista equivocado. En el mismo acto de buscar habéis aceptado una cosa... que no lo tenéis. Ahí es donde radica la equivocación. Lo tenéis, ya lo tenéis. En cuanto empezáis a buscarlo, os volvéis neuróticos, porque no podéis encontrarlo... no hay ninguna parte donde encontrarlo; ya está ahí.

Es como un hombre que busca sus gafas. Ya las tiene en los ojos, en la nariz, ¡y mira a través de esos cristales para buscar! Nunca las encontrará. Ya no existe posibilidad, todas las puertas se han cerrado... a menos que recuerde que toda búsqueda es inútil, a menos que recuerde «si puedo ver, entonces las gafas ya deben estar delante de mis ojos, de lo contrario, ¿cómo podría ver?».

En nuestra misma visión está oculta la verdad. En nuestra misma búsqueda está oculto el tesoro. El buscador es lo buscado... ahí está el problema, el único problema que el hombre ha tratado de solucionar, y que cada vez lo desconcierta más.

La actitud más cuerda es la de Lao Tse. Este nos dice: «Dejad de buscar y sed». Simplemente sed... y quedaréis sorprendidos: ¡lo habéis encontrado!

3¹⁷
SOLEDAD FUNDAMENTAL

Nadie puede huir de sí mismo. Uno solo puede engañarse, pero no huir.
No hay escapatoria... vosotros sois vosotros. Y la soledad es tan fundamental
que no hay modo de eludirla.

Cuanto más tratéis de escapar de esa soledad, más solos os sentiréis. Si empezáis a aceptarla, si empezáis a amarla, a disfrutarla, la soledad desaparecerá. Y entonces posee belleza, una belleza tremenda.

Hemos sido concebidos solos. Esa soledad es la libertad del hombre. Y no está en contra del amor... de hecho, solo una persona que está sola y sabe cómo estar sola será capaz de amar.

Esa es la paradoja del amor: que solo la persona que está sola puede amar, y la persona que ama se vuelve una persona sola. Se unen... De manera que si uno no es capaz de estar solo, tampoco lo será de estar enamorado. Entonces todo su así llamado amor no será más que una escapatoria de sí mismo. No será amor de verdad, no será una relación verdadera. ¿Quién se relacionará con quién? Ni siquiera habéis estado relacionados con vosotros mismos; ¿cómo podéis relacionaros con el otro? No estáis ahí... ¿quién va a relacionarse con otros? De forma que en el mundo existe una especie de amor falso: estáis tratando de escapar de vosotros mismos y el otro está intentando escapar de sí mismo, y ambos buscáis refugio en el otro, engañando; es un engaño mutuo.

Lo primero es conocer el propio celibato, el celibato personal fundamental... saber que nuestra soledad representa nuestra propia individualidad. Y funcionar a partir de esa soledad. Incluso vuestro amor ha de funcionar desde esa base. Entonces seréis capaces de amar.

318
LA LIBERACIÓN DE LOS NIÑOS

La liberación de los niños es necesaria. Es la mayor necesidad del mundo,
porque ninguna otra esclavitud es tan profunda, peligrosa y destructiva.
Al niño no se le permite conocer su yo.

La sociedad crea un yo falso, que el niño es esto, es aquello, que se comporte de esta manera... La sociedad da ideales, ideas, y al poco tiempo el niño se acostumbra al hecho de que es cristiano, de que es un hombre y debe comportarse de una manera varonil, de que no debería llorar porque eso es de nenas. La niña comienza a comportarse de una manera femenina, aprende que no debería trepar a los árboles, que eso es masculino. Poco a poco van surgiendo más y más límites, más y más límites, y estos no dejan de estrecharse; entonces todo el mundo se siente asfixiado. Esta es la situación: todo el mundo se asfixia y en lo más hondo todo el mundo anhela ser libre. Pero ¿cómo serlo?

Parece que las paredes que nos rodeaban son muy poderosas y fuertes. Y la gente vive en esa especie de encarcelamiento toda la vida. Vive en una prisión y muere en una prisión, sin saber jamás qué es la vida, qué debería ser la vida, sin conocer nunca la gloria y la grandeza de la existencia.

Este es el estado mental condicionado. Todo el proceso de la meditación consiste en desacondicionar la mente, en retirar esas paredes. Lo que los padres y la sociedad, los sacerdotes y los políticos han hecho, ha de ser deshecho por la meditación.

319
ABSURDO

El absurdo es lo más reprimido en la sociedad.
La sociedad ha estado reprimiendo tres cosas: el sexo, la muerte y el absurdo.
Y el absurdo es lo más reprimido.

Hay Freuds en contra de la represión del sexo que han creado una pequeña atmósfera para que las personas se puedan ver liberadas de eso. Más que el sexo, el gran tabú es la muerte. Esta aún necesita que aparezca un Freud que luche contra su represión, para que las personas puedan permitirse manifestar sus sentimientos sobre la muerte; para que puedan meditar y pensar en ella, y admitir el hecho de que la muerte existe, para que deje de ser un tabú. Pero aún más hondo que eso se encuentra el absurdo. La totalidad de mis esfuerzos y de mi lucha va contra el tabú del absurdo.

Me gustaría que fuerais absurdos, porque así es la existencia. Es insensatamente significativa, ilógicamente lógica. Todas las contradicciones, todas las paradojas se encuentran en una coherencia interior en ella. Pensad en eso... ¿no sois absurdos vosotros mismos? ¿Cómo podéis demostrar que aquí se os necesita de alguna manera? ¿La existencia os necesita? La existencia puede estar perfectamente sin vosotros; no hay problema. Si no estuvierais, la existencia estaría; no seréis, y la existencia será, por lo tanto, ¿qué sentido tiene que estéis aquí?

Si permitís la risa y sentís que es absurda, justo oculta detrás de ella se halla el verdadero absurdo... no la risa, sino quien está riendo.

Permitidlo y no tardaréis en ver que os libera al cielo infinito. Incluso desaparece el confinamiento de la lógica. En ese momento simplemente vivís; no pedís un sentido. Cada momento está intrínsecamente lleno de significado o... carece de él; ambos son lo mismo.

320
DELEITE

Diversión no es la palabra adecuada. Deleitaos en la vida...
el deleite es un poco más profundo. Regocijaos, celebradla.

Vais a un circo... eso es diversión; en cierto sentido, se trata de una diversión tonta. Jamás os afecta profundamente, nunca toca vuestro corazón; es payasesca. La gente busca la diversión solo para pasar el rato; es superficial.

Deleitaos más, regocijaos más, celebrad. Moveos con gracia en ella. La diversión es un poco profana, el deleite es sagrado..., así que moveos en terreno sagrado. Si reís, vuestra risa debería salir de vuestro regocijo, no de una mente que dice que son personas ridículas que hacen tonterías. Si queda la más leve noción en la mente subconsciente de que toda la situación es ridícula, entonces os sentiréis un poco tristes, un poco vacíos.

Pero si os habéis deleitado, entonces os sentiréis muy, muy silenciosos, no tristes; muy, muy silenciosos, pero no vacíos. Ese silencio poseerá una cualidad de plenitud.

321

CULPABILIDAD

*El sentimiento de culpabilidad forma parte de la mente egoísta; no es nada
espiritual. Las religiones han estado explotándolo, pero no tiene nada que ver
con la espiritualidad. Simplemente dice que podríais haber hecho otra cosa.
Es un sentimiento del ego; como si no fuerais seres impotentes,
como si estuviera en vuestras manos.*

Nada está en vuestras manos. Ni vosotros mismos. Las cosas suceden; nada se hace. En cuanto entendáis esto, la culpa desaparecerá. A veces podéis llorar por algo, pero en lo más hondo sabéis que tenía que suceder porque estáis impotentes, formáis parte de una totalidad muy grande, en la que no sois más que un elemento diminuto. Es como cuando hay una hoja y un árbol y aparece un viento fuerte que separa la hoja del árbol. La hoja piensa mil y una cosas... que podría haber sido de esa manera y no de esta, que la separación se podría haber evitado. ¿Qué puede hacer? El viento era demasiado fuerte.

La culpabilidad no deja de brindaros la idea equivocada de que sois poderosos, capaces de hacer algo. La culpabilidad es la sombra del ego: no podéis cambiarlo y ahora os sentís culpables. Si lo analizáis profundamente, veréis que estabais impotentes y que toda la experiencia os ayudará a ser menos egoístas.

Si continuáis observando la forma que cobran las cosas, y las formas que surgen, y los acontecimientos que suceden, poco a poco os desprendéis del ego. El amor sucede... y también la separación. De hecho, no podemos hacer nada. Esto es lo que yo llamo una actitud espiritual... cuando comprendéis que no se puede hacer nada; cuando entendéis que no sois más que una parte diminuta de una vastedad tremenda.

322
MAESTRÍA

Conquistar el mundo no es un verdadero acto de valor;
sí lo es conquistarse a uno mismo.

Ser un luchador en el mundo, ser un guerrero con otros, no es nada extraordinario. Más o menos, todos lo son, porque el mundo entero está en lucha. Es una guerra continua, a veces encendida, a veces fría.

Y cada individuo lucha porque todos somos educados en la ambición, estamos envenenados por la ambición. Y siempre que entra en juego la ambición, hay lucha, hay competencia. Cuando se es demasiado ambicioso... como lo es todo el mundo, porque la totalidad de las sociedades que han existido hasta ahora ha vivido en la ambición... Todos los sistemas educativos no hacen otra cosa que condicionar al niño para que sea ambicioso, exitosamente ambicioso.

El verdadero valor, la verdadera lucha, no están en el exterior. La verdadera lucha está en el interior, es una conquista interior. Entonces el problema es que Alejandro Magno puede ser grande como guerrero, pero en lo concerniente a sus instintos es un esclavo. Napoleón puede ser un gran soldado, pero en lo concerniente a su propia ira, lujuria, posesividad, es tan corriente como cualquiera.

Los realmente valerosos son Jesucristo, Buda, Patanjali... esas personas. Se han vencido a sí mismos. Ningún deseo puede moverlos de un lado para otro, ningún instinto inconsciente puede ejercer algún poder sobre ellos. Son maestros de sus propias vidas.

3²3
ESCLAVITUD

Tendréis que asumir el cien por cien de la responsabilidad, porque es así. Y siempre que podáis aceptar el cien por cien de la responsabilidad, os volvéis libres, y en ese momento deja de haber esclavitud en vuestro mundo.

De hecho, la ira es una esclavitud. Yo no puedo estar enfadado porque no soy esclavo. Llevo años sin estar enfadado con alguien, porque no hago a nadie más responsable. Soy libre, entonces, ¿por qué he de estar enfadado? Si quiero estar triste, es mi libertad. Si quiero ser feliz, es mi libertad. La libertad no puede tener miedo, tampoco puede estar enfadada. En cuanto sabéis que sois vuestro propio mundo, habéis penetrado en una comprensión distinta. Entonces ya no importa nada más... todo lo demás son juegos y excusas.

3²4
SABOTAJE

Tomaos veinticuatro horas y escribid todo lo que podáis recordar sobre cómo os habéis estado saboteando... con profusión de detalles. Analizadlo desde todos los ángulos, y luego no lo repitáis. Se convertirá en una meditación.

Si decidís de antemano que no sois capaces de hacer algo, no podréis hacerlo. Esa decisión afectará vuestra vida. Se convertirá en una autosugestión. En una semilla. Saboteará toda vuestra vida. Ni siquiera vosotros podéis decidir lo que podéis hacer y lo que no... tenéis que hacerlo, tenéis que verlo. Solo la vida decide. De modo que es sencillamente estúpido e infantil decidir de antemano... pero muchas cosas infantiles continúan. La cinta sigue repitiéndose, y si la pasáis demasiado, se convierte en algo habitual.

Y es un truco de la mente, un truco que hay que evitar. En cuanto decidís que no podéis hacerlo, entonces, ¿para qué molestaros? ¿Por qué luchar? ¿Por qué tanto conflicto, esfuerzo? Ya sabéis que no sois capaces de llevarlo a cabo. Es la mente que encuentra una racionalización, para que podáis evitar la lucha. Y, desde luego, si evitáis el esfuerzo, no lo conseguiréis, así que os echáis atrás en la decisión. Decís que estaba bien, que siempre estuvo bien, que lo sabíais de antemano. Son cosas que se autoperpetúan en la mente; se perpetúan a sí mismas. Se cumplen y el círculo no deja de moverse, la rueda no deja de girar.

3²5
PROFUNDIDAD

Un único momento puede convertirse en la eternidad, porque no se trata
de duración, sino de profundidad. Hay que entender esto:
el tiempo es duración, la meditación es profundidad.

El tiempo es duración: un momento que sigue a otro momento que sigue a otro momento; una hilera, una línea, un proceso lineal... pero uno se mueve horizontalmente en el mismo plano. Tic... tic... pasan los momentos... pero el plano sigue siendo el mismo.

En momentos de profundidad, de repente descendéis o ascendéis. Ambas cosas son lo mismo, pero habéis dejado de estar en un plano horizontal... os volvéis verticales. De repente un giro, y escapáis del proceso lineal. Uno siente miedo porque la mente solo existe en el plano horizontal. La mente se asusta. ¿Adónde vais?

Parece la muerte. Parece locura. Para la mente solo son posibles dos interpretaciones: u os estáis volviendo locos u os estáis muriendo. Ambas cosas asustan, y en cierto sentido, ambas son ciertas. Para la mente os estáis muriendo, de modo que la interpretación es correcta... y estáis muriendo para el ego. Y en cierto sentido os estáis volviendo locos, porque vais más allá de la mente que monopoliza toda la cordura; que cree que solo aquello que se halla dentro de la mente está cuerdo, y loco aquello que hay más allá. Cruzáis el límite, cruzáis la línea de peligro, y nadie lo sabe... una vez que la hayáis cruzado, es posible que no volváis.

Pero cuando vais más allá de la línea horizontal, hay eternidad, el tiempo desaparece. Un momento puede ser igual que la eternidad, como si el tiempo se detuviera. Todo el movimiento de la existencia se detiene porque la motivación se detiene.

326
NO

El no es como una roca en la fuente... el manantial está siendo aplastado por él, y ese manantial sois vosotros. Con el no os quedáis lisiados, paralizados.

Continuad martilleando la roca del no, y algún día cederá, y cuando lo haga, entonces surgirá el sí, el sí auténtico y real. No os digo que finjáis el sí, ni que digáis sí cuando no os surge. Si no aparece, no tenéis que preocuparos. Seguid martilleando la roca.

No aceptéis el no, porque no se puede vivir en un no. No podéis ingerir comida con un no, no podéis beber agua con un no. Nadie puede vivir en el no... solo podéis sufrir y crear más y más desdichas. El no es el infierno. Solo el sí acerca el cielo... y cuando surge un sí verdadero de vuestro ser total, no queda nada detrás. ¡En ese sí os convertís en uno y toda vuestra energía asciende y dice sí, sí, sí!

Ese es el sentido de la palabra amén. Cada oración ha de cerrarse con un «amén»... significa sí, sí, sí. Pero debería salir de las mismas entrañas. No debería ser algo mental, no debería estar solo en los pensamientos. De modo que no os pido que lo digáis; digo que le hagáis sitio para que aparezca.

327
LUNÁTICO

Todo el mundo es un lunático. En cuanto comprendéis que sois lunáticos, la cordura se ha iniciado; y ha emprendido el vuelo.

En cuanto lo entendéis, estáis yendo más allá; entonces se ha dado el primer paso hacia la cordura. La gente jamás comprende que está loca, y por ello permanece en ese estado. No solo no lo comprende, sino que si se lo decís, se defenderá. Discutirá e intentará deciros que sois vosotros los locos. Todo el mundo es un lunático. En cuanto comprendéis que sois lunáticos, la cordura se ha iniciado; y ha emprendido el vuelo. En la misma comprensión de que estáis locos, os habéis desprendido de ese estado.

328

VUESTRA DECISIÓN

Se os puede dar todo el amor del mundo, pero si decidís ser desdichados, permaneceréis así. Y uno puede ser feliz, tremendamente feliz, sin ningún motivo en particular... porque la felicidad y la desdicha son vuestras decisiones.

Se requiere mucho tiempo para entender esto, porque es muy cómodo para el ego pensar que otros os están haciendo desdichados. El ego no para de establecer condiciones imposibles, y dice que primero hay que satisfacer esas condiciones para que podáis ser felices. Os dice: ¿cómo podéis ser felices en un mundo feo, con personas feas, en una situación tan fea?

Si os vierais correctamente, os reiríais de vosotros mismos. Es ridículo, simplemente ridículo... lo que hacemos es absurdo. Nadie nos fuerza a ello, pero no dejamos de hacerlo... y gritamos pidiendo ayuda. Pero es sencillo salir de eso; es vuestro propio juego... ser desdichados, y pedir simpatía, amor y todo.

Si sois felices, el amor fluirá hacia vosotros... no hay necesidad de pedirlo. Es una de las leyes básicas. Así como el agua fluye hacia abajo, y el fuego fluye hacia arriba, el amor fluye hacia la felicidad.

3²9
AYUDAR

Sed tan felices como podáis. No penséis en el otro. Sed felices vosotros, y vuestra felicidad lo ayudará. Vosotros no podéis ayudar... vuestra felicidad sí.

¿Me seguís? Vosotros no podéis ayudar, destruiréis... pero vuestra felicidad sí puede ayudar. La felicidad posee sus propios mecanismos de funcionamiento... muy indirectos, muy sutiles, femeninos. Cuando vosotros empezáis a hacerlo, se torna agresivo, y si intentáis ayudar a la otra persona, se resistirá. Se resistirá sin darse cuenta, porque parece como si alguien tuviera ventaja, y nadie quiere verse liberado por otro. Nadie quiere que otra persona lo haga feliz porque parece que es una dependencia, razón por la que surge una profunda resistencia.

No os preocupéis por ello. Es asunto de la otra persona. Vosotros no habéis hecho nada para que sus problemas estuvieran ahí. Se los ha ganado a través de muchas vidas, de modo que es el otro quien ha de desprenderse de ellos. Vosotros sed felices y vuestra felicidad le aportará coraje. Vuestra felicidad le brindará ímpetu y estímulo, un desafío.

Vuestra felicidad le dará una idea de lo que experimentará cuando diga que sí. Eso es todo...

330
AFERRARSE

La mente siempre se aferra... y es bueno desprenderse de eso. Cada día es
nuevo, cada momento es nuevo. Y después de cada momento nos adentramos
en un mundo diferente, por lo que habría que estar preparado
para que nada nos sujetara.

Buda solía decirles a sus discípulos que nunca se quedaran en una casa más de tres días, porque al cuarto uno empieza a sentirse como si fuera su hogar. Antes de sentir eso uno debería seguir el camino.

La mente siempre se aferra... y es bueno desprenderse de eso. Cada día es nuevo, cada momento es nuevo. Y después de cada momento nos adentramos en un mundo diferente, por lo que habría que estar preparado para que nada nos sujetara. El pasado simplemente debería desaparecer... deberíais morir continuamente al pasado. No perdáis el tiempo. Morid a lo que ha desaparecido; ya no está aquí.

De lo contrario, a medida que os aferráis a lo que ya no existe, incluso cuando algo nuevo se haya terminado, os estaréis aferrando a eso. Así es como la mente no deja de perderse cosas. Manteneos siempre fieles al presente. Permaneced comprometidos con este momento... no existe otro compromiso.

Basta con un compromiso: el compromiso con este momento, con el aquí y el ahora.

33¹
ORACIÓN

Se debería desaprender la oración; debería ser algo espontáneo.

Hay muchas personas que rezan en las iglesias, en los templos, y no sucede nada... nada va a suceder. Pueden seguir rezando durante vidas enteras que nada va a suceder, porque la plegaria no es espontánea. La están dirigiendo; pasa por la mente. Son demasiado sabios, y para que una oración funcione debéis ser tontos.

Es una tontería... puede que incluso os sintáis incómodos por hablar con Dios. Es una tontería, pero funciona. Hay cosas en que las tonterías son la sabiduría, y viceversa. Así que siempre que sintáis que un momento requiere una oración, utilizadla. Cuanto más la uséis, más disponible estará. Y con la meditación vuestra oración se volverá más profunda.

Rezad interiormente, y si algo le sucede al cuerpo, permitidlo, sin importar lo que sea. Si en el cuerpo aparece algún movimiento, la energía comienza a moverse, o si os convertís en una pequeña hoja ante un viento poderoso, simplemente rezad y permitidlo.

33²
LA RESPUESTA

De hecho, no hay respuesta. Solo hay dos estados mentales... una mente llena de preguntas y una mente vacía de preguntas.

De modo que todo el crecimiento consiste en llegar hasta un punto en el que podéis vivir sin respuestas; esa es la madurez, y vivir sin respuestas es el acto más grande y valeroso. Entonces dejáis de ser niños. Un niño no para de hacer preguntas, y quiere respuestas para todo. Un niño cree que si puede formular una pregunta, entonces debe de haber una respuesta. Si puede plantear una pregunta, entonces ha de haber alguien que suministre una respuesta.

Yo llamo inmadurez creer que el formular una pregunta ha de proporcionaros una respuesta; tal vez la conozcáis o tal vez no, pero ha de existir alguien que la conozca, o tal vez algún día podáis descubrirla. Eso no es así. Todas las preguntas son creadas, fabricadas por el hombre.

La existencia carece de respuesta. La existencia está ahí, sin respuestas, en absoluto silencio.

Si podéis dejar caer todas las preguntas, entre vosotros y la existencia tiene lugar una comunicación. En cuanto dejáis caer las preguntas, dejáis caer la filosofía, la teología, la lógica... y empezáis a vivir, os volvéis existenciales. Cuando no hay preguntas, ese mismo estado es la respuesta.

333
VERGÜENZA

Aquello de lo que estamos avergonzados es lo que no dejamos de esconder en nuestro interior, en el inconsciente. Va penetrando cada vez más en nuestro ser, circula por nuestra sangre, no cesa de manipularnos entre bambalinas.

Si queréis reprimir, reprimid algo hermoso. Nunca reprimáis algo que os avergüence, porque sea lo que fuere lo que reprimáis, es profundo, y lo que sea que expreséis se evaporará en el cielo. Así que expresad aquello que os avergüence, para eliminarlo de una vez. Lo que sea hermoso guardadlo como un tesoro en vuestro interior, para que no deje de influir en vuestra vida.

Pero siempre hacemos lo contrario. No dejamos de expresar lo que es hermoso; de hecho, nos excedemos. Expresamos más que lo que hay. No paráis de decir: «Amo, amo, amo», y quizá ni siquiera sea tanto. Pero no dejáis de reprimir la ira, el odio, los celos, la posesividad, y poco a poco descubrís que os habéis convertido en todo lo que habéis reprimido, y entonces surge una profunda culpabilidad.

No hay nada de qué estar avergonzados; todo es perfecto tal como está. No puede haber un mundo más perfecto que este. Ahora mismo, este momento es el clímax de toda la existencia, la misma matriz alrededor de la cual gira todo. Nada puede ser más perfecto, así que relajaos y disfrutad.

Abrid vuestras puertas al sol, al aire, al cielo... no las cerréis jamás. Entonces siempre os renovará un aire fresco, os iluminarán nuevos rayos de sol. Dejad que el tráfico de la existencia pase por vosotros. Nunca seáis un camino cerrado, de lo contrario solo acumularéis muerte y polvareda. Desprendeos de toda noción de vergüenza y nunca juzguéis nada.

334
TOTALIDAD

Aquello que forma parte de lo total es hermoso. Lo parcial es feo, lo total es hermoso. Así que aquello que seáis, sed totales en ello, y el simple hecho de ser totales transformará la misma cualidad que lo compone.

Esta es la alquimia de la transformación interior. Aceptad el momento y moveos con él. Si os movéis de verdad, no habrá resaca. Si entráis de verdad en la ira, acabáis con ella, porque cuando entráis totalmente queda eliminada. Y entonces estáis fuera de ella, completamente fuera, sin haber sido corrompidos.

Observad a un niño aún no corrompido por la sociedad. Cuando está enfadado, lo está de verdad; explota. Es un niño pequeño, pero se vuelve poderoso... como si fuera a destruir todo el mundo. Se pone rojo, rojo, como si estuviera encendido. Observad lo hermoso que es... tan vivo. Y al siguiente instante se pone a jugar y a reír... la ira ha desaparecido. Ni siquiera podéis creer que un momento antes estuviera enfadado. Ni siquiera podéis sospecharlo. ¿Estaba enfadado? Con lo cariñoso que es, tan parecido a una flor... ¡y un momento antes estaba en llamas!

Así es como hay que vivir la vida. Sois, tan totalmente, que ningún momento os deja nunca resaca. Siempre estáis frescos y jóvenes y el pasado no representa ninguna carga.

Es lo que llamo una vida espiritual. Una vida espiritual no es una vida de disciplina. Sino una vida de espontaneidad. Desde luego, la espontaneidad tiene su propia disciplina interior, pero llamarla disciplina no es bueno.

335
DESEO

Convertíos en un deseo tan intenso que el mismo fuego del deseo os queme completamente y no quede nada.

El deseo puede tener dos formas: podéis desear algo pero os mantenéis lejos del deseo. Podéis desprenderos de él o cumplirlo, pero estáis separados. Si no es complacido, os sentiréis frustrados, pero cuando estáis separados, el deseo es algo fortuito para vosotros.

Abheepsa significa cuando el deseo se ha convertido en vuestra propia alma. No podéis desprenderos de él, porque si lo hacéis, caéis en su interior. Cuando se convierte en algo tan existencial que no hay separación entre el deseo y vosotros, entonces posee una belleza tremenda. Adquiere una nueva dimensión... se traslada a lo intemporal.

336

IRA INTERIOR

Una parte de la ira es comprensible porque está relacionada con personas, con situaciones. Pero cuando se elimina esa capa superficial, entonces os encontráis con una fuente de ira que no está relacionada con nada exterior, que sencillamente es una parte de vosotros.

Se nos ha enseñado que la ira solo surge en determinadas situaciones tensas. Eso no es verdad. Nacemos con ira, es parte de nosotros. Aparece en ciertas situaciones, y en otras permanece inactiva, pero está ahí.

De modo que primero hay que lanzar la ira que está relacionada, y luego uno se encuentra con la más profunda fuente de ira, que no está relacionada con nada más... con la que nacemos. No va dirigida a nada, y ahí radica el problema para comprenderla. Pero no hace falta entenderla. Simplemente arrojadla... no sobre alguien, sino sobre una almohada, al cielo, a Dios, a mí.

Esto va a suceder con cada emoción. Hay una parte del amor que está relacionada con alguien. Luego, si ahondáis más, un día llegaréis a la fuente de amor que no tiene destino fijo. No se mueve hacia nadie... simplemente está ahí dentro. Y lo mismo es cierto para todo lo que sentís. Todo tiene dos lados.

Uno, el inconsciente, el lado más profundo, simplemente está con vosotros, y el superficial es el funcionamiento de esa capa más profunda en una relación. Las personas que siempre permanecen superficiales, olvidan por completo sus tesoros interiores. Cuando arrojáis la ira interior, os encontráis cara a cara con el amor interior, la compasión interior. Hay que barrer los escombros para poder encontrarse con el oro más puro que se tiene dentro.

337
PATERNIDAD

Se necesitan unos pocos padres para cambiar todo el mundo. Pero es difícil, ya que seguís el patrón que vuestros padres os han impuesto. Este es el problema que no podemos ver: no toleráis a vuestra madre, pero seguís el mismo patrón.

El mundo sería totalmente diferente si las madres pudieran volverse un poco más comprensivas. No lo son, y nadie puede decírselo, porque son tan cariñosas... ahí está el problema. Detrás del amor se oculta tanto que no es amor. El amor se convierte en un cobijo para muchas cosas que no tienen nada que ver con el amor.

Vuestra madre podrá haber sido muy cariñosa y habrá hecho todo lo que estaba a su alcance. Debía pensar que os creaba una vida feliz... todavía piensa que trata de haceros una vida feliz. Pero nadie puede hacer feliz a alguien, nadie.

Así que dejad que vuestros hijos crezcan en libertad. Desde luego que es arriesgado, pero ¿qué se puede hacer? La vida es un riesgo, pero todo crecimiento es posible en el peligro y el riesgo. No los protejáis demasiado o se convertirán en plantas de invernadero... casi inútiles. Dejad que sean salvajes. Dejad que luchen en la vida, dejad que crezcan solos y siempre os estarán agradecidos. Y siempre seréis felices porque más adelante veréis en ellos esa vitalidad.

Y jamás intentéis ser altruistas; nunca tratéis de mostrar que no sois egoístas. Esa es una de las enfermedades peligrosas, parecidas al cáncer. El altruismo mata a la gente... es veneno. Simplemente sed fieles a vuestra propia felicidad y así ayudaréis a todo el mundo.

338
SOLEDAD

Todo lo que es hermoso ha sucedido siempre en soledad;
nada ha sucedido en una multitud. Nada del más allá ha pasado
excepto cuando uno se encuentra en absoluta soledad.

La mente extravertida ha creado un condicionamiento por todas partes que ha arraigado mucho y que consiste en: cuando estáis solos os sentís mal. Que os dice: moveos, conoced gente, porque toda la felicidad es con personas. Y eso no es verdad. La felicidad que surge con las personas es muy superficial, y la felicidad que acontece cuando se está solo es tremendamente profunda. Así que regocijaos en ella.

Cuando suceda, disfrutadla. Cantad algo, bailad algo, o permaneced sentados simplemente en silencio de cara a la pared y a la espera de que suceda algo. Convertidlo en una espera y no tardaréis en conocer una cualidad diferente. No es tristeza en absoluto. Una vez que hayáis saboreado el mismo núcleo de la soledad, toda relación es superficial. Ni siquiera el amor puede alcanzar la profundidad de la soledad, porque incluso en el amor el otro está presente, y la misma presencia del otro os mantiene más cerca de la circunferencia, de la periferia.

Cuando no hay nadie, ni siquiera un pensamiento de nadie y os encontráis realmente solos, empezáis a hundiros, os ahogáis en vosotros mismos. No tengáis miedo. Al comienzo ese ahogo parecerá la muerte y os envolverá la tristeza, porque siempre habéis conocido la felicidad con la gente, en las relaciones.

Aguardad un poco. Dejad que el hundimiento sea más profundo, y veréis que surgen un silencio y una quietud que poseen una danza... un movimiento quieto dentro. Nada se mueve, pero todo posee una tremenda velocidad... está vacío, pero lleno. Las paradojas se encuentran y las contradicciones se disuelven.

339
DE CARA A LA PARED

Sentaos de cara a la pared. La pared es muy hermosa.
No hay manera de moverse, en cualquier parte que miráis está la pared.
No hay ningún sitio a donde ir.

Bodhidharma estuvo sentado durante nueve años de cara a la pared, sin hacer nada... simplemente sentado durante nueve años. Según la tradición, sus piernas se marchitaron. Para mí eso es simbólico. Significa que todos los movimientos se marchitaron porque la motivación desapareció. No iba a ninguna parte. No había deseo de moverse, ningún objetivo que alcanzar... y así alcanzó el más grande de todos. Es una de las almas más raras que alguna vez pisó la Tierra. Y simplemente sentado frente a una pared lo alcanzó todo; sin hacer nada, sin técnica, sin método, sin nada. Esa fue su única técnica.

Así que siempre que os sentéis, hacedlo de cara a la pared. La pared es muy hermosa. No hay ningún sitio al que moverse, allí donde miréis está la pared. No hay ninguna lugar a donde ir. Ni siquiera pongáis un cuadro; que sea una pared desnuda. Cuando no hay nada que ver, poco a poco desaparece el interés en ver. Al mirar una simple pared, en vuestro interior surgen un vacío y una sencillez paralelos. Paralela a la pared se levanta otra pared... de no-pensamiento.

Permaneced abiertos y regocijaos. Sonreíd, a veces tararead una melodía u oscilad. A veces podéis bailar... pero de cara a la pared; que sea vuestro objeto de meditación.

340
DROGAS

Es mejor no emplear drogas, porque a veces pueden proporcionaros ciertas experiencias, y ahí radica el problema. En cuanto adquirís las experiencias de esta manera, se vuelve muy complicado alcanzarlas de manera natural... sin drogas. Y lo básico no es tener una experiencia; sí lo es crecer a través de ella.

Podéis tener una experiencia a través de una droga, pero así no crecéis. La experiencia os llega; no vais vosotros a ella. Es como si hubierais visto el Himalaya en una visión... hermoso como pocas cosas, pero no va muy lejos. Vosotros no cambiáis. Poco a poco, si la visión se convierte en vuestra realidad, perdéis algo porque os creará una adicción.

No, resulta mejor ir al Himalaya. Es duro; representa un largo viaje. Las drogas lo abrevian demasiado. Son casi violentas; fuerzan algo prematuro. Es mejor emprender el camino más largo porque solo se crece a través del esfuerzo. En vosotros surge una integración... os cristalizáis.

Eso es lo real... la experiencia es irrelevante. Lo real es el crecimiento. Recordad siempre que todo mi énfasis va dirigido al crecimiento, no a las experiencias. La mente siempre pide más y nuevas experiencias; está embobada con ellas... pero nosotros debemos ir más allá de la mente.

De modo que la verdadera dimensión espiritual no es la dimensión de la experiencia. De hecho, no hay nada que experimentar. Solo vosotros... ni siquiera vosotros, solo pura conciencia sin límite, sin objetivo... pura subjetividad, solo ser. No es que experimentéis cosas hermosas. Vosotros sois hermosos, pero no experimentáis cosas hermosas. Sois tremendamente hermosos, pero nada sucede. Alrededor de vosotros solo hay un tremendo vacío.

La espiritualidad no tiene nada que ver con las experiencias; por eso las drogas jamás pueden ser espirituales.

34 1

EXPERIENCIA ESPIRITUAL

*Al final uno ha de recordar que debe desprenderse de todo para permanecer
en su pureza total. Hasta una experiencia espiritual corrompe;
es un trastorno.*

Algo sucede y surge una dualidad. Cuando sucede algo que os gusta,
surge el deseo de tenerlo más. Cuando sucede algo que os hace sentir
hermosos, surge el temor de poder perderlo, de manera que así entra
toda la corrupción, por la codicia, por el miedo. Con la experiencia,
regresa todo lo de la mente... y otra vez estáis atrapados.

Todo mi esfuerzo aquí es para llevaros más allá de la experiencia, porque solo entonces estáis más allá de la mente, y hay silencio. Cuando no
hay experiencia, hay silencio. Cuando no hay dicha, entonces hay dicha...
porque esta no es una experiencia; no sentís que sois dichosos. Si lo
sentís, solo es felicidad. Desaparecerá, se marchitará, y quedaréis en una
absoluta oscuridad.

Si entendéis la cuestión, entonces ninguna técnica es espiritual, porque todas las técnicas os brindarán experiencias. Y un día vuestro objetivo debería ser desprenderos de todo. Estáis solos en vuestra casa, sin
muebles, sin experiencias, y entonces experimentáis lo definitivo. Pero
no se trata de una «experiencia», es simplemente una manera de decirlo.

342
COMPROMISO

El compromiso no se puede forzar. Haced que la persona sea feliz para que no sienta necesidad de ninguna otra relación. Pero es todo lo contrario, la mayoría de la gente causa tantos problemas que aunque el otro no piense en otra relación, tendrá que hacerlo... solo para escapar.

Este es uno de los problemas arraigados en cualquier relación hombre/mujer. El hombre tiene más necesidad de libertad que de amor, y la mujer tiene más necesidad de amor que de libertad. Es un problema mundial con todas las parejas. A la mujer no le preocupa en absoluto la libertad. Está lista para convertirse en una esclava si con ello puede hacer que el otro también sea un esclavo. Está lista para aceptar cualquier compromiso si con ello fuerza al otro a un compromiso. Está lista para vivir en una prisión si el otro está listo para vivir en una celda oscura.

Y el hombre está listo para sacrificar incluso el amor si se convierte en algo demasiado arriesgado para su libertad. Le gustaría vivir bajo el cielo abierto; incluso solo, no pasa nada. Le gustaría vivir en una relación amorosa, pero se transforma en algo oscuro y que encarcela. Ahí radica el problema.

Hay que ser consciente de que pedir tanto compromiso o tanta libertad es una inmadurez. En algún punto hay que reconciliarse con la otra persona. En cuanto entendéis que el hombre necesita más libertad, abandonáis vuestras exigencias de compromiso. En cuanto el hombre comprende que la mujer necesita compromiso, abandona su exigencia de libertad, eso es todo. Si amáis, estáis dispuestos a sacrificar un poco. Si no amáis, lo mejor es separarse.

343
RESISTENCIA

La resistencia es uno de los problemas más básicos, y de ahí surgen todos los demás problemas. En cuanto resistís algo, estáis metidos en aprietos.

Jesucristo dijo: «No resistáis ningún mal». Ni siquiera se debería resistir el mal, porque la resistencia es el único mal, el único pecado. Cuando resistís algo significa que os estáis separando de la totalidad. Intentáis convertiros en una isla, separada, dividida. Condenáis, juzgáis, decís que esto no está bien, que esto no debería ser así. La resistencia significa que habéis adoptado una postura de juicio.

Si no resistís, entonces no hay separación entre la energía que se mueve a vuestro alrededor y vosotros. De pronto estáis con ella... tanto que no sois; solo la energía se mueve.

Aprended a cooperar con las cosas que están en marcha; no os situéis contra el todo. Poco a poco empezaréis a sentir una energía nueva y tremenda que surge al caminar paso a paso con el todo, porque en la resistencia disipáis energía. En la no resistencia, la absorbéis.

Esa es la actitud oriental sobre la vida: aceptar y no resistir, rendirse y no luchar. No intentéis salir victoriosos y no tratéis de ser los primeros. Lao Tse dijo que: «Nadie puede vencerme porque he aceptado la derrota y no anhelo ninguna victoria». ¿Cómo podéis derrotar a alguien que no anhela ninguna victoria? ¿Cómo podéis vencer a un hombre no ambicioso? ¿Cómo podéis matar a una persona que ya está preparada para morir? Imposible. A través de esta rendición uno alcanza la victoria.

Dejad que esta se convierta en una percepción; no perdáis tiempo en resistir.

344
PACIENCIA

El amor es paciente y todo lo demás es impaciente. La pasión es impaciente, el amor es paciente. Y en cuanto entendéis que ser paciente es ser amoroso y que ser paciente es estar en oración, entonces todo se comprende. Hay que aprender a esperar.

Hay cosas que no se pueden hacer; solo suceden. Hay cosas que se pueden hacer, pero esas son cosas que pertenecen al mundo. Las cosas que no se pueden hacer pertenecen a Dios o al otro mundo, o como os guste llamarlo. Pero las que no se pueden hacer... solo esas son las verdaderas. Siempre os suceden; os convertís en un polo receptor... y ese es el significado de la rendición.

Convertíos en un polo receptor... sed pacientes y esperad. Esperad con profundo amor, plegaria y gratitud por aquello que ya ha sucedido, y paciencia para lo que va a suceder. Por lo general, la mente humana hace justo lo opuesto. Siempre gruñe en pos de aquello que no ha sucedido, y siempre se muestra demasiado impaciente para que acontezca. Siempre se queja, nunca está agradecida. Siempre está deseando y jamás creando la capacidad de recibir. Un deseo es inútil si no tenéis la capacidad de recibirlo.

345
SIN HOGAR

La dicha nunca tiene hogar, es vagabunda. La felicidad tiene un hogar, también la infelicidad, pero no la dicha. Es como una nube blanca sin raíces en ninguna parte.

En cuanto establecéis raíces, la dicha desaparece y empezáis a aferraros a la tierra. El hogar significa seguridad, comodidad, conveniencia. Y al final, si todas estas cosas quedan reducidas solo a una, el hogar significa muerte. Cuanto más vivos estáis, más sin hogar os encontráis.

Ese es el sentido básico de ser un buscador: significa vivir en peligro, vivir en la inseguridad, vivir sin saber qué vendrá a continuación. Significa estar siempre disponible y siempre abierto a la sorpresa. Si se os puede sorprender, estáis vivos. Por eso un niño se encuentra más vivo que un anciano. Al anciano no se lo puede sorprender. Ha perdido la capacidad de asombro, y debido a eso también ha perdido la vida.

Asombrarse y *vagar* vienen de la misma raíz *. Una mente fija se vuelve incapaz de asombrarse porque ya ha perdido la capacidad de vagar. Así que si sois vagabundos, como una nube, cada momento os aportará sorpresas infinitas.

Permaneced sin hogar. Eso no significa no vivir en una casa. Simplemente que nunca os apeguéis a las cosas. Aunque viváis en un palacio, no os apeguéis a eso. Si llega el momento de irse, os vais… sin mirar atrás. Nada os retiene. Utilizáis todo, disfrutáis todo, pero seguís siendo el maestro.

---

* En inglés, asombrarse, *wonder*, y vagar, *wander*. (N. del T.)

346
HUMILDAD

En esencia, el amor es humildad... no existe otra clase de humildad. Si esta se cultiva sin amor, no es más que una cara para el ego, otro engaño del ego.

Cuando la humildad surge del amor de forma natural, es tremendamente hermosa. Así que enamoraos de la existencia... y el comienzo es enamorarse de uno mismo.

En cuanto os enamoráis de vosotros mismos, empezáis a enamoraros de muchas personas, y poco a poco ese espacio crece y crece. De pronto un día descubrís que en él está incluida toda la existencia, que el amor ya no va dirigido a nadie en particular, que simplemente está ahí para que cualquiera lo tome... fluye. Aunque no haya nadie para tomarlo, fluye...

Entonces el amor no es una relación, es un estado de ser. Y en ese estado de ser hay humildad, verdadera humildad. Jesucristo es humilde en ese sentido; el Papa no es humilde. Alguien puede cultivar la pobreza y volverse muy egoísta al respecto, alguien puede cultivar la humildad y volverse muy egoísta al respecto. Para mí, la verdadera humildad surge como una fragancia del amor. No se puede cultivar, no podéis practicarla, no hay manera de aprenderla. Tenéis que entrar en el amor, y un día, de pronto, descubrís que este ha florecido... ha llegado la primavera y el amor ha florecido y flota una fragancia que nunca antes había estado presente: sois humildes.

347
COOPERACIÓN

Cuando Charles Darwin escribió su tesis sobre la evolución y la supervivencia del más apto, había otro hombre, el príncipe Kropotkin, en Rusia, que escribía una tesis diametralmente opuesta: que la evolución tiene lugar mediante la cooperación.

La gente no ha oído hablar mucho sobre el príncipe Kropotkin; su tesis es muy superior... ¡y al final ganará! Hará falta tiempo, pero Darwin no puede ser el ganador.

La misma idea de que uno evoluciona a través del conflicto es violenta; es una idea muy sesgada. Si miráis a través de los ojos de Darwin, toda la vida no es más que la supervivencia del más apto. ¿Y quién es el más apto? El más destructivo, el más agresivo es el más apto. De modo que el más apto carece de valor; ni siquiera es humano... es el más parecido a un animal.

Jesucristo no puede sobrevivir, no es el más apto. Buda no puede sobrevivir, no es el más apto. Buda será el más desvalido... Jesucristo lo fue. Los que sobreviven son Alejandro Magno, Adolfo Hitler, José Stalin, Mao Zedong; estos son los más aptos. Entonces solo sobrevive la violencia, no el amor. Solo el asesinato, no la meditación.

La totalidad de la visión darwiniana es una meditación inhumana acerca de la vida. Si vais por el bosque y miráis a través de los ojos de Darwin, veréis conflicto por doquier: una especie aniquilando a otra especie, todo el mundo en conflicto, es una pesadilla.

Y si vais por el mismo bosque y miráis con los ojos de Kropotkin, existe una tremenda cooperación. Estas especies también han estado viviendo con una profunda cooperación, de lo contrario nadie habría sobrevivido.

Puede que la violencia sea una parte, pero no representa el todo; en lo más hondo existe la cooperación. Y cuanto más crecéis, menos lugar hay para la violencia y sí más para la cooperación. Esa es la escalera del desarrollo.

348
EL PROPIO TEMPLO

Un templo público es un templo público; uno necesita un templo propio, es un fenómeno privado.

En Oriente solíamos tener una habitación separada para la meditación. Cada familia que podía permitírselo, tenía un pequeño templo propio. Y la gente iba allí solo a rezar o a meditar, no a otra cosa.

De modo que en ese lugar —con el incienso, el color, el sonido, la atmósfera— todo termina por asociarse con la idea de la meditación. Si habéis estado meditando en la misma habitación, todos los días a la misma hora, en cuanto entráis en el cuarto y os quitáis los zapatos ya estáis en meditación.

En cuanto entráis en la habitación y miráis las paredes —las mismas paredes, el mismo color, el mismo incienso ardiendo, la misma fragancia, el mismo silencio, la misma hora—, vuestro cuerpo, vuestra vitalidad, vuestra mente empiezan a caer en una unidad. Todos saben que es la hora, el momento de meditar. Y ayudan, no luchan contra vosotros. Basta con sentaros allí para entrar en meditación con más facilidad, silencio y sin esfuerzo.

De modo que si podéis tenerlo, preparad un lugar pequeño —bastará con un rincón—, y allí no hagáis nada más. De lo contrario, el espacio se confunde. ¿Humm?... Es difícil de explicar, pero el espacio también se confunde.

Preparad un rincón pequeño, meditad allí, y cada día intentad hacerlo de forma regular a la misma hora. Si algún día os lo saltáis, no os sintáis culpables... está bien. Pero incluso si de cien días podéis hacerlo con regularidad durante sesenta días, eso bastará.

349
CONCENTRACIÓN

La concentración sigue al interés, es una sombra del interés.

Si consideráis que os falta concentración, no hay nada que podáis hacer de manera directa; deberéis hacer algo con el interés. Por ejemplo, un niño sentado en la escuela de pronto empieza a escuchar el canto de los pájaros más allá de la ventana y se concentra completamente en eso. El maestro grita: «¡Concéntrate en esto!». Pero no puede concentrarse en la pizarra, su mente no para de regresar junto a los pájaros. Son muy alegres y está interesado en ellos, de modo que su concentración está ahí.

El maestro dice: «¡Concentración!». El niño se *está* concentrando... de hecho, el maestro lo distrae de su concentración. Pero el maestro quiere que se concentre en algo en lo que no tiene interés; por eso le resulta difícil.

Recordad siempre: si consideráis que no dejáis de olvidar cosas, eso simplemente significa que en alguna parte falta el interés, o tenéis otro interés. Quizá queréis ganar dinero con algo, pero vuestro interés está en el dinero, no en el trabajo... entonces empezaréis a olvidar cosas. Así que fijaos en vuestro interés.

Y sin importar lo que hagáis, si lo ejecutáis con un interés profundo, no hay necesidad de preocuparse de recordar... es algo que os llega. Empezad a tener más interés. Permaneced en el momento, poned más interés en lo que sea que estéis haciendo. Y después de dos o tres meses, veréis que la memoria aparece como una consecuencia de manera natural.

350

VIVIR AL MÍNIMO

El hombre no es consciente de lo mucho que puede ser y no deja de vivir al mínimo. Ahora los psicólogos dicen que hasta los grandes genios emplean solo el quince por ciento de su inteligencia... por lo tanto, ¿qué decir de la persona corriente?

La persona media utiliza entre el cinco y el siete por ciento de su inteligencia. Y eso alude solo a la inteligencia; nadie se ha molestado con el amor. Cuando miro a las personas, veo que rara vez emplean su energía de amor. Y esa es la verdadera fuente de júbilo.

Empleamos el 7 por 100, como mucho el 15, de nuestra inteligencia. De modo que incluso nuestros grandes genios viven al mínimo; el 85 por 100 de la inteligencia se desperdiciará, jamás se utilizará. Y nunca se sabrá qué habría sido posible si se hubiera empleado el 100 por 100 de la inteligencia.

Y ni siquiera usamos el 5 por 100 de nuestro amor... no lo estamos usando en absoluto. Seguimos pretendiendo el juego del amor, pero en realidad no utilizamos la energía del amor. La inteligencia os acerca a la realidad exterior y el amor a la realidad interior. No hay otro camino, el amor es el único modo de conocer lo interior.

351

LIBERTAD Y AMOR

Cuando dos personas están enamoradas, son libres, individuos.
Poseen libertad, el amor no es un deber. Se entregan la una a la otra
por su libertad, y son libres de decir que no.

Si dicen que sí, esa es su decisión... no es una obligación, no es por cumplir las espectativas del otro. Dais amor porque disfrutáis entregándolo. Y en cualquier momento podéis cambiar, porque no se ha hecho ninguna promesa, ningún compromiso. Seguís siendo dos individuos libres... que se juntan y aman por libertad, pero vuestra individualidad y libertad siguen intactas. ¡Ahí radica su belleza!

La belleza no es solo del amor, es más de la libertad que del amor. El ingrediente básico de la belleza es la libertad; el amor es un ingrediente secundario. El amor también es hermoso con la libertad, porque esta es hermosa. Una vez que desaparece, el amor se vuelve feo... y entonces lo invade toda la fealdad. Y os sorprenderá lo que ha sucedido. ¿Adónde se ha ido la belleza?

35²
SIN NOMBRE

Tao es el nombre para aquello que no se puede nombrar, un nombre para lo sin nombre... igual que Dios, o dhamma, o verdad o logos. En realidad, estos no son nombres, sino la impotencia humana.

Hemos de llamarlo algo, hemos de referirnos de alguna forma. Tao es uno de los nombres más bonitos que se le ha dado a lo desconocido, porque carece de significado. Dios ha adquirido muchos sentidos, de ahí que haya perdido significado.

A Dios se lo puede adorar, pero eso no sucede con el Tao; no hay imagen. No podéis adorar una imagen de piedra, pero en cuanto decís «dios», ante vosotros aparece una imagen sutil: alguien sentado en un trono dorado, que controla todo el mundo, un hombre muy sabio con barba blanca y todo eso, una figura paternal. Pero con el «Tao» no surge ninguna figura. Esa es la belleza del nombre, que simplemente no os da pistas. No os aporta excusa para recurrir a la imaginación.

Ese es el mejor nombre que se le ha dado a lo desconocido. Es importante porque no tiene significado, no significa nada. Todo lo que se puede decir de él es que significa el camino *. No el camino hacia algún objetivo, sino simplemente de la naturaleza de las cosas.

---

* Del inglés *way,* camino y forma de ser de las cosas. *(N. del T.)*

353
NO DISECCIONÉIS LAS FLORES

Cuando algo se despliegue dentro de vosotros, no lo analicéis intelectualmente. De lo contrario, mataréis la flor. Le arrancaréis los pétalos para ver qué hay en su interior, qué es, pero en esa misma disección la flor desaparece.

Y la ironía es que si queréis saber qué es una flor y le arrancáis los pétalos, jamás lo averiguaréis. Lo que podréis llegar a conocer sobre ella de este modo tendrá que ver con otra cosa... quizá los componentes químicos de la flor, el color de esto o aquello, pero carecerá de referencia a la belleza. Esa belleza desapareció en cuanto le arrancasteis los pétalos; en cuanto la diseccionasteis la destruisteis.

Ahora, sea lo que fuere lo que tengáis, es solo un recuerdo de la flor, no es la flor real. Y lo que sepáis a través de ella, sabéis sobre una flor muerta, no una flor viva. Y esa viveza era lo verdadero, lo que crecía, lo que se desplegaba, lo que liberaba su fragancia. Y lo mismo sucede con el florecimiento interior.

La meditación aportará muchos espacios nuevos que son muy buenos. Pero si comenzáis a pensar en ello —qué es, por qué sucedió, qué significaba—, hacéis que entre en juego la mente. Y la mente es veneno. Entonces, en vez de regar la flor y la planta, la habéis envenenado.

La meditación es la dimensión diametralmente opuesta de la mente. Por favor, no hagáis que entre la mente. ¡Disfrutad! Han sido buenas experiencias. Tendréis más y más de mayor importancia... esto no es más que el principio. Manteneos abiertos y disponibles.

354
HÁGALO-USTED-MISMO

En sí misma, la vida es neutral. Nosotros la hacemos hermosa o fea;
la vida es la energía que nosotros le aportemos.

Si vertéis belleza en la vida, es bella. Si simplemente os sentáis ahí y queréis que sea hermosa, no lo será... debéis crear esa belleza. La belleza no está presente como un objeto, como una roca. Hay que crearla. Hay que entregar una visión a la realidad, hay que darle color a la realidad, hay que darle una canción... entonces es hermosa.

De modo que siempre que participéis en crear belleza, está ahí; siempre que dejéis de crear, desaparece. La belleza es una creación, igual que la fealdad. La felicidad es una creación, también la desdicha.

Recibís solo aquello que creáis, nunca otra cosa. Esa es toda la filosofía del karma: recibís únicamente aquello que hacéis. La vida es un lienzo en blanco... podéis pintar una escena hermosa, un paisaje estupendo, o si queréis podéis pintar fantasmas negros y personas peligrosas. Depende de vosotros. Podéis conformar un sueño hermoso o una pesadilla.

En cuanto entendéis esto, las cosas son muy sencillas. Vosotros sois los amos, es vuestra responsabilidad. Por lo general creemos que la vida tiene alguna belleza objetiva, alguna fealdad objetiva. ¡No! La vida no es más que una oportunidad. Os brinda todo lo necesario: ¡ahora hacedlo vosotros mismos! Es un kit de hágalo-usted-mismo: aporta todo... sois vosotros quienes tenéis que darle algún sentido.

355
EL ÚLTIMO LUJO

Cuando no hay necesidad, el amor florece.

Amad las flores únicamente cuando las necesidades hayan desaparecido. Un amor acontece solo entre un rey y una reina... ninguno necesita nada.

El amor es lo más lujoso del mundo. No es una necesidad... es el último lujo, lo último en lujos. Si estáis necesitados, es como cualquier otra necesidad; uno necesita alimentos, cobijo, ropa, esto y aquello. Entonces el mundo también forma parte de este mundo.

Cuando no hay necesidad y simplemente fluís con energía y os gustaría compartir, entonces ofrecéis vuestras energías al Dios desconocido del amor.

Y es un absoluto placer porque carece de sentido. Es algo intrínseco... no es un medio para ninguna otra cosa. Es un gran juego.

356
MURO DE PALABRAS

El noventa por ciento del lenguaje es una manera de evitar relacionarse.
Creamos un gran muro de palabras para esconder el hecho
de que no queremos relacionarnos.

Si queréis decir algo, que os sentís tristes, entonces, ¿por qué decirlo? ¡Estad tristes! La gente sabrá lo que queréis decir sin el lenguaje. Si queréis decir que estáis muy, muy felices, ¿por qué decirlo? ¡Sed felices! Y la felicidad tampoco es italiana, inglesa o alemana... todo el mundo lo entenderá. Podéis bailar cuando estáis felices y os entenderán. Cuando estáis enfadados, simplemente podéis pegarle a alguien... ¿por qué decirlo? Lo otro sería más verdadero, auténtico y real. Y nunca falla: cuando estéis enfadados os entenderán de inmediato.

El lenguaje es una manera de decir cosas que en realidad no queremos decir. Por ejemplo, estoy enfadado con vosotros y no quiero estarlo, así que sencillamente digo: «Estoy enfadado». Es un modo muy impotente de manifestar que estoy enfadado. Os quiero y no quiero solo decirlo, así que digo: «Os quiero». ¡Simples palabras! Si os quiero, lo diré de una manera más real... ¿por qué a través de palabras?

Intentad expresaros mediante los gestos, el rostro, el cuerpo, el tacto, la expresión, pero no el lenguaje. Y lo disfrutaréis, porque tendréis una nueva sensación y podréis innovar de formas nuevas.

357
MÚSICA

Esta existencia es una orquesta y debemos estar sintonizados con ella. Por eso es por lo que la música ejerce tanta atracción sobre la mente humana, sobre el corazón humano... porque a veces al escuchar música hermosa comenzáis a entrar en esa armonía universal.

En particular con la música clásica, oriental u occidental. Al escuchar a Beethoven o a Mozart uno empieza a entrar en un mundo diferente; surge una gestalt totalmente distinta. Ya no estáis en vuestros pensamientos... vuestra frecuencia de onda cambia. Esa gran música empieza a rodearos, empieza a tocar vuestro corazón, a crear un ritmo que habéis perdido.

Esa es la definición de música grande, que es capaz de aportaros una percepción de cómo podéis existir, totalmente, con el todo... incluso durante unos pocos momentos. Y desciende una gran paz y en el corazón anida un gran gozo.

Quizá no entendáis qué ha sucedido, pero el gran maestro, el gran músico, sencillamente toca sobre una base muy fundamental. Y esta es que la existencia posee un determinado ritmo. Si podéis crear música de acuerdo con ese ritmo, aquellos que participan en la escucha de esa música también empezarán a sintonizar con ese ritmo.

Y podéis hacerlo de muchas maneras. Por ejemplo, si estáis sentados junto a una cascada, escuchad el sonido del agua y sed uno con ella. Cerrad los ojos y sentid que os habéis convertido en uno con la cascada... en lo más hondo de vosotros empezad a caer con el agua. Y habrá momentos, unos pocos momentos, en que de pronto descubriréis que ha habido una participación, que pudisteis conseguir el canto de la cascada y sintonizar con ella. En esos momentos surgirá un gran éxtasis. A veces escuchando a los pájaros, haced lo mismo.

358
FANTASÍA

La fantasía puede lograr una cosa: crear el infierno o crear el cielo.
La fantasía es muy consistente; no puede crear la paradoja.

La fantasía es muy lógica, y la realidad muy ilógica. De modo que siempre que surja la realidad, tendrá ambas polaridades... ese es uno de sus criterios. Si no posee ambas polaridades, entonces es una fabulación de la mente.

La mente juega sobre seguro y siempre crea algo consistente. La vida misma es muy inconsistente y contradictoria... tiene que serlo, existe por la contradicción. La vida existe a través de la muerte, de manera que siempre que estáis realmente vivos también sentiréis la muerte, de inmediato. Cualquier momento de gran vida será asimismo un gran momento de muerte. Cualquier momento de gran felicidad también será un gran momento de tristeza. Esto tiene que ser así...

Así que no olvidéis nunca esto: siempre que tengáis un momento contradictorio —dos cosas que no encajan juntas, que están ahí y son polaridades y diametralmente opuestas—, entonces recordad, debe de ser real; no podéis imaginarlo. La imaginación jamás es tan ilógica.

359
CREATIVIDAD

La creatividad es un alimento, y las personas que no son creativas rara vez crecen —es muy raro que lo hagan—, porque están hambrientas.

Nos acercamos a Dios solo cuando creamos. Si Dios es el creador, entonces ser creativos es la forma de participar de su ser. No podemos crear este universo, pero podemos crear un cuadro pequeño... podemos crear cosas pequeñas. Y da igual que creéis algo grande o pequeño. La creatividad no conoce una evaluación cualitativa.

De modo que a la creatividad no le importa la cantidad; le preocupa la calidad. Y no tiene nada que ver con lo que otros dicen acerca de vuestras creaciones... eso es irrelevante. Si disfrutasteis haciendo vuestro trabajo, es suficiente; ya se os ha pagado.

360
COMPRENSIÓN

Los amantes pueden separarse, pero la comprensión que se ha obtenido en la compañía del otro siempre permanecerá. Será un regalo. Si amáis a una persona, el único regalo valioso que podéis ofrecerle es cierta comprensión.

Hablad entre vosotros y comprended que a veces el otro necesita espacio. Y este es el problema: que a veces no os sucede al mismo tiempo. A veces queréis estar con la otra persona y esta quiere estar sola... no se puede hacer nada al respecto. Entonces tenéis que comprenderlo y dejarla sola. A veces sois vosotros los que queréis estar solos y la otra persona desea estar a vuestro lado... ¡decidle entonces que no podéis hacer nada!

Así que cread más y más comprensión. Eso es lo que echan de menos los amantes: amor tienen suficiente, pero nada de comprensión, nada en absoluto. Por eso su amor muere sobre las rocas de la falta de comprensión. El amor no puede vivir sin comprensión. Solo, es muy tonto; con comprensión, puede llevar una vida larga, grande... de muchos gozos compartidos, de muchos momentos hermosos compartidos, de grandes experiencias poéticas. Pero eso solo tiene lugar mediante la comprensión.

El amor os puede proporcionar una pequeña luna de miel, pero eso es todo. Solo la comprensión os puede aportar una profunda intimidad. Y cada luna de miel va seguida de depresión, ira, frustración. A menos que crezcáis en comprensión, ninguna luna de miel os será de ayuda; es como una droga.

Así que tratad de crear más comprensión. Y aunque algún día os separéis, la comprensión os acompañará, será un regalo de vuestro amor.

361

LO MISTERIOSO

Prestad atención a lo misterioso; no lo neguéis. No digáis de antemano que no existe. Todas las personas que han caminado sobre la tierra están de acuerdo al respecto: lo misterioso existe.

El mundo no se acaba en lo visible. Lo invisible está ahí, y es más importante porque es mucho más profundo. Lo visible no es más que una onda en lo invisible. Lo invisible es el océano. De manera que cuando sucede algo extraño, no lo neguéis y no os cerréis a ello. Abríos, dejad que entre. Y durante el día hay muchos, muchos momentos en los que lo misterioso llama a la puerta.

De pronto un pájaro empieza a llamar... Prestadle atención, y hacedlo con el corazón. No os pongáis a analizar qué es. No empecéis a hablar sobre ello. Guardad silencio, dejad que os penetre lo más profundamente que sea posible. No lo entorpezcáis con vuestras ondas de pensamiento. Dejadle paso libre. Sentidlo... no lo penséis.

Quizá sintáis una diferencia todo el día porque os habéis encontrado con una rosa por la mañana. Puede que os sintáis diferentes todo el día si habéis visto salir el sol por la mañana y eso os llenó de emoción. Os sentiréis como una persona completamente nueva si habéis visto pájaros y habéis estado con ellos un momento. Vuestra vida ha empezado a cambiar.

Este es el modo en que uno se convierte en un buscador. Hay que absorber la belleza de la existencia, su gozo, la abrumadora bendición que representa.

362

NO DEJÉIS DE SER AVENTUREROS

Nunca dejéis de ser aventureros. Ni por un momento olvidéis que la vida es de aquellos que son exploradores. No pertenece a lo estático, sino a lo que fluye. Nunca os convirtáis en una represa, sed siempre un río.

La mente no es capaz de enfrentarse a lo nuevo. No puede conjeturar qué es, no puede encajarlo en categorías, no puede etiquetarlo; lo nuevo la desconcierta. La mente pierde toda su eficiencia cuando se enfrenta a algo nuevo.

Con el pasado, con lo viejo, con lo familiar, se encuentra muy a gusto, porque sabe qué es, cómo comportarse, qué hacer, qué no hacer. Es perfecta en lo conocido; se mueve en un territorio bien recorrido. Incluso puede moverse en la oscuridad; la familiaridad ayuda a que la mente no tenga miedo. Pero hay que entender el siguiente problema: como la mente nunca tiene miedo con lo conocido, no os permite crecer. El crecimiento es para lo nuevo, y la mente solo está relajada y sin temor con lo viejo. De manera que se aferra a lo antiguo y evita lo nuevo. Lo viejo parece sinónimo de vida y lo nuevo de muerte; ese es el modo que tiene la mente de contemplar las cosas. Debéis hacerla a un lado.

La vida nunca permanece estática, todo está cambiando: hoy está allí, mañana quizá no. Tal vez volváis a encontrarlo, ¿quién sabe cuándo? Tal vez requiera meses, años o vidas. De modo que cuando la oportunidad llame a vuestra puerta, no la dejéis escapar. Que esto se convierta en una ley fundamental: elegid siempre lo nuevo ante lo viejo. Lo viejo es conveniente, cómodo, pero en ello no hay crecimiento. Lo viejo es viejo, está muerto y acabado; es vuestra tumba.

363
MANICOMIO

Recordad siempre una cosa: que como os encontráis ahora, como se encuentra todo el mundo... ya estáis locos. La humanidad está loca, esta Tierra es un manicomio. De modo que solo os podéis volver cuerdos, no locos; eso no es un problema.

Otra cosa es que tengáis miedo de volveros cuerdos, pero no temáis volveros locos, porque, ¿qué más podría suceder? ¡Lo peor ya ha pasado! Vivimos en la peor clase de infierno. De manera que si caéis, quizá lo hagáis en el cielo. No podéis caer en otro sitio porque este es el último.

Pero la gente tiene miedo, porque cree que es lo normal aquello en lo que ha estado viviendo. Nadie es normal. Muy rara vez hay un hombre normal como Jesucristo o Buda: todos los demás son anormales. Pero lo anormal es la mayoría, de modo que se llaman normales; Jesucristo parece anormal. Y, desde luego, la mayoría puede decidir, en última instancia posee los votos para decidir quién es normal y quién no. Es un mundo extraño: aquí las personas normales aparecen como anormales y las anormales son consideradas normales.

¡Mirad a la gente! Observadla, observad vuestra propia mente: es un mono, un mono loco.

Durante treinta minutos escribid en un trozo de papel lo primero que se os ocurra y luego mostrádselo a todo el mundo. ¡Cualquiera certificaría que estáis locos! Si esta es vuestra escritura, estáis locos; pero se trata de vuestra mente.

No tengáis miedo. Seguid aquello que sintáis, aquello que viene a vosotros, seguid esa llamada, seguid esa pista. Y si desaparecéis, ¡desapareced! ¿Qué tenéis que perder?

364
EL DESAFÍO DE LO SALVAJE

Esto no es más que un comienzo. Tendréis que pasar por tierras cada vez más extrañas. La verdad es más extraña que la ficción. Pero sed valerosos.

Antes de que empecéis a entrar en vuestro interior, no sabéis cuánto de vosotros nunca os fue conocido. Vivíais con solo un fragmento de vuestro ser. Vivíais como una gota de agua y vuestro ser es como un océano. Os identificabais únicamente con la hoja del árbol cuando todo el árbol os pertenece.

Sí, es muy extraño porque uno empieza a expandirse. Hay que absorber nuevas realidades. En cada momento hay que encarar hechos que nunca antes se habían visto, de modo que en cada momento hay una perturbación y el caos se vuelve algo continuo. Nunca os podéis asentar. Nunca podéis volveros seguros, porque, ¿quién sabe qué se os abrirá al siguiente momento?

Por eso las personas nunca van dentro. Llevan una vida asentada. Han despejado una pequeña tierra de su ser y erigido su casa allí. Han cerrado los ojos, alzado grandes vallas y paredes, de manera que piensan: «Esto es todo». Y justo más allá de la pared está su ser real y salvaje esperándolos. Ese es el desafío, el desafío de lo salvaje.

365
COMIENZO

Allí donde estéis, siempre es el comienzo.
Por eso la vida es tan hermosa, tan joven, tan fresca.

En cuanto empezáis a pensar que algo está completo, comenzáis a morir. La perfección es la muerte, de modo que las personas perfeccionistas son suicidas. Quieren suicidarse, de ahí que quieran ser perfectas. Es un modo indirecto de suicidarse.

Nada jamás es perfecto. No puede serlo, porque la vida es eterna. Nada concluye jamás; no hay conclusión en la vida... solo cumbres más y más elevadas. Pero en cuanto llegáis a una cumbre, otra os está desafiando, llamándoos, invitándoos.

Así que recordad siempre... allí donde estéis es un comienzo, siempre un comienzo. Entonces uno siempre sigue siendo un niño... virgen. Y ahí radica todo el arte de la vida... mantenerse virgen, fresco y joven, no corrompido por la vida, por el pasado, por el polvo que generalmente se arracima en los caminos durante el viaje. Recordad, cada momento abre una puerta nueva.

Es muy ilógico, porque siempre pensamos que si hay un comienzo, entonces ha de haber un final. Pero no se puede hacer nada. La vida es ilógica. Tiene un comienzo pero no un final. Nada que esté realmente vivo termina alguna vez. Sigue y sigue y sigue.

SOBRE EL AUTOR

Las enseñanzas de Osho desafían la clasificación y abarcan todo, desde la búsqueda de sentido individual hasta los temas sociales y políticos más urgentes a los que se enfrenta hoy en día la sociedad. Sus libros no están escritos, sino que son transcripciones de grabaciones de audio y vídeo sobre charlas improvisadas ofrecidas en respuesta a preguntas de visitantes a lo largo de un periodo de treinta y cinco años. Osho ha sido descrito por el *Sunday Times* de Londres como uno de los «1.000 Hacedores del siglo XX», y por el *Sunday Mid-Day* (India) como una de las diez personas —junto con Gandhi, Nehru y Buda— que ha cambiado el destino de la India.

Acerca de su propia obra, Osho ha dicho que está ayudando a crear las condiciones para el nacimiento de una nueva clase de ser humano. A menudo ha caracterizado a ese hombre nuevo como «Zorba el Buda», capaz de disfrutar tanto de los placeres terrenales de un Zorba el griego como de la silenciosa serenidad de un Gautama el Buda. Como una hebra conductora, que incluye todos los aspectos de la obra de Osho, está la visión que abarca la sabiduría atemporal de Oriente y el máximo potencial de la ciencia y tecnología de Occidente.

También es conocido por su contribución revolucionaria a la ciencia de la transformación interior, con un enfoque hacia la meditación que reconoce el ritmo acelerado de la vida contemporánea. Sus extraordinarias «Meditaciones Activas» están diseñadas para liberar las tensiones acumuladas del cuerpo y de la mente, para que resulte más fácil experimentar el relajado estado de meditación.

Sobre el «Resort» de Meditación:
LA COMUNA INTERNACIONAL OSHO

La Comuna Internacional Osho es un resort de meditación que ha sido creado para que las personas tengan una experiencia directa de un nuevo modo de vida, con un estado más alerta, con más relajación y humor. Situado a unos 160 kilómetros al sudeste de Bombay, en Puna, la India, el centro ofrece variedad de programas para las miles de personas que lo visitan cada año procedentes de más de cien países.

Las instalaciones se extienden sobre más de 40 acres en un suburbio arbolado conocido como Koregaon Park. Aunque el alojamiento para los visitantes es limitado, hay una gran variedad de hoteles y apartamentos privados próximos, disponibles para estancias de unos días o varios meses.

Los programas en el centro de meditación, que tienen lugar en un elegante complejo piramidal contiguo a un jardín zen de quince acres, están diseñados para proporcionar las herramientas que permitan a las personas contemporáneas transformar sus vidas. Lo primordial es darle a la gente acceso a un nuevo estilo de vida de percepción relajada. Un enfoque que puedan llevarse a casa e incorporar a su vida cotidiana. Durante todo el año se ofrece una selección de clases de autodescubrimiento, junto con sesiones y cursos de los procesos de meditación de Osho. En el vestíbulo principal de meditación, el programa diario incluye métodos de meditación activos y silenciosos, contemporáneos y tradicionales. Para ejercitar el cuerpo y mantenerse en forma hay unas hermosas instalaciones exteriores donde se puede experimentar con un enfoque zen del deporte y el recreo.

Cada noche, los visitantes del centro disponen de la oportunidad de participar en un único encuentro de meditación de dos horas de música, danza y silencio. Después de este encuentro, la vida nocturna en este centro multicultural abunda en acontecimientos de entretenimiento, conciertos y zonas para comer al aire libre, donde se sirven platos hindúes tradicionales y una selección de platos internacionales. Las cafeterías de la plaza se llenan de amigos y a menudo hay baile, con un *disc-jockey* o música en directo.

La comuna posee su propio suministro de agua potable filtrada y los alimentos que en ella se sirven están cultivados de manera orgánica en la propia granja de la comuna. En ella se puede encontrar un recorrido *online* del centro, al igual que información de viajes y de los programas.

Para más información:

Véase:

www.osho.com

Una página web exhaustiva y multilingüe que incluye una revista *online*, emisiones de audio y vídeo, información sobre los programas y los viajes al Centro de Meditación en Puna y un archivo completo de charlas de Osho, además de un catálogo de todas sus publicaciones, incluyendo libros, revistas, cintas y vídeos.

O contactar con:

Osho International, Nueva York
Email: osho-int@osho.com
www.osho.com